THE NATIONAL
GEOGRAPHIC TRAVELER

国 家 地 理 学 会 旅 行 家 系 列

NEW YORK

纽 约

辽 宁 教 育 出 版 社
贝塔斯曼亚洲出版公司

PIER 17

THE NATIONAL
GEOGRAPHIC TRAVELER
国家地理学会旅行家系列
NEW YORK
纽约
迈克尔·S·达勒姆

目 录

第 1 页图：出租车。
第 2—3 页图：夜色中的曼哈顿下城和布鲁克林桥。
左页图：克莱斯勒大楼。

如 何 使 用 本 书

请参考封底折口有关内文与地图的符号说明

美国国家地理学会的旅行家系列以最佳的文字、图片和地图，将纽约呈现给你。全书共分三部分，第一部分为你概述了历史与文化，接着为你介绍纽约的10个区域，作者将依其独具的眼光为你精选景点，进行深入的讲解。每一章节的开始都附有一个清晰的目录，以便查询。最后则提供读者可行的出城旅游参考路线。

每一章节都附录一张主要地区的地图，并且特别标注重要景点位置，以及其他值得游访的建议景点。小范围的徒步行程，则再附上一张单独的路线图，其上并标明建议游览景点。另外辟出的专题和边栏说明，乃是为深入详述关于历史、文化或当代生活而设。

最后附录的“旅游资讯”，提供了旅行时最必须的实用资讯，包括行程规划、交通往返、紧急事故等。并且将纽约各区的主要旅馆、餐厅、购物商店、娱乐活动等相关资料条列于后，方便读者参考使用。

截至本书出版以前，我们所提供的各地区、景点相关讯息皆十分确切。但无论如何，仍建议读者在旅游前尽可能先以电话查询再行确认。

66

颜色标示

依城市地区的不同，分别以不同颜色加以区分。可先在封面折口处的地图上找到目标地区，再依照每页右上角的方块颜色迅速翻至该单元页码。同时，**旅游资讯**单元也采同样的颜色区分方式。

南街海港博物馆和市场

- 见48页地图
- 12 Fulton St.
- 212/748-8600
- 冬季周二不开放
- $$
- 地铁：搭2，3，4，5线至Fulton St.站

景点信息

每个重要景点介绍都附有实用的旅游资讯，（可参考封底折口符号说明）。地图页码代表该景点所隶属的区域地图所在，此外还包括景点地址、电话、开放时间、地铁搭乘等详细资讯。门票收费部分，则以$符号代表低于4美元、$$$$$代表超过25美元。关于较次要的景点，则于内文中另以括号辅助说明。

旅 游 资 讯

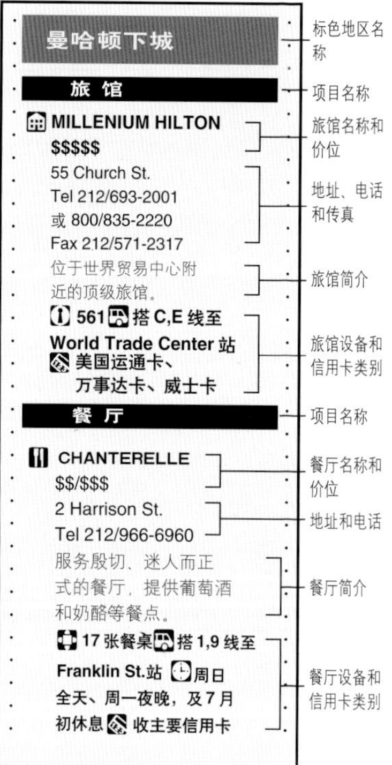

旅馆和餐厅价格

关于旅馆和餐厅的价位说明，可查询238页起的旅馆和餐厅单元。

城区地图

突出介绍的重要景点

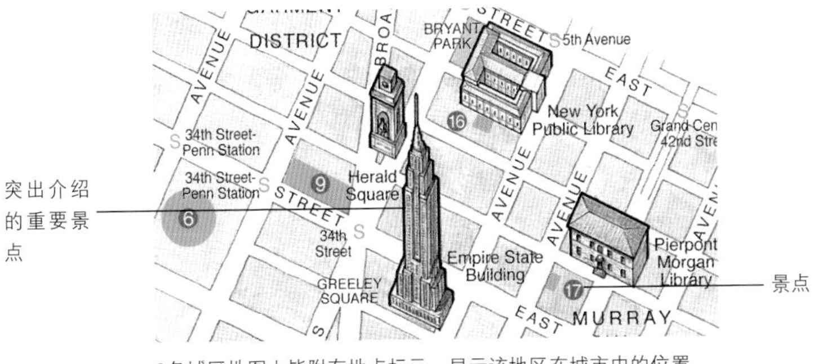

景点

●各城区地图上皆附有地点标示，显示该地区在城市中的位置。

徒步旅行地图

徒步路线上的重要景点（以粗体字表示）

行进方向

徒步路线

起始点

建筑物轮廓

红色标号代表本书中介绍的景点

不在途步路线上的景点

●步行所需时间、起迄点、路程长短及沿途景点等有关资料皆附录于边栏说明中。

出城游览地图

包含景点的城镇

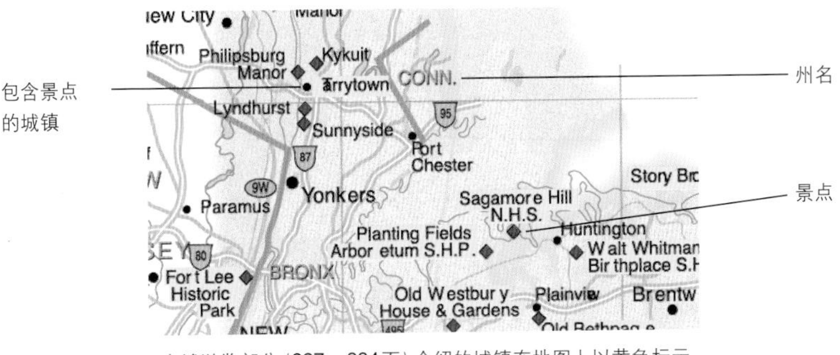

州名

景点

●出城游览部分（227—234页）介绍的城镇在地图上以黄色标示，其他景点以红色菱形块代表。

THE NATIONAL GEOGRAPHIC TRAVELER
国家地理学会旅行家系列

NEW YORK
纽约

作者简介

在纽约市出生长大的迈克尔·达勒姆（Michael S. Durham），如今虽已远离以往熟悉的街道，定居于纽约州北部乡下，但他对纽约市的持续兴趣却反映在他的作品之中；其中尤以《史密森美国历史指南：大西洋沿岸中部卷》一书最具代表性。达勒姆曾任职美国文物出版公司（American Heritage Publishing Company）编辑，以及《生活》（Life）杂志纽约和巴黎出版部的特约撰稿人兼编辑。

作者著述包括：1997年荷尔特（Henry Holt）出版的《山峦间的沙漠》（Desert Between the Mountains）、1991年柯林斯（Haper Collins）出版的《玛莉的神迹》（Miracles of Mary），以及1991年斯图尔特、塔柏里和张（Stewart, Tabori & Chang）出版的《强势的年代》（Powerful Days），此书以他在1960年代对美国民权运动所从事的文字报导为基础所写成。

根据达勒姆的亲身体验，纽约不但是一个值得游览的地方，而且适合久居。

本书的完成要感谢：
林奇（Mary Ann Lynch）/本书“今日纽约”单元协助编辑与撰述。
戴维斯（Mitchell Davis）/“比尔德基金会”会长，本书“旅游资讯”单元撰述。

历史与文化 History & Culture

时报广场(Times Square)。

今 日 纽 约

站在21世纪的起跑点上，纽约改变的步伐仍然未曾稍歇，犹如以往。甚或有些人会认为，纽约惟一不变的特质即是她的千变万化。400年前，在曼哈顿岛（Manhattan Island）下城，已为她的改换和变迁写下了故事的开端，建筑物拆除后又重建，挣扎于创新或再创新的抉择。而在这诸多因素当中，纽约市民交织成的多样文化却始终如一。

长久以来，移民一直是促使纽约成长的动力，同时也是辨识她的主要特征。截至20世纪末，一波又一波的移民潮仍自世界各个角落蜂涌而至。移民带来了不同的传统和居住形态，并形成属性不同的文化社区。事实上，联合国（United Nations）总部坐落于此便颇为贴切。纽约不仅混杂了多种文化社群，更是世界各国的缩影。经由不断扩散的混种文化所产生的特殊结构和活力，使纽约呈现出一股变化万千的迷人风貌。纽约从来就不是贯彻一致的整体，若是把城市中使用多种语言的纽约人排除在外，纽约也就不再是纽约了。

其实，问题不是谁住在纽约，而是谁不住在纽约？无论是意大利人、中国人、牙买加人、希腊人、伊斯兰人、斯拉夫人，还是北美印第安人，都可以轻易地在这儿找到同乡芳邻，甚至创立一个新的文化社区。从某种程度来说，纽约的精神便是文化人种的不断更新，只是在变动中仍维持着恒稳强大的基础。人们将既有的传统原封不动地搬到这儿，在工作职业场上找到足以施展的空间后，便安顿下来、开始同化，但始终不曾抛弃旧有的文化背景。纽约每个月至少有一两次的民俗节庆游行，原因也就在此。

同时，纽约还是一个向全世界高举灯火的城市。港湾上的自由女神像（Statue of Liberty），不仅象征着纽约的过去，也标识着她的今日。否则，她可能早就如宾夕法尼亚车站（Pennsylvania Station）一样面临拆除的命运。自由女神终究无法被取代，在世界各地的旅人心目中，她的形象依然代表着希望。因此，今日仍有一波波的人潮迁入纽约。移民和旅客、寻梦者和阴谋家、学生和专业人士，以及更多的各类族群都停泊在这金色的门槛旁边。有些人就此悬住且留了下来，有些人则是在浅尝城市的快捷步伐之后，就此离开。但却免不了一再地返回、离开，再返回。另外一些人，则不仅仅是离开而已，而是逃跑。

近几十年来，游客和旅人群集至纽约的数目远超过以往任何一段时间。虽然，有段时期纽约在财政上遭遇困难，稍后却再度复苏，并且竭尽所能地让此地的游人享受到舒畅的气息与风貌。整个城市的公共设施都在更新之中，同时提升服务的项目和便捷。

大中央车站（Grand Central Terminal）比过去扩大了许多，屋顶上的星宿图案最近才刚刚清理过，已显饱和的商家和餐馆仍不断地开张，当然其中最惹人青睐的仍是老字号的生蚝餐馆（Oyster Bar）。一边谨守着既有的成果，一面则不忘随时添加、调整，或者创新尚嫌缺乏的事物，这也是纽约的另一个特征。因此不难理解，为何一度沦为人们白天也避而远之的时报广场，如今却成为适合携家带眷的逛街景点；传奇的百老汇（Broadway）剧院区不仅修复完成，而且起死回生；哥伦布广场（Columbus Circle）即将拥有的大型复合结构，届时将成为新的爵士乐重镇，不仅带来新的工作机会，整个区域的文化形态也将面临重大改变。在这层层的规划之外，更有敏锐的公益团体试图从中找到成长与保存的最佳平衡点。

在世界贸易中心的衬托下，纽约港的自由女神像显得璀璨耀眼。

纽约在过去虽有过错和无法挽回的疏忽，但什么也阻挡不了她持续求新的理想。此外还有一个不变的定理：纽约永远有可能变得更好。

有时候，纽约仿佛就像是基础已破损不堪的一团混乱。争论不休的政客、梅西百货（Macy's）到荷兰隧道（Holland Tunnel）一带的拥塞交通、示威游行过后堆叠如山的垃圾……从某个角度来说，纽约确实就是如此。尽管有种种问题和缺点，纽约壮观的成就和人性奇景，却是改变不了的事实。选择以纽约为家或一再重游的人们，可能早已识穿纽约正是世界上独一无二的大都会。毋庸置疑，这儿是一个不夜城，无论白天或夜晚，随时随地都可以坐拥美食、娱乐、商店、交通工具和建筑景观，而这还只是开头而已呢。

相对于那些对纽约过敏的人士，纽约人所以能长居此地，正由于他们懂得一套城市的生存法则：对周遭环境敏感、随时

霓虹灯闪烁的时报广场位于纽约剧院区的中心。

调整、渴望超越、尽可能地接受考验，同时还得凡事消息灵通。若说纽约人有何了不起，当属他们永远"跟着速度走"的特殊本事了。在纽约，随时可以找到不同的聊天对象：譬如，在街头以诗作行乞的人、搭乘地铁时或体育场上坐在隔邻的人，或是餐厅的侍者。而当然也可能是出租车司机、街头小贩，或者穿着亚曼尼（Armani）名牌服饰的经理人。他们不仅消息灵通，而且清楚自己对纽约事务了如指掌，同时抱有坚定的个人观点。

究竟谁才是纽约最有势力的人呢？是华尔街（Wall Street）的贸易商？公共名人？还是特朗普（Donald Trump）或古兰尼市长（Mayor Guilani）？其实也极有可能是某大楼的管理员，因为他也许正掌管着纽约房价最抢手的大楼门口。每天，纽约都弥漫着不同的氛围。如果千里迢迢

来到这儿，却未曾感受到大苹果的独特气息，就像是不曾来过纽约一样。

吃在纽约

在美国，没有任何城市的美食足以和纽约齐名，也没有任何地方能像纽约一样，拥有如此多样的口味和餐厅选择。你可以向街头小贩买一个热腾腾的普来泽尔饼（Pretzel）或热狗，也可以坐在寿司吧台旁吃着鲜美的生鱼片。这儿有各式各样的海鲜，以及所有令人动心的中国菜、日本料理、韩国菜和泰国菜等，你绝对能品尝到举世最好的厨师手艺。

或者，还可以到伍迪·艾伦（Woody Allen）拍摄“百老汇上空子弹”（Bullets Over Broadway）的韦瓦地咖啡馆（Vivaldi Cafe）小憩一下，喝杯咖啡。不管是餐车速食，还是精心料理的佳肴，纽约应有尽有。

纽约的美食，完全得归功于来自世界

在大中央车站里建有拱形屋顶的生蚝餐馆，可以品尝到鲜美的海鲜佳肴。

各地的移民。在这儿，地道的美国菜反而显得具有异国风味，少数几家纯正的美式餐饮都很别致，菜色则和美国其他地区的家乡风味雷同。一种先煮再烤、松松软软的圆形焙果（Bagel），一向是纽约犹太人的独门食谱。60年代在美国其他州研发出的焙果，始终无法和纽约的特制焙果相比。

深受全美欢迎、由法国传入的马铃薯奶油浓汤（Vichysoisse），是如今已不复存在的丽池—卡尔东饭店（Ritz-Calton Hotel）发明的，它是以德国矿泉水掺入巧克力糖浆、纽约特产牛奶调配而成。由碎牛肉、瑞士乳酪和德国泡菜混合成的鲁本（Reuben）三明治，后来则在美国各地广为流传。

位于河狸街（Beaver Street）56号的戴尔莫尼科餐馆（Delmonico's），宣称他们创造了纽堡（Newburg）和阿拉斯加

（Alaska）的龙虾美食，从此改以“戴尔莫尼科烧烤”闻名。截至1831年戴氏餐馆开张，美国才真正拥有一家纯正的法国餐厅。同时，它也是第一家以法文印制菜单、并允许女士入内用餐的餐馆，目前仍照常营业。

假使你从不曾到任何一家熟食店或咖啡馆用餐，纽约的美食之旅即不算完成。这儿有丰盛的馔肴、粗率的服务，以及少有的舒适感。它们多半是由德国或东欧移民所经营，其中如熏牛肉、白鳟鱼、面丸汤等餐食非常清淡。对某些人来说，口味似乎有些怪异，但只要看看那些琳琅满目的繁复菜色，绝对可以满足各式人等的口腹需求。游客不妨到凯兹熟食馆（Katz's Delicatessen）及常有名人出入的舞台熟食馆（Stage Deli）试试。

咖啡馆是简便、价廉用餐的最佳选择。这儿提供风格特殊的现成熟食，周日的早午餐（Brunch）很丰盛，通常视店主

位于上西区（Upper West Side）的札巴斯熟食铺（Zabar's）供应种类繁多的食物。

的种族而有不同口味（在今天很可能遇到的是希腊人老板）。近几年来，过去从不费心烹煮咖啡的咖啡馆，遭遇到如星巴克（Starbucks）、新世界咖啡（New World Coffee）等大型连锁咖啡馆的围攻。索霍区（Soho）许多餐馆宛如昙花一现，但和崔比卡（Tribeca）的聂波仑餐馆（Drew Nieporent）同样老板开的诺布餐馆（Nobu），则似乎维持得较久一些。此外，也不乏尚乔治（Jean-Georges）这类开在哥伦布广场特朗普饭店（Trump Hotel）里的四星级餐厅。

纽约的历史

1998年，纽约庆祝了她的一百岁生日。但相形之下，城里同样也已届百年历史的布鲁克林桥（Brooklyn Bridge）或自由女神像等象征性地标，却似乎显得更为风光一些。其中一个原因，当然是由于这个城市确实已非常老了。另外则因为人们真正纪念的并非最初的发现和创建，而是100年来的运转和管理。也就是说，在现有的地区范围内，整个城市的结合性究竟如何？

自从扩增了布鲁克林桥、布朗克斯（Bronx）、斯塔滕岛（Staten Island）及昆斯区（Queens）和曼哈顿等区之后，不仅纽约的税收增加，城市人口也由原先的200万人增加为300万人，致使纽约于1898年跃居为全世界的第二大城，仅次于拥有400万人口的伦敦。然而，诚如纽约人心里都明白的，城市的规模不是重点，各区的凝聚力也不是让纽约更好的指标。或可借用小说家德莱塞（Theodore Dreiser, 1871—1945）的一句话来说明："多么强悍、广阔，多么悠然自得！"这才是纽约的精神写照。

在纽约的历史上，还有更多值得纪念

1664年的新阿姆斯特丹（New Amsterdam）地图显示今日的曼哈顿下城（Lower Manhattan）。

的日子。比如，1609 年英格兰探险家哈得孙（Henry Hudson）穿越曼哈顿岛，沿着这条今日以他命名的河流溯流而行。1625 年，开始有人在曼哈顿岛上永久定居。对布朗克斯的居民来说，1639 年是个重要日期，丹麦人布朗克（Johannes Bronck）在曼哈顿北方安顿下来。亲英格兰的人士则应该庆祝 1674 年，英格兰人从荷兰人手中接管了这个城市。而对爱国者而言，理所当然是1783 年 11 月 25 日，美国独立战争后英国人自此离开纽约。一百多年来，英国撤离日始终被纽约人热烈庆祝着。

大约早在 11 500 年前，曼哈顿和邻近地区即被古印第安人（Paleo-Indians）所"发现"。当第一个来自欧洲的意大利人维拉札诺（Giovanni Da Verrazano）在 1524 年前往法国途中，不小心驶入纽约港时，古印第安人的后裔已定居在此。1626 年，米努伊特（Peter Minuit）从印第安人手中买下曼哈顿岛，非洲人被当成奴隶贩卖到新阿姆斯特丹。直到1799 年，他们才因法令通过奴隶解放而获得自由。犹太人的重要节日是 1654 年，23 名西班牙裔犹太人难民从巴西来到纽约，并成立全美暨纽约第一所犹太人教会雪儿里斯犹太人教会（Shearith Israel）。

荷兰人的新阿姆斯特丹

1613年，一艘欧洲船只在海岸不远处遭到焚毁，荷兰航海家布拉克（Adraien Block）和他的船员们在曼哈顿岛上度过了一个冬天。当春天来临，布拉克在印第安人的协助下造了另一艘船，并且返航回乡。归航时，布拉克驶经东河（East River）险恶难行的峡湾，于是称之为"地狱门"（Hellegat: Hell's Gate）。接着进入长岛海峡（Long Island Sound）的中心，并抵达以他自己命名的布拉克岛（Block Island）。

1614 年，新尼德兰（New Netherland）殖民地形成，活动范围多半以哈得孙河靠近奥尔巴（Albany）一带为主。1625 年，一些住在其他地方的荷兰移民奉命来到曼哈顿岛，首领米努伊特以约值 24 美元的毛毯、衣服、饰品和金属器物等为代价，从印第安人手中买下了这座岛屿。当时印第安人毫无资财观念，更无法想象他们所出售的是土地所有权。今天人们也许会津津乐道米努伊特不愧是历史上的议价高手，以 24 美元买下一座大半荒凉的岛屿，可说是个不错的价钱。不过，这得将岛屿的南端排除在外，因为那儿的居民只能勉强艰苦维生而已。由哈特格斯（Joost Hartgers）所绘的新阿姆斯特丹（也就是后来的纽约）地图，是根据1625 年至 1626 年间的素描为参考，图中显示了 30 栋简单的房舍、一架风车、一座称为阿姆斯特丹的城堡，以及几艘停泊岸旁的船只。

大量售往荷兰的河狸皮帽生意，是这群移民惟一赖以维生的方式。向印第安人购得的毛皮数量，从 1629 年的 7520 张，30年后已扩增为30 000张左右。1628年，荷兰改革教会（Dutch Reformed）的牧师米夏路斯（Jonas Michaelius）初次抵达此地，对于该市270 名居民的不敬神现象感到十分惊愕。然而，他所设立的教会（今称作Marble Collegiate Reformed）至今仍在 29 街与第 5 大道路口继续福音布道。

随着移民的扩增，稳定的贸易和宽裕的生活吸引更多人来到此地。新英格兰清教徒派（Puritan New England）的赫琴森（Anne Hutchinson）于1642年抵达纽约，却在隔年遭印第安人刺杀身亡。1644年，有11名奴隶被带来，并且获准拥有"半自由"的权利；也就是说，他们保有自己的土地，但子孙仍维持奴隶的身份。

英格兰的贵格会信徒（English Quakers）于1657年来到新尼德兰，却不受当时总督史都维森（Peter Stuyvesant）的欢迎。当史都维森下令逮捕鲍恩（John Bowne）时，鲍恩转向荷兰西印第安协会（Dutch West India Company）求助，该协会因此反对史都维森的拘捕令。他们清楚意识到，宗教迫害将导致贸易上的损失。除开此点不论，史都维森尚称得上是个有效率的治理人才。他鼓励贸易活动，组织一个自治的政府，并且与印第安人维持和平关系。遭逢北方英格兰人威胁时，他更下令建造一座长达2340英尺、从东河延伸至哈得孙河的城墙，使新阿姆斯特丹免受侵略。

英格兰人的纽约

英格兰人飘洋过海来到纽约。1664年8月26日，尼科尔（Col. Richard Nicolls）遵从皇兄约克公爵（Duke Of York）的旨意，带领450名士兵登陆布鲁克林，并且将其他武力部署在曼哈顿岛周围水域上。仅有少许士兵的史都维森英勇地抵御敌军，市民代表们却齐力说服他向英军投降。尼科尔因此成为当地首位英格兰总督，并以他主人的姓名重新称呼这座城市。但不久却遭遇另一次的易手，1673年，荷兰人与法国人和英国人开战，再次夺回纽约的统辖权。次年，又向英国人求和，把纽约交还英国手中。

在英格兰的管辖下，起初虽不太繁荣，贸易港口的雏形则已具备，并逐渐茁长至城市的规模。然而，英格兰人一些愚昧的政策和限制，如将新泽西（New Jersey）视为不同的殖民地，却阻碍了纽约的经济发展。1683年，在新的英格兰总督唐根（Thomas Dongan）的治理下，在一次地方集会时起草了一份自由与特权宪章（Charter of Liberties and Privileges），其中包含宗教自由与自治权利。当这份宪章传回英格兰诉请核准时，也正是推行松绑政策的约克公爵登基为国王詹姆斯二世（King James Ⅱ）的时刻。由于他宽宏大量的心胸，自由与特权宪章给予殖民地极大的自由，也因此不得不导致废止的结果。

1688年的光荣革命（Glorious Revolution）罢黜了詹姆斯国王（Roman Catholic King James），使他所推行的政策也变得模糊暧昧。1689年的5月，一位出生德国的商人暨国民军官莱斯勒（Jacob Leisler）占领了乔治堡（Fort George），并在往后两年内成为总督。莱斯勒是荷兰改革教会的活跃分子，下令拘捕天主教徒、解散地方集会，还曾于1690年代入侵加拿大。当英格兰新任的威廉国王（William of Orange）派遣一位新总督来接掌纽约时，莱斯勒即以叛国罪名于1691年5月16日被处以死刑。

1734年，殖民地人的权利遭遇到另一次考验。纽约周报评论（New York Weekly Journal）的发行人冉格（John Peter Zenger），因对英格兰总督考斯比（William Cosby）施以嘲讽和诽谤而被控入狱。在审判过程中，冉格的律师汉密尔顿（Andrew Hamilton）说服陪审团相信冉格只是陈述事实，并未涉及诽谤。这个案件为美国的新闻言论自由立下了很好的范例；当时汉密尔顿向陪审团说道："法庭上提出的问题……不是小事，也不是私人的事。不只是为了这个穷出版商，或单纯为了纽约，绝非只是如此！这个官司将持续对所有接受英格兰统治的美国人产生影响，它是最棒的诉讼案例，因为它关乎自由！"

自此以后，与自由相关的问题，始终是这段时期潜伏的一股暗流。甚至，连看似无关的国王学院（King's College, 即今日的哥伦比亚大学）于1754年创校一事，

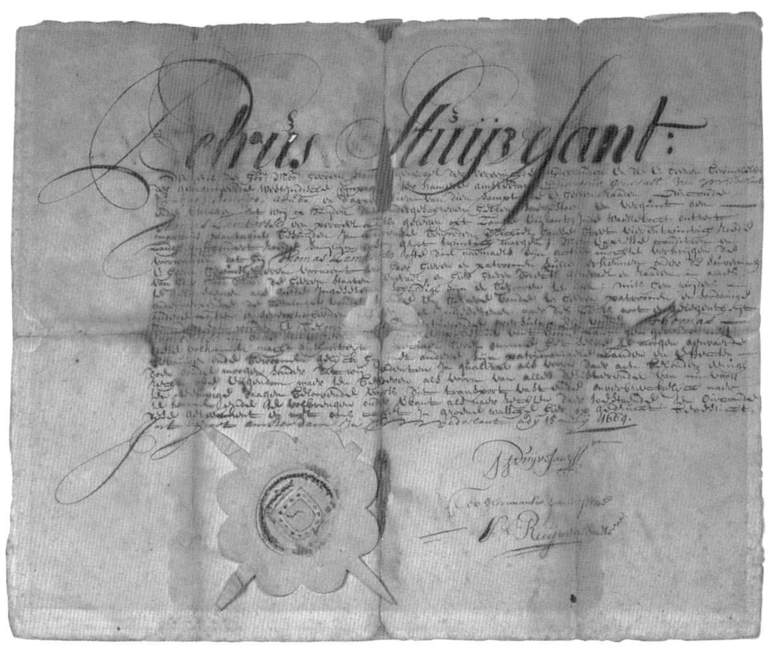

1664 年 5 月 15 日由总督史都维森签署的一份契约。

都被掺入争议性质。英国打败法国人与印第安人之后，纽约人即对支付该市英国驻军费用一事感到不满。为了增加税收，议会于1764年通过糖税法案（Sugar Act），强制课征纽约的糖税。于1765年通过的印花税法案（Stamp Act），则对所有的商业贸易课征印花税。1765年10月7日，纽约召开了印花税法案大会，向议会提出反对意见，否认议会在未经殖民地人民同意下强制课税的权力。

一群自称为"自由之子"（Sons of Liberty）的团体所领导、有暴力倾向的激昂群众在街头示威游行，攻击英国官员的宅邸和财物。群众在当今的市府公园（City Hall Park）广场上举起象征自由的旗杆，英格兰士兵立即将旗杆砍倒。接着便像是上演一出滑稽闹剧，双方相继忙着把旗杆竖起和砍倒。直到1776年初，议会废止印花税并调降糖税之后，对峙的紧张关系才稍微缓解。顿时国王乔治三世（King George Ⅲ）成了人民眼中的英雄，一座奉他如罗马皇帝般的雕像竖立在保龄球场（Bowling Green）。

不过，这样的善行好景不常。1767年，议会对更多的商品课税，导致更频繁的抗议游行发生。1770年初，在一次自由旗杆事件之后，市民和士兵们在靠近约翰街（John Street）的金色山坡（Golden Hill）上，以刺刀、砖块和拳头彼此攻击，后来被视为第一次流血冲突革命。接着课征的茶税，促使1773年12月成立闻名的波士顿茶党（Boston Tea Party），接着于1774年4月22日成立了较不知名的纽约茶党（New York Tea Party）。纽约的"自由之子"成员学着波斯顿茶党的榜样，穿着印第安人服饰，在欢呼雀跃的人群面前倾倒茶叶。

接下来的两年，为了准备战争，纽约人极力调适他们的忠诚度，使得课税冲突稍微缓和下来。商人们深信和平与稳定才是繁荣的基础，再也不肯费心处理冲突事件。而纽约人也开始明白自己城市所具有的战略价值，势将成为众方争夺的战场。联合殖民地军队（Continental Army）的总司令华盛顿（George Washington）也清楚此点，他认为英国对纽约的统治将会"阻止南方与北方殖民地彼此往来，南北一日不统一，美国便无法获得安全。"

美国独立战争

战争已一触即发，华盛顿开始增加纽约的兵力。当1776年7月9日美国独立宣言（Declaration of Independence）传至纽约时，华盛顿向所有纽约市民宣读文告。消息一经传开，保龄球场里的乔治三世雕像随即予以拆除，还被熔毁作为子弹原料。那时候，纽约其实还被层层武力包围着。将近500艘英国军船搭载了32 000名士兵，由豪将军（Gen. William Howe）率领抵达纽约外围，并陆续登陆斯塔滕岛。

豪将军派兵穿越纽约港狭窄的海峡前往布鲁克林之后五天，也就是8月27日，英国人在布鲁克林高地（Brooklyn Heights）遭遇美国人的抵抗。长岛之役（Battle of Long Island）则将美国人击退至原来的堡垒，并且抓到了1000名战俘。8月29日的午夜，华盛顿和所有的士兵越过东河抵达曼哈顿。然而为数甚多的美国士兵扰乱行列并且逃跑，华盛顿极为愤怒，试着重新召集他们回营。所幸当时豪将军感到了一些犹豫，9月15日由吉普湾（Kip's Bay）登陆曼哈顿之前，他还在等待一个将于斯塔滕岛举行的和平会议。

虽然美国人正在逃窜，曼哈顿被分割为南北两端，豪将军却未掌握对他有利的时机。传说当时一位爱国的女士穆瑞夫人（Mrs. Robert Murray）刻意邀请豪将军到她位于34街和帕克大道口的居所饮茶，以拖延他动身的时间。不过比较可信的说法，则是豪将军利用等候全军登陆曼哈顿的空档到穆瑞夫人家拜访。这段延迟的时间，正好给予美国士兵从西岸和华盛顿会合的机会。隔日，美军花了2小时在125街附近击退英兵，但仍无法控制整个城市。10月16日，华盛顿撤离曼哈顿，仅留下3000人保卫华盛顿堡，一个月后华盛顿堡陷落。

位于高耸的办公大楼旁，殖民时代遗留的弗朗西斯旅馆显得十分矮小，如今已改为附设餐厅的博物馆。

从1776年打到1783年的战争期间，英国人始终控制着纽约城。其间有两次严重火灾烧毁了约600栋建筑物，许多反对独立的美国人于战争一开始即已出走，到了1783年那个狂乱的夏季，大约又有60 000多人从纽约离开美国。纽约成为美国战俘的拘禁所，很多囚犯都是被关在凄惨的船上监狱里，估计约有11,000人死在囚禁期间，远超过全国战死沙场的6824人。

汉密尔顿（Alexander Hamilton, 1755—1804）对纽约的繁荣贡献匪浅。

1781年，英国的康华里总督（Lord Cornwallis）在弗吉尼亚（Virginia）的约克城（Yorktown）投降，美国的形势终于好转。直到1783年9月3日巴黎条约（Treaty of Paris）签署后，才结束了长时期的敌对关系，纽约从此获得独立自由。11月25日华盛顿率军进入纽约的那天，英军撤出该城。12月4日傍晚，华盛顿在弗朗西斯旅馆（Fraunces Tavern）用充满感情的演说向他手下的军官们告别。后来于1789年，他则以第一任美国总统身份重返此地。当时的纽约，不仅是纽约州的首府，也是美国首都。

阿塞利纽（Leon-Auguste Asselineau）手绘的曼哈顿和布鲁克林区鸟瞰图石版画（约绘制于1850年）。

恢复与认同

纽约扮演美国首都角色的时间很短，1790年联邦政府迁至费城，1797年纽约州的首府也移至奥尔巴。尽管如此，纽约却有充足的奇特能量走向19世纪。根据1790年第一次联邦人口普查统计，纽约总人口数为33 000人。而仅仅30年的时间，1820年的数字已跃增为123 706人，成为全美第一大城市。这段战后时期，首次让许多建筑物保存下来。为了预备与英国作战，于1812年兴建了克林顿城堡（Castle Clinton，见53页）；基于与中国和加州的商业往来之便，建设了南街海港（South Street Seaport，见64—65页）；

市政府（City Hall）完工于1812年，联邦纪念堂（Federal Hall）于1842年建于华盛顿的就职地点；目前因周围环伺的摩天楼而显得矮小的三一会教堂（Trinity Church）则创立于1846年。

这一期间也有许多公共机构陆续设立。纽约证券交易所（New York Stock Exchange）于独立战争后创设，但真正开始交易则要到1812年的战役之后。早在1784年，汉密尔顿（Alexander Hamilton）协助设立纽约银行（Bank of New York），也是今日全美最大的金融机构之一。汉密尔顿后来成为美国第一位财政部长，并且产生多项促进贸易的法令（他最后在1804年7月11日一场与伯尔的有名决斗中不幸身亡）。在克林顿州长兼市长（Governor De Witt Clinton）的治理下，1825年伊利运河（Erie Canal）连接起五大湖（Great Lakes）和哈得孙河，纽约因此成为全国首要的商业中心。

1811 年行政首长计划

1811 年，纽约向未来的成长又跨出了一大步。从 14 街到 155 街之间一大片还未开发的区域，都被规划为严整的方格状街道。对于300年来盲目发展的纽约来说，这项行政首长计划（Commissioner's Plan）具有远见卓识。

1969 年为庆祝美国太空人第一次登陆月球凯旋归来，所举行的一场传统电报纸带游行。

依照这项计划，纽约南北向共区隔为 12 条宽阔的大道，涵盖岛内 920 英尺的腹地。东西向则由 155 条街与大道交错，横跨东岸至哈得孙河，总共 200 英尺长，当时的规划者认为，此种特殊设计结构所形成的长方形街区非常适合"直边、直角且廉价的房屋"。

那时称作布鲁明戴尔路（Bloomingdale Road）的百老汇大道（Broadway），是惟一允许穿过棋盘式街区的街道。因此形成曼哈顿不寻常的三角形广场，如时报广场（Times Square）、赫拉德广场（Herald Square）等。其实没有人料到纽约竟会成长得如此迅速，甚至，行政首长们也怀疑要耗上几世纪才能建造出 155 条街呢。

这项计划确实达到了它所强调的"充满自由与富足畅通的气息"，以及支配成长的功能。否则，它便只剩下屡受批评的缺点：因公园绿地缺乏所导致的单调，与狭窄侧街造成的交通阻塞等等。

19 世纪的衰退：传染病与战争

在通往卓越成就的途中，纽约也经历到衰退的过程。1798 年流行的黄热病夺走了 2000 条人命。1853 年的一场大火，焚毁了市中心 600 多栋建筑物。1812 年战争发生时，禁止商船出入的政策使纽约深受其害。当 1814 年英国舰队威胁要入侵曼哈顿岛时，纽约市立即动员加强防御力量，当时的克林顿市长宣称：宁可"死在战壕，也不愿驯服、懦弱地将这美好的城市拱手让人。"所幸这场战争并未导致纽约任何破坏。尔后的1837年与1857年，则出现了严重的财政损失。

南北战争期间，纽约人显得较不恋战，尤其是与南方有贸易往来的商人们。尽管在 1863 年夏天林肯制定第一项征兵法时，纽约人曾对征召入伍一事给予响应，但这股热情稍后便黯淡下来。爱尔兰的劳工移民极度不满这项征兵法，尤其是其中允许以 300 元代价豁免兵役的条例，更让他们愤怒，因为金额远超过他们的全部财产。一般而言，他们根本不认为这场战争与他们有关。

兵役抽签的第一天，整个城市显得非常安静。两天后，当第二次抽签排定时，纽约就像爆炸了似的。一群狂暴人士开始攻击警察、破坏制定草案的办公大楼，并且大肆抢劫明显的共和党员和废除奴隶支持者的住家、工作场所。接下来，暴动开始转向迫害黑人。第 5 大道与 43 街交岔口的有色人种孤儿院（The Colored Orphan Asylum）遭人恶意纵火，布立克街（Bleeker Street）沿路都是惨遭杀害的黑人。渐渐地，暴力行动蔓延至整个黑人社区。最后则是动员了警力、政治人物、大主教休斯（John Hughes），以及联邦军队（Union Army）五个团部的力量，才平复了混乱情势。这场号称美国史上最严重

梅西百货感恩节游行（Macy's Thanksgiving Day Parade）时，空中悬起了各式气球。

PARK
FOR RENT
AMERITANIA
HOTE
Ameritania
macy's
macy's

的城市暴动，整整三天，大约有105人遭到杀害，还有无数的财物被毁坏。

南北战争之后

经过南北战争之后，当时逐渐接掌市政的特威德（Tweed）和他在谭莫尼厅（Tammany Hall）的党羽们虽把内政处理得无能腐败，但很快地，纽约仍然进入了一段繁荣时期。美国自然史博物馆（American Museum of Natural History，1869）、大都会博物馆（Metropolitan Museum of Art, 1870），以及1891年兴建的卡耐基厅（Carnegie Hall）和纽约植物园（New York Botanical Garden）纷纷建设完成，为纽约期待已久的文化属性找到了永久的根基。1886年自由女神像落成时，正是移民潮涌入美国的全盛期。从1880年到1919年间，估计约有2300万名欧洲移民来到美国，其中有1700万

人选择纽约作为他们的入口，且多半都在这儿落地生根。

当纽约盖起摩天大楼，整个城市景观立刻变得不同凡响。建于1888年至1889年间的高塔大楼（Tower Building）坐落于百老汇下城。自此预告了美国历史上可观的大楼高潮期，且一直持续到1930年代的经济大萧条（Great Depression）为止。然而，在这个建造容易、拆除也容易的城市中，高塔大楼于1913年也难逃拆除的命运。不过当时建造的许多钢筋大楼却幸运地存留下来，譬如三角形的熨斗大楼（Flatiron Building）、1940年开启时报广场（Times Square）的纽约时报大楼（New York Times Building）、宏伟的伍尔沃思大楼（Woolworth Building），以及两栋装饰风格的杰作克莱斯勒大楼（Chrysler Building）和帝国大厦（Empire State Buildings），上述的每一栋建筑都足以成为纽约的象征。

正如其他大城市一样，纽约也有盛衰的周期。纽约人绝不能期待纽约始终如一，因为很可能正当书写或阅读有关纽约种种的同时，城市就已经变了。广大偏远的地区一度为稳定的中产阶级所定居，却因城市衰退而饱受侵蚀。但某些曾被视为没落的地区，反倒得以重新复苏且前景看好。

21世纪即将来临之际，纽约市中心的活力光芒仍如往常般地炽烈。纽约公共图书馆（New York Public Library）和大中央车站（Grand Central Terminal）这两处值得怀念的地方已经修复完成，大都会美术馆正在扩建之中，海顿天文馆（Hayden Planetarium）则正施以美容装修工程。不过，没有任何一项计划比得上时报广场；这个一度沦为教人沮丧且危险的区域，如今重新换上亮丽的外观，到处布满霓虹闪烁的招牌与焕然一新的剧院。

有些评论人士抱怨这已不再是纽约，因为时报广场和中城都已成为观光客必访的旅游景点。但不用担心，这些新风貌早晚都会与纽约融为一体。正如散文家怀特（E.B. White）于1949年所描述的："纽约一点儿都不像巴黎，更不是伦敦；也不等于斯波坎（Spokane）乘以60、或底特律（Detroit）乘以4的总和。"

纽约永远都是"惟一的纽约"。

小意大利（Little Italy）的圣吉纳洛节（Feast of San Gennaro）。

艺 术

纽约绝对堪称全世界的艺术中心。为什么？由于许多艺术家住在这儿？还是因为城市里生气蓬勃的美术馆和博物馆？因为所有的收藏家、赞助人和资金都汇集在此？艺评人士的大力影响？甚或因为纽约本身狂野、多元、不可预期的特质所滋养出创造力，以及她根本就是一个最佳的艺术题材？所有这些因素结合了其他从环境、传统和气质所散发出的微妙氛围，共同缔造了纽约超凡的艺术活力和地位。

艺术活动

在殖民地时期，纽约出现了一些如杜肯克（Gerardus Duyckinck, 1723—1797）这类的杰出人像画家。生于纽约的德拉诺伊（Abraham Delanoy, 1742—1795）在伦敦拜威斯特（Benjamin West）为师，研究肖像画技法，当他返回纽约后，即画了一系列以李文斯东（Livingston）、毕克曼（Beekman）和史都维森（Stuyvesant）家族为题的肖像画。在立国初期，福尔东（Robert Fulton）和摩尔斯（Samuel F.B. Morse）尚未因蒸汽船和电报业成名前，都曾是相当成熟的画家。凡德林（John Vanderlyn）从巴黎学成后，画了一幅瓦萨雷斯（Versailles）鸟瞰全景，并在市府公园（City Hall Park）公开展出，如今陈列在现代艺术美术馆（Museum of Modern Art, 简称Moma）。

科尔（Thomas Cole）和杜兰（Asher B. Durand）领导的"哈得孙河画派"（Hudson River School），深信藉由美丽的自然景色必能传达土地的崇高精神。属于该画派的肯赛特（John Frederick Kensett）和惠特瑞吉（Thomas Worthington Whittredge）两人均是1870年现代艺术美术馆的创始成员之一。当时，美术馆尚不认为有任何的美国艺术佳作品值得珍藏。

整个19世纪，美国画家们先是团结，继而又因争执而拆伙。1862年，摩尔斯（Morse）和其他年轻画家为了成立"国家设计学会"（National Academy of Design, 见151页），群起抗议保守的"美国艺术学会"（American Academy of Fine Arts）和当时的会长兼历史学者川伯尔（John Trumbull）。当设计学会呈现迟滞现象时，拉法吉（John La Farge）和莱德（Albert Pinkham Ryder）等年轻艺术家便于1877年成立"美国艺术家协会"（American Society of Artists）。这个协会后来推动创立了知名的"艺术学生联盟"（Art Student League），邀请亨李（Robert Henri）和却斯（William Merrite Chase）等名师授课，并且培养出贝娄斯（George Bellows）、肯特（Rockwell Kent）、哈波（Edward Hopper）等日后成为优秀艺术家的学生，如今这所学校仍继续在1892年创立的校舍里从事教学。

一群在纽约打下根基的"十人"（The Ten）印象派画家组织，也从"国家设计学会"分裂出来，于1898年成立了属于自己的画廊。20世纪初，另一群称作"八人"（The Eight）的团体宣告独立，并于1908年在麦克贝思画廊（Macbeth Gallery）举办了一个成功的联展。参展者有葛莱肯斯（William Glackens）、路可斯（George Luks）、席恩（Everett Shinn）和史龙（John Sloan）等人，展出内容也多以纽约景致为题。这次联展衍生出更多的各式展览，例如1910年广受瞩目的"独立艺术家联展"（Exhibition of Independent Artists），以及1913年的"军火库艺展"（Armory Show, 详见82—83页）。

"军火库艺展"引介了许多纽约年轻艺术家，例如戴维斯（Stuart Davis）、哈特里（Marsden Hartley）、马林（John Marin），以及以呈现纽约孤绝感的"柯尼岛"（Coney Island）和"布鲁克林桥"（Brooklyn Bridge）而受到瞩目的史戴拉（Joseph Stella），同时哈波也在名单之列。

建筑师莱特所设计的古根海姆美术馆内部回旋结构。

摄影家史提格列兹（Alfred Stieglitz）是这段时期另一位有影响力的人物。他在第5大道成立的291美术馆（291 Gallery），曾在19世纪20和30年代展出马林和韦伯（Max Weber）等艺术家的作品，他还为多夫（Arthur Dove）、狄穆斯（Charles Demuth），以及1924年成为他妻子的欧姬芙（Georgia O'Keefe）极力谋求支持。此外，有一些纽约艺术家为博得更多的注意，于1936年成立"美国抽象派画家协会"（American Abstract Artists），其中如罗斯科（Mark Rothko）、德库宁（Willem De Kooning）、马德威尔（Robert Motherwell）和帕洛克（Jackson Pollock）等人持续实验绘画手法，终至演变为也称作"行动绘画"（Action Painting）的"纽约画派"（New York School），不过最为人熟知的称谓则是"抽象表现主义"（Abstract Expressionism）。19世纪60年代中期开始，抽象艺术在罗逊伯格（Robert Rauschenberg）和琼斯（Jasper Johns）的影响下，逐渐转向写实风格，也因此导引出一种充分运用广告和流行文化影像来创作的"波普艺术"（Pop Art），代表人物有李奇登斯坦（Roy Lichtenstein）、沃荷（Andy Warhol）和罗森基斯特（James Rosenquist）。大多数行动绘画艺术家都以纽约作为创作素材，但没有任何人能超越帕洛克的成就。他那泼满颜料以制造混乱美感的狂野作品，正足以象征纽约的整体艺术现象。

古典音乐

感谢许多外来的音乐奇才，使纽约的音乐水准提升不少。1833年，为莫扎特（Mozart）"唐·乔凡尼"（Don Giovanni）一剧作词的德庞提（Lorenzo Da Ponte, 他自1805年起即定居纽约）成立意大利歌剧院（Italian Opera House）。不过，这只是接二连三往上城发展的众多表演厅之一。1850年，巴努（P.T. Barnum）引荐瑞典女高音琳德（Jenny Lind）到纽约的克林顿城堡（Castle Clinton）演唱。德沃夏克（Antonin Dvorak）于1892年至1895年间担任东17街国家音乐博物馆（National Conservatory Of Music）的音乐总监。1891年卡耐基厅（Carnegie Hall）开幕时，柴可夫斯基（Tchaikovsky）更亲自莅临指挥。原为莱比锡（Leipzig）当地交响乐团总监的马苏尔（Kurt Masur），1991年则接掌了纽约交响乐团。

富裕的纽约人乐于赞助音乐表演，有时甚至视此为晋升社会名流的阶梯。艾斯特（John Jacob Astor）在尚未成为纽约富豪之前，曾是一家乐器公司的老板。1825年他安排罗西尼（Rossini）的名剧《塞维尔的理发师》在纽约演出，这也是纽约人第一次看到整出的意大利歌剧。原先仅有3700个座位的大都会歌剧院（Metropolitan Opera House），是一位富有的纽约人于1883年在39街和百老汇大道交会口所创建的。1891年，由卡耐基（Andrew Carnegie）创立的卡耐基厅于西57街隆重开幕，后来更成为1842年创始的知名纽约交响乐团的常驻之处。虽然有多不胜数的表演厅接连兴起，仍无法动摇大都会歌剧院和卡耐基厅的优势地位。直到1961年专为表演艺术而设的林肯中心（Lincoln Center for the Performing Arts, 见176—178页）落成启用，音乐主导权才就此易手。林肯中心的所在地，正是1950年代摩西斯（Robert Moses）的都市计划中列为欲扫除的贫民区之一。

19世纪中叶，散文作家斯特朗（George Templeton Strong）曾经叙述，他参加了一场全年演出次数最频繁的音乐会，但若在今日，则会是一整晚次数最多的音乐会了。整个城市到处都有古典音乐节目，不仅在大的表演厅，还有许多机构也提供小型的表演空间，例如美术馆、学校、教堂等。另外还有一些特别的场地，像是位于95街和百老汇大道交会口、由戏院改装成的交响乐空间（Symphony Space），以及林肯中心的室外广场。甚至，你还可以在街头聆听贝多芬奏鸣曲，或者在中央公园的夜空下欣赏纽约交响乐团的露天演出。

戏剧表演

有人说："百老汇剧场死了！"也有人说："百老汇剧场永远长存！"打从纽约有戏剧以来，始终都存在着两种极端的声音。如今百老汇剧场不仅坚定不移，甚且还繁花茂盛。经过世代的变迁，虽已改变了不少，却依然与我们同在。所有和纽约划上等

中央公园的露天音乐会和戏剧表演，是纽约人在夏季时的主要休闲活动。

号的项目里，剧场显得最具代表性。"看舞台剧"往往是人们前往纽约的一大原因，而若是能参与剧场表演、写一出剧在纽约演出、或从事任何与戏剧相关的工作，至今仍是年轻人到纽约追求的梦想之一。

很久以来，戏剧始终是历史上最弱的一环。经过独立战争、经济大萧条、二次大战等各种压力，它显得非常纤弱。电影、收音机和电视的诞生，地区性剧院的林立散布，以及家庭娱乐潮流的普及，都预告了纽约戏剧面临的毁灭危机。从财政的角度而言，戏剧似乎永远处于不稳定的状态。今天制作一出舞台剧动辄数百万美元，导致每张票的单价得高达100美元左右才能打平成本。

缺乏原创剧本也是百老汇戏剧界另一个反复不休的牢骚。但事实上，百老汇保守派人士将创新剧本拱手让给了其他剧场。1950年代，威廉斯（Tennessee Williams）的《夏日烟云》（Summer And Smoke）一剧便在格林尼治村的广场圆环剧场（Circle In The Square Theater）登场。这类称作"外百老汇"（Off Broadway）的另类剧场成为另一股戏剧主力，例行演出一些已在百老汇停演的戏剧。外百老汇萌生于1951年，当时身兼导演和制作人的曼（Theodore Mann）和导演钦特罗（Jose Quintero）共组非营利性的广场圆环剧场，后来的罗拔斯（Jason Robards）、史考特（George C. Scott）和佩吉（Geraldine Page）也都是从这儿发迹。1971年，广场圆环剧场迁至西50街一处较大的场地。在骚动的1960年代，外百老汇剧场变得倾向主流风格，"外外百老汇"（Off-Off Broadway）剧场则逐渐萌芽为实验剧场的测试舞台。外外百老汇应是在1958年，从一家位于科尼莉亚街（Cornelia Street）的"奇诺咖啡馆"（Caffe Cino）开始初露头角，名剧作家谢普（Sam Shepherd）的第一出戏便是在那儿演出的。

18世纪中叶开始，戏剧便是纽约的一股文化力量。第一出专业制作演出的戏，是由英国职业剧团于1750年在那萨街（Nassau Street）的剧场上演的《理查三世》（Richard Ⅲ）。19世纪初，集经理、制作、编剧于一身的唐勒普（William Dunlap）为纽约剧场界的领导人，他在帕克区（Park Row）经营帕克剧场（Park Theater），并且引介英格兰的当红演员至纽约表演。纽约的剧场区一路从曼哈顿下城（Lower Manhattan）移向百老汇下区（Lower Broadway），最后在1870年代转移至联合广场（Union Square），轻松歌舞剧便是从那里一处由派斯特（Tony Pastor）所经营的新14街剧场（New 14th Theater）开始形成，宏伟的歌剧则是在音乐学院（Academy of Music）表演。到了1900年，剧院区终于迁往当时称作长地广场（Longacre Square）的时报广场（Times Square）。

传统剧场自1920年代开始繁荣，奥尼尔（Eugene O'Neill）和其他如安德森（Maxwell Anderson）、康奈里（Marc Connelly）、舍伍德（Robert E. Sherwood）等剧作家，都是从百老汇剧场崛起。美国的音乐剧（Musical）类型，从原先的热闹喜剧之后转向较严肃的题材，例如肯姆（Jerome Kern）和汉莫斯坦（Oscar Hammerstein）在1927年合作的《表演船》（Show Boat）便是一例。根据1927年至1928年间的一份纪录显示，当时百老汇的76家剧院总共上演了264出戏剧，百老汇似乎再次蓬勃了起来。

1989 年《罗宾斯的百老汇》（Jerome Robbins' Broadway）剧中一段舞曲场景。

今日，复苏后的时报广场为百老汇制造出神奇的效果。尽管剧场界的正统人士反对把豪华的迪士尼电影搬上剧场舞台，使百老汇有“迪士尼化”的倾向，但与纽约人庆幸百老汇终于康复的兴奋情绪相比，这类的吹毛求疵即显得微不足道了。此刻，百老汇的两极呐喊早已更改为：“百老汇剧场永远长存！”与“狮子王永远长存！”

作家与纽约

纽约曾丰富滋养了文学的题材和背景。1791 年，女作家罗森（Susanna Rowson）出版以描写堕落女子生活为题材的小说《夏洛特的圣堂：一个真实的故事》（Charlotte Temple, A Tale of Truth）。爱伦·坡（Edgar Allan Poe）从纽约的一桩谋杀案获得创作灵感，写成《罗洁特的奥秘》（The Mystery of Marie Roget）。艾尔加（Horatio Alger）从1866

年来到纽约后，创作出一系列描述街头顽童努力不懈、最后终于成功的故事。诗人惠特曼（Walt Whitman，1819—1892）在1855年出版的《草叶集》（Leaves of Grass）里歌颂纽约已达臻"西方世界无人能及"的程度。1950年代，柯沃克（Jack Kerouac）与当时所谓疲沓派（The Beats）都以纽约生活作为写作题材。金斯柏（Allen Ginsberg）曾在文中提及时报广场："纽约所有先知先觉的人士都在那里驻足，为永恒的空间赞叹不已。"此时的纽约，则有《璀璨之光》（Bright Lights）和《大城市》（Big City）两书的作者麦可艾涅尼（Jay Mcinerney）、《最后一刻的遽变》（Enormous Changes at the Last Moment）作者派莉（Grace Paley），以及《皮肉生涯历险》（Adventures in the Skin Trade）的作者克劳奇（Stanley Crouch）常驻此地，继续从纽约身上获取文学养分。

同样地，纽约也提供外来作家最好

的写作视野来描绘自己的家乡。凯瑟（Willa Cather）已在纽约定居长达40年，她的童年则是于内布拉斯加（Nebraska）度过的。伍尔夫（Thomas Wolfe）的半自传小说《回眸家园，天使》（Look Homeward, Angel）虽是写成于纽约，描述的却是他在北卡罗来纳（North Carolina）度过的青春时期。

欧文（Washington Irving）是出生纽约的早期作家之一，他在1809年出版了一部关于早期荷兰移民生活的《尼可巴克人纽约史》（Knickerbocker's History of New York）。麦维尔（Herman Melville）出生于纽约珀尔街6号，后来曾一度出海远行，回来后即写成《泰皮》（Typee）一书。詹姆斯（Henry James）于1881年完成的小说《华盛顿广场》（Washington Square），以他祖母位于格林尼治的房子当作故事背景。他的邻居华顿（Edith Wharton）则于1920年写了一部关于都市精英的《纯真年代》（The Age of Innocence）。威斯特（Nathanael West）生于1903年的东81街；在布鲁克林长大的梅勒（Norman Mailer）至今仍是纽约文坛的一颗耀眼明星。

惠特曼曾在诗篇中颂赞曼哈顿与布鲁克林大桥。

纽约的哈莱姆区曾造就多位重量级的文学作家，例如以纽约黑人区为题材写出《到山上说出来》（Go Tell It on the Mountain, 1953）的鲍德温（James Baldwin），其他如莱特（Richard Wright）、艾利森（Ralph Ellison）和休斯（Langston Hughes）等人虽不是生在哈莱姆区，却将他们的"哈莱姆经验"带进文学作品里。1920年代，一股号称《哈莱姆文艺复兴》（Harlem Renaissance, 见200-201页）的风潮，吸引了包括《他们眼睛看着上帝》一书作者赫斯顿（Zora Neale Hurston, 1937）在内的全美国作家齐聚一地。

在纽约文坛上，永远充斥着各式各样的笔会、写作联谊会、俱乐部或出版协会等等。1820年代，由一群绅士组成的"尼可巴克人"（Knickerbockers）写道："除了自娱之外，别无他想。"数年后，库柏（James Fenimore Cooper）成立了"面包和奶酪俱乐部"（Break and Cheese Club）。梅尔维尔则受到"美国年轻人"（Young American）的吸引，开始积极推广美国本土文学。19世纪初，格林尼治村（Greenwich Village）以"新大众"（New Masses）和其他一些文学刊物、剧场团体、展览工作室为核心，俨然成为各类文学活动的温床。而当许多作家还在奋力挣扎之际，马克·吐温（Mark Twain）却已在华盛顿广场附近的屋子里过着宛如贵族的日子。

1920年代期间，评论家、编辑和知识分子开始在文艺圈里享有名气，如凡多伦（Mark Van Doren）、崔林（Lionel Trilling）、考里（Malcolm Cowley），以及出生于布鲁克林的凯辛（Alfred Kazin）等人都已相当知名。"阿尔冈钦圆桌"（Algonquin Round Table）是1920年代于阿尔冈钦旅馆（Algonquin Hotel）定期午间聚会的写作团体，其中会员如帕克（Dorothy Parker）、"纽约客"（New Yorker）编辑罗斯（Harold Ross）、剧评家华尔科特（Alexander Wolcott）等，素来皆以机智妙语享誉文坛。在东村（East Village）如今只要提起桑德斯（Ed Sanders）和华德曼（Ann Waldman）、必然会连带提及的"圣马可诗人研习营"

(St. Mark's Poetry Project),则认为写诗即等同于表演创作一般。此外,尚有某个写作团体藉由电视脱口秀和通讯网路的媒介,让全世界各个角落的读者都能直接与作家对话,而且至今仍持续进行中。

即便数字化的时代已经来临,充满了推陈出新的出版形态和网上交易模式,仍然无法改变纽约位居世界出版工业的中心地位。这里是出版业的发源地,出版社、发行人、编辑、代理商、律师、报商、聚会场所、文学奖项、宣传媒体,以及所有环绕写作行为而生的诸多因素都还坚守在这儿。至于作家本身,譬如纽约的后起之秀罗兹(Philip Roth)和伍尔夫等新人,迟早会在此地完成他们的文学朝圣之旅:他们将期盼在一次午餐聚会中敲定出版计划,聚会地点也许在四季(Four Seasons)或索雅(Surya),也或者是一处最新的艺文沙龙。毋庸置疑,接着便是在电视台的所有晨间节目中曝光,从纽约向全世界现场同步转播。

电影和电视中的纽约

试问《搭A线火车》(Take the A Train)、《出租车司机》(Taxi Driver)和《森菲尔德》(Seinfeld)之间有何关联?答案是:它们都是纽约人所创作关于纽约的作品,而且都出自纽约最有创意的流行音乐、电影和电视工业。《搭A线火车》是杰出的哈莱姆音乐家艾灵顿(Duke Ellington)所谱的一首爵士乐;《出租车司机》则是一部由马丁·史可西斯(Martin Scorcese)导演、劳勃·狄尼洛(Robert De Niro)担任男主角、全片在纽约最粗鄙的社区所拍摄的典型纽约电影;《森菲尔德》则是1990年代相当成功的电视情境喜剧,故事内容描述一群只有纽约才会遇到的自溺狂热分子。

随意在纽约街头闲逛,任何人迟早都会遇到由于一组人马当街拍摄电影、电视或广告而封阻道路的事。那里会有摄影机、轨道、灯光、几十个工作人员,偶尔还可能会有一、两个明星。事实上,电影和电视工业最早都创始于纽约,尔后虽转移至好莱坞,却也从来不曾完全脱离纽约。尤其是电影工业,许多导演和制作人的多数电影都选择在纽约拍摄,比如马丁·史可西斯、席迪·卢麦特(Sidney Lumet)、史派克·李(Spike Lee)和伍迪·艾伦(Woody Allen)等人都是。在伍迪·艾伦的电影里,每当那些神经质的主角要离开曼哈顿时,总是显得更为焦虑。

从20世纪初电影工作者与爱迪生(Thomas Edison)联手于纽约创立电影工业,截至一次大战之前,纽约始终是美国的电影制作中心。甚至当1920年电影工业移至好莱坞时,"派拉蒙影业"(Paramount)的前身"名角—莱斯基制作公司"(Famous Players-Lasky Productions)仍在昆斯区创立了"艾斯特利亚制片厂"(Astoria Studios),而且直到1937年还持续制作电影。这个片厂后来于二次大战期间由军方接管,1960年代一度关闭,1975年时则再次开放使用。鲍伯·佛西(Bob Fosse)的《爵士春秋》(All That Jazz, 1979)与伍迪·艾伦的《播音时代》(Radio Days, 1987)都是在那儿摄制的。1988年,保存美国电影资料的美国电影博物馆(American Museum of the Moving Image,见225页)在纽约成立,并且接管片厂的部分设施。

同时,纽约的电视工业也迈入了成熟期。1927年,AT&T公司将当时担任商业部长胡佛(Herbert Hoover)的影像从纽约制播室中传送到华盛顿特区。CBS电视台于1931年的首播中,特别以沃尔克(Jimmy Walker)市长和音乐大师葛西文(George Gershwin)作为报导专题。1940年代的纽约已拥有4家电视网,以及占全国三分之二比例的电视数量。1950年的年初,《我爱露西》(I Love Lucy)和《蜜月佳偶》(Honeymooners)等情境喜剧也都于纽约摄制完成。但接着很快地,娱乐事业随即转移至美国西岸。

尽管如此，纽约对电视工业的影响力仍不可忽视。全美国的新闻都在纽约制播，其他如“60分钟”（60 Minutes）、“周末夜线”（Saturday Night Live），以及大卫·赖特曼（David Letterman）的“夜间秀”（Late Show）也都是以纽约作为基地。《森菲尔德》一剧散发着浓厚的纽约味，为此许多人专程跑至上西区（Upper West Side）去找剧中角色消磨时光的汤姆餐馆。而以探讨警察正义为题材的《蓝色NYPD》（NYPD Blue）与《法律和秩序》（Law and Order），则呈现出纽约强悍的一面。

一曲《纽约这迷人的城市！》（New York, Oh What a Charming City）及19世纪出自汀潘巷（Tin Pan Alley）这个美国词曲圣殿（它从原先的联合广场搬至西28街，最后迁往时报广场）的多首小曲问世之后，吟诵纽约的乐曲即相继出现。其中如康登（Betty Comden）、格林（Adolph Green）和伯恩斯坦（Leonard Bernstein）所写的《纽约，纽约》（New York, New York），洋溢着歌颂纽约之情。另外如巴布·狄伦（Bob Dylan）于1965年写成的《绝对是4街》（Positively 4th St.），则是以纽约的特定地点为主题。某些作者更藉由歌曲来宣泄他们对纽约的敌意，例如小汉克·威廉斯（Hank Williams, Jr.）于1983年写的一首《我恨纽约》（I Hate New York）。卢·瑞德（Lou Reed）以艾滋病主题所写的《万圣节游行》（Halloween Parade），描述的是当今纽约人的社会意识。然而综合所有，仍不如法兰克·辛那区（Frank Sinatra）高声唱出的《纽约，纽约》来得影响深远，其中反复被人引用的“如果我在这里成功，我在任何地方都会成功”这段歌词，唱出了纽约的真实心境。

建筑

从建筑的角度来看，纽约是一个值得骄傲却骚动不安的城市。由于城市的性格使然，导致一再地兴建、拆除、再兴建。所幸近几年来出于善意的考虑，在建筑物的保存维护上已投注更多的心力。纽约今日仅有极少数殖民地遗留下来的建筑还保存着，且大部分都坐落于偏远郊区，例如斯塔滕岛（Staten Island）上的里士满历史城（Historic Richmond Town）便是其一。

独立之后那段时期的建筑多半保存得较完好，幸存的整排式房屋和赤褐砂岩即是最好的示范。这种赤褐色砂岩，是以新泽西砂岩覆盖砖块所构成。那段期间，也看到堪为现代饭店先驱的艾斯特饭店（Astor House, 1836）和斯图尔特百货公司（A.T. Stewart）这类的建筑类型。1846年完成的的第三栋三一会教堂（Trinity Church, 见57页），则可视为哥特式复兴风格的教堂建筑代表。

1857年，杭特（Richard M. Hunt）、艾德列兹（Leopold Eidlitz）、厄普约翰（Richard Upjohn）和他的儿子理查德（Richard M. Upjohn）与其他人共同创立了“美国建筑师协会”（American Institute of Architects），尝试从专业的基础来实验建筑技巧。铸铁风格建筑在1850年左右由包加笃斯（James Bogardus）引进纽约；全世界第一座载客电梯则于1857年在豪渥特大楼里开始它的垂直旅程，这项革新使纽约后来往天空发展的趋势更为轻易。

南北战争结束后，奢华的公寓为富有阶级提供了另一种居住选择。杭特于1869年在东18街建的史都为森大楼（Stuyvesant），便是最早的豪华公寓之一。1884年位于上西区（Upper West Side）、至今仍十分新颖的达科他公寓（Dakota Apartment）正式落成。为贫穷租户所准备的廉价公寓，如今则保存在下东区住宅博物馆（Lower East Side Tenement Museum, 见49页）。战后，也

具有不锈钢闪亮尖顶的克莱斯勒大楼，20世纪30年代曾一度是全世界最高的大楼。

开始看到美术馆这类的公共建筑出现，例如大都会美术馆（Metropolitan Museum of Art）、纽约公共图书馆（New York Public Library）、奥都朋高坛（Audubon Terrace）和布鲁克林美术馆（Brooklyn Museum）等。坐落于第5大道上的百万富豪独栋宅邸也在此时相继产生，知名者包括1921年位于第5大道和78街交会口的杜克豪宅（James B. Duke），它的设计出自纽约第一位非裔美籍建筑师艾比利（Julian Abele）之手。

天空轮廓的改变

摩天楼于1890年代开始出现在美国的建筑字典里，它是一种以铁材框架的高楼类型，看起来就像是悬在高空的帷幕。这类建筑改变了纽约的天空轮廓，也成为一项世界奇景。最初萌芽于芝加哥（Chicago），最后却在纽约开花结果。1889年，建筑师吉尔伯特（Bradford Gilbert）建造了纽约第一栋摩天大楼，瘦高的结构让纽约人担心它随时都有被风吹倒的危险。接下来，随即展开了一场谁比谁高的筑楼大赛。早期的纪录保持者为理查逊（H.H. Richardson）所设计的30层帕克区大楼（Park Row Building, 1896—1897）、佛莱格（Ernest Flagg）设计的47层辛格大厦（Singer Tower, 1906—1908）、拉布朗（Napoleon Le Brun）设计的50层大都会生活大厦（Metropolitan Life Building, 1907-1913），以及吉尔伯特（Cass Gilbert）设计的60层伍尔沃思大楼（Woolworth Building, 1910—1913）。

伯汉（D.H. Burham）设计的三角形21层熨斗大楼（Flatiron Building）建于1901至1903年间，为当时金融区北边最高的一栋楼，至今仍为纽约市民所喜爱。当1915年建于百老汇下区（Lower Broadway）的公正大楼（Equitable Building）落成时，大幅遮蔽了市区内的光线，促使都市计划者立法要求高楼建筑必须采梯形后退式的设计，也就是类似多层结婚蛋糕的造型。这场追逐高度的比赛，在1930年装饰艺术风格的克莱斯勒大楼（Chrysler Building）和帝国大厦（Empire State Building）完竣时达到颠峰。最后以102层位居盟主的帝国大厦，却在1970年世界贸易中心（World Trade Center）的双高楼落成时顿失光芒。

二次大战后，建筑设计的重心从高度转向造型。秘书长大楼（U.N. Secretariat Building）、杠杆大楼（Lever House）和披覆着铜衣的西葛兰大楼（Seagram Building），都呈现出如同盒子层层叠起的朴素国际风格（International Style）类型。西葛兰大楼由凡德罗（Mies Van Der Rohe）设计，他的作品正可视为国际风格的代表。约翰森（Philip Johnson）于1984年设计的AT&T大楼（AT&T Building）、亦即如今的索尼大楼（Sony Building），将后现代建筑风格（Postmodernism）首次引至纽约。其他足以视作现代建筑地标的大楼，还包括莱特（Frank Lloyd Wright）的古根海姆美术馆（The Guggenheim, 1959）、布莱尔（Marcel Breuer）的惠特尼现代美术馆（Whitney Museum of Modern Art, 1966），以及形成纽约天空特殊景观、具有倾斜式屋顶的西堤科普大楼（Citicorp Building, 1978）。摩天楼的全盛时期也许已经不再，纽约却仍不断地改建原有建筑，同时继续兴建新的楼舍。沿海地区的重新拓垦计划，使未来出现在东西两岸的重要建筑指日可待。贝聿铭设计的15层贾维兹会议中心（Jacob K. Javits Convention Center, 见97页），目前俨然已是西区的一座显着地标。大楼于1986年启用，它的设计特点为大楼正面精致的镶嵌玻璃，以及后来于1989年加建的佳丽利亚河楼阁（Galleria River Pavilion），可从楼阁外的阳台俯瞰哈得孙河美景。这些美丽的景点曾经广受电影和服装摄影的青睐，如今却有人讨论到欲将整组建构改建为一个大型运动场。

2000年之后，哥伦布广场(Columbus Circle)因商业或娱乐结构改变，而产生急剧变化的风貌; Moma的扩建部分即将接近完工; 42街附近将形成几处娱乐综合结构，包括整修完成的剧院及保证令人眼睛一亮的建筑造型。当然，人们也绝不会遗忘时报广场剧院区的复苏过程。目前正在从事的更新计划，则是把宾夕法尼亚车站（Pennsylvania Station）的部分火车业务移转至美国邮局（U.S. Post Office）; 邮局建筑将教人想起过去宏伟的车站正在逐渐瓦解。而尽管建筑物总有一天会消逝，却永远不会被人遗忘，它们的美感和精神也将藉由新旧混合的方式存留下来。惟有如此，城市在保存的同时，才能不断地继续成长。

整修后显得富丽堂皇的纽约市立图书馆内部。

保存与拆毁

受到惠特曼诗篇的影响，纽约人对"拆除再重建的精神"深信不疑，因此过去鲜少注重史迹保存的工作，尤其是在曼哈顿这个寸土寸金的地区，根本不容以过度感伤的情绪去看待一栋古老建筑的短暂命运。

因此，纽约做了很多拆除的事。人们永远期待新兴的建筑比旧有的好，而有时也确实如此。1899年至1900年间，一栋位于第5大道和42街交会口、包含45英尺高花岗岩外墙造的贮水池在内的埃及风格建筑遭到拆毁，之后在原址新建的纽约公共图书馆始终是纽约人珍爱的建筑物。

已拆除的华多夫—艾斯特利亚饭店(Waldorf-Astoria Hotel)虽然富丽堂皇，但由于取而代之的是无可比拟的帝国大厦，因此至今无人为此感到遗憾。当1939年位于西53街的赤褐砂岩豪宅拆除时，的确引起了抱怨之声。但后来新建的国际风格Moma却成为一个独特的建筑地标，从任何观点来看，都不失为一项值得的交易。某些拆毁的建筑物至今仍令纽约人深感惋惜，例如佛莱格所建的47层辛格大楼，便是人们记忆中所失去的最高一栋楼; 曾经伫立在第5大道和79街路口的布洛卡（Brokaw）宅邸，仍是今日无法替代的富豪象征。但真正令全纽约人同感震惊的，则是1963年至1964年间的宾夕法尼亚车站拆除工程，诚如纽约时报所报导的: 实可谓为一桩"壮观的野蛮行为"。

史迹保护

宾夕法尼亚车站拆毁后，揭开了纽约史迹保存运动的序幕。1965年，纽约成立了"地标保存委员会"（Landmarks Preservation Commission），以美学、文化、建筑和历史的标准来鉴定、保护地标性的建筑物和地区，且包含公共场所室内和街景部分在内。布鲁克林高地（Brooklyn Heights）是第一个经认定具有历史地标价值的史迹保护区。今日在纽约市总共有将近1000个单点地标、9个景观地标，以及涵盖20 000栋建筑物的65个史迹保护区。

今日位于曼哈顿角的巴特里公园和金融区，正是纽约开始发迹的地方。

委员会的权力曾遭遇到几次严重的考验。当他们否决一项在大中央车站附近兴建一栋54层的办公大楼计划，并且强行介入帕克大道上的圣巴托罗缪教堂（St. Bartholomew's Church）的邻接地区时，反对者的诉讼呈上了最高法院，然而法院终究支持城市具有保存与维护史迹的权力。

至于其他的论战，尚包括一栋位于89街与河岸道（Riverside Drive）转角、作为犹太教会学校校舍的莱斯（Edgar Rice）宅邸，在经过一场涉及种族歧视的激辩之后始获得保存。甚至，帕克大道上仅有30年历史的第一栋玻璃帷幕式杠杆大楼（Lever House），也得靠鉴定为史迹才免于被拆除的命运。相对地，也有许多不得不妥协的例子，比如纽约宫廷饭店（New York Palace

Hotel）即获准建在麦迪逊大道的维拉大楼（Villard Houses）后面。

最遗憾的是，仍有很多时候得面临失败的挫折。例如，根本没有理由容许拆除14街上华丽德国风味的卢乔餐厅（Luchow's）、42街和南帕克大道（Park Avenue South）路口具有装饰艺术风格的航空终点站、麦迪逊大道的比特摩尔饭店（Hotel Biltmore）、东34街的71军团军火库，或者更多其他根深蒂固的美好建筑。我们所失去的，诚如纽约时报在宾夕法尼亚车站拆除时所写道："我们也许不会因为所建造的而接受裁判，却会为我们所拆毁的遭致谴责。"

今天的保存工作也许挽救了某些纪念性史迹，但却需要更敏锐的警觉性才使大中央车站或时报广场的历史性剧院继续生存下来，希望这对纽约建筑的未来而言是个好兆头。

城 市 入 口

无论是选择航空或驾车，搭乘汽车、火车、海上邮轮或渡船，甚至骑自行车或走路穿越布鲁克林桥抵达纽约，相信都会令你印象深刻。欣赏建筑物形成的纽约天空轮廓是一种享受；白天可看到克莱斯勒大楼的闪烁光芒，夜晚则有大桥、交通和摩天楼划破黑暗的繁华灯火。在大中央车站与上万名旅客摩肩接踵的体验，则会更教人难忘。没错，你正在进入这个"大苹果"城市：纽约！

隧道

开车进入曼哈顿，几乎不可能避开桥梁或隧道。对于那些搭乘公共汽车或出租车的旅客，认知这点将有助于了解纽约。位于西边的荷兰隧道（Holland Tunnel）和林肯隧道（Lincoln Tunnel），经由哈得孙河下方通往新泽西（New Jersey）。东边的布鲁克林—巴特里隧道（Brooklyn-Battery Tunnel）和昆斯—中城隧道（Queens-Midtown Tunnel）则通往其他市区。

纽约对于隧道工程有相当程度的贡献。1927年荷兰隧道启用时，不仅成为全市第一条交通运输隧道，也是全世界最长的隧道，它的通风系统设计尤其成效卓着。1950年完工的布鲁克林隧道全长9117英尺，为北美地区持续通行的最长一条隧道。建于1937年至1957年间的林肯隧道，全年运输达四千万次，是全世界使用率最频繁的隧道。昆斯-中城隧道仅长6300英尺，没有任何显着头衔，却是前往拉瓜迪亚机场（La Guardia）和肯尼迪机场的热门通道。

桥梁

纽约的隧道也许令驾驶朋友感到惊慌，桥梁却往往令人困惑和分心。有一些桥很美，外形和功能配合得天衣无缝，驾车的人几乎很难专心于路况。而想要欣赏纽约的桥梁之美，最好是从上方俯视。也许可搭乘一架环绕空中的飞机，或者攀登至摩天楼顶层的观望台最为适合。在这里你可能会听到某人问道："那究竟是哪一座桥呢？"

从曼哈顿角往上城走，主要有布鲁克林桥（Brooklyn Bridge）、曼哈顿桥（Manhattan Bridge）、威廉斯堡桥（Williamsburg Bridge）、昆斯区桥（Queensboro Bridge）和三角区桥（Triborough Bridge, 125th St.）。在西区的高处，则有华盛顿桥（George Washington Bridge）通往新泽西。

纽约桥梁的辉煌时代开始于1883年的布鲁克林桥，它连结起曼哈顿和当时全世界最大城市之一的布鲁克林。全长3580英尺，两旁巨大的桥塔中间有1595英尺。多年来，布鲁克林桥始终是全世界最长的桥，同时也是第一座使用钢铁悬索的桥。

在1867年，以钢铁来悬吊桥梁完全是不可思议的想法，出生德国的工程师罗柏林（John Augustus Roebling）则认为它是可行之事。罗柏林过世后，儿子华盛顿·罗柏林（Washington Roebling）重新看过整个计划后决定动工。1872年他在水中施工时不幸脚部受伤，此后便透过望远镜观察桥梁建构情形，再把指示遥控给他的妻子。

时至今日，布鲁克林桥仍是纽约最大的惊奇与象征。游客不妨走过人行道来细看大桥的结构和港湾景致，往曼哈顿下城望去，你会看到大多数的主要桥梁，在布鲁克林这头，则可从河岸的散步区看到曼哈顿下城全景。

纽约市总共有2027座桥，其中76座建造在水上。第一座桥是1693年由菲力普斯（Frederick Philipse）设计的国王桥（King's Bridge），跨越杜维尔河（Spuyten Duvil Creek）连接布朗克斯（Bronx）和曼哈顿两地，并持续使用到

1917 年为止。如今历史最久的一座桥是建于 1837 至 1848 年间的高桥（High Bridge），当时为了使用克罗顿输水道（Croton Aqueduct）系统将水运至曼哈顿，才特别兴建该桥。连接斯塔滕岛（Staten Island）和布鲁克林的奈罗斯桥（Verrazano Narrows Bridge）提供马拉东区（Marathon）一个壮观的崭新起点；同时它也是纽约主要造桥工程师，生于瑞士的阿曼（Othmar H. Ammann）最后一座桥梁作品，除此之外，阿曼还为纽约设计过华盛顿桥（1931）、三角区桥（1936）、布朗克斯—白石桥（Bronx-Whitestone Bridge, 1939）和索格斯峡桥（Throgs Neck Bridge, 1961）。

上图：夜晚的布鲁克林桥。下图：建于 1962 年的肯尼迪国际机场 5 号航站楼。

昆斯区桥的宏伟壮观，永远可以在菲茨杰拉德（F. Scott Fitzgerald）的动人小说《大人物盖茨比》（The Great Gatsby）中获得应证："从昆斯区桥上望见的景致，永远如城市最初被看到那般神秘和美好。"

纽约港

无论如何，务必要前往纽约港一睹风采，因为没有任何景象比从水上远眺的纽约更为迷人。虽然要如当初移民一般挤在人潮队伍中登船，看着纽约缓缓从海平面升起的机会很小，但只要进入水中，不论你是搭乘圆环线邮轮（Circle Line）、渡船、快艇环绕曼哈顿，或者是否绕行自由女神像和曾有上万移民登陆的埃利斯岛，都将获得难以言喻的惊喜。

荷兰拓荒者很快即认识到纽约港的优点：宽阔、靠近外海，而且水深足以让交通工具环航曼哈顿岛。这个天然港口很快就成为毛皮生意的商业中心；1648年，史都维森（Peter Stuyvesant）在东河（East River）附近建造了第一座码头。美国独立战争、1812年战役、汽船、工业革命，以及完工于1912年供邮轮从东河穿越的安布洛斯海峡（Ambrose Channel），都对纽约港的成长有所贡献。20世纪的头50年，纽约港已成为全世界最繁忙的港口。

如今，集装箱船通往布鲁克林和新泽西的港口，横渡大西洋的邮轮时代已经结束，但纽约港却始终保有源源不绝的生机。部分港口作了极有创意的整建，比如曼哈顿角附近的南街海港博物馆（South Street Seaport Museum，见64—65页）便是一例。纽约港区的鲜活史迹，包含了18、19世纪的建筑物和一座小型码头。哈得孙河沿岸的切尔西码头（Chelsea Piers），现在则成为整修后的59至62号码头上的运动游乐综合中心。1912年沉没的泰坦尼克号（Titanic）当时即是在通往切尔西码头途中失事的。

重振港口的计划，包括建造一座3.25亿美元，沿着哈得孙河从巴特里市到59街的水边公园，以及改建总督岛（Governors Island）至兰道尔斯岛（Randalls Island）之间的东河岸边地区，总共涵括曼哈顿、布鲁克林和昆斯区三地的范围。

机场

也许你会梦想搭乘海上邮轮驶入纽约港，但假使你从遥远的地方前来此地，恐怕只得选择飞行。从飞机上鸟瞰纽约，你会欣赏到整个市区全景，同时更能明白纽约根本就是一个由岛屿和水路建构而成的城市。可经由三座主要机场飞抵纽约：拉瓜迪亚机场（La Guardia Airport）负责国内航线，肯尼迪国际机场（John F. Kennedy International Airport，简称JFK）和新泽西州的纽瓦克机场（Newark Airport）则承揽国际航班。

在1930年代，只能经由纽瓦克机场通往纽约。这曾令纽约一位坏脾气的市长拉瓜迪亚（Fiorello La Guardia）感到恼怒，他认定机票的目的地写着纽约，并非纽瓦克，因此拒绝下机。市长的心思显然获得了解，不久便于1939年12月在昆斯区中北部兴建了拉瓜迪亚机场。

1948年，肯尼迪国际机场在距离曼哈顿15英里处的牙买加湾（Jamaica Bay）落成启用。当时机场面积占全世界的首位，名为艾多怀德机场（Idlewild Airport），直到1963年始将名称改为肯尼迪机场。在肯尼迪机场，航空公司获准自行设计终点站，因此将建筑师带入机场设计的领域。萨里南（Eero Saarinen）为TWA航空A航站楼（Terminal A, 1956—1962）设计的大楼，便有如一座装有两翼的玻璃弧形体，依据他个人的说法是要"诠释飞翔的感觉"。

在航空历史上，纽约也同样占有一席之地。早在1830年，3万人聚集克林顿城堡（Castle Clinton）观赏热气球升空。让人惊讶地，气球飞行了30英里远。1907年，纽约先驱报（New York Herald）在纽约举办了第一届国际飞行比赛。1927年，林白（Charles Lindbergh）从长岛（Long Island）的罗斯福球场（Roosevelt Field）启程飞越大西洋。从此以后，柯提斯（Curtis）、莱特（Wright）、菲尔查德（Fairchild）和西可斯基（Sikorsky）等飞行好手促使纽约和长岛成为飞机制造业的中心。1958年，纽约市首先推出商用喷气客机的服务。1969年，泛美航空公司（Pan Am）则在纽约肯尼迪机场起飞第一架巨无霸喷气客机。

从港口附近沿着城市往北发展的路线出发，途经华盛顿的宣誓就职地点，穿越步调迅捷的金融商圈，一路来到变化无穷的族群与艺术混杂的社区。

曼哈顿下城
Lower Manhattan

象征自由的凛然面容。

曼哈顿下城

自曼哈顿岛的任何一处往南走至核心地区：曼哈顿下城，你将会逐渐了解这个城市所经历的种种变化。从最初的防御城堡，到繁荣的殖民地、政府机构、移民入口、忙碌的海港，最终成为今日全世界的金融枢纽。

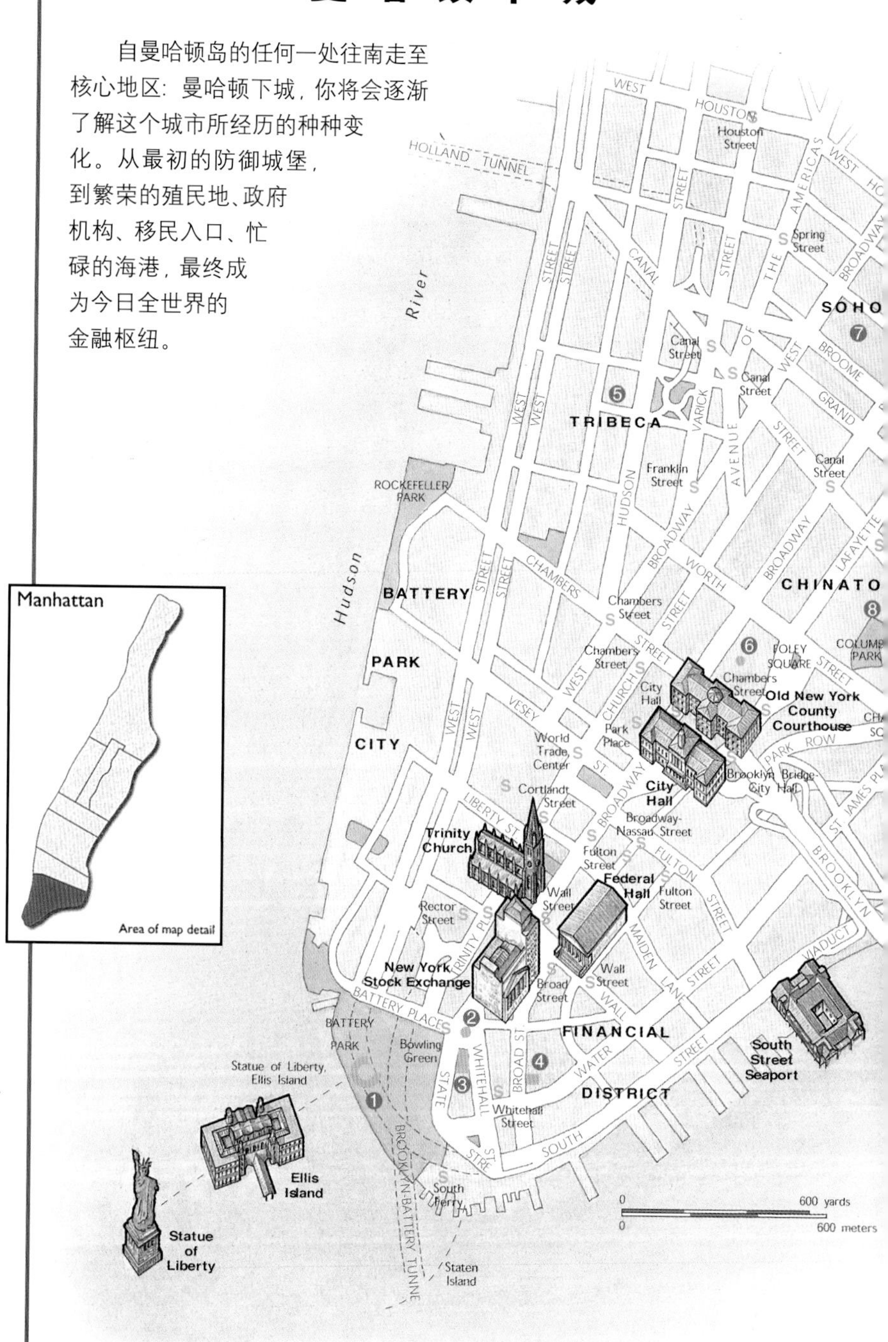

在曼哈顿下城，你会发现无处不是纽约早年留下的遗迹。史迹标注记号和标色代码所显示的历史路线，都有助于在这区轻松地探索、游走。港口附近有许多来自各地的游人、家庭和学校团体，就像是一个现代的移民组合。天气晴朗的时候，小贩、街头表演艺人和小吃摊等聚集在此，形成一股嘉年华会似的愉快气氛。

有些游客选择直接前往巴特里（Battery）一地，购买门票参观自由女神像国家纪念馆、埃利斯岛（见50—52页），或者搭乘免费渡船前往斯塔滕岛。有些人则往北走向百老汇上区，途中将路过具有联邦风格造型的华特森之屋（James Watson House，7 State St.，介于Pearl St. 和 Whitehall St. 之间）低矮地倚在高耸的摩天楼旁。当年，类似这栋建于1793年至1806年间优雅的私人宅邸随处可见，如今则是惟一仅存的代表性建筑。目前该处成为女圣徒塞顿（Blessed Elizabeth Ann Seton，1774—1821）的圣骨贮存所，她于1975年受封为美国第一位圣人。

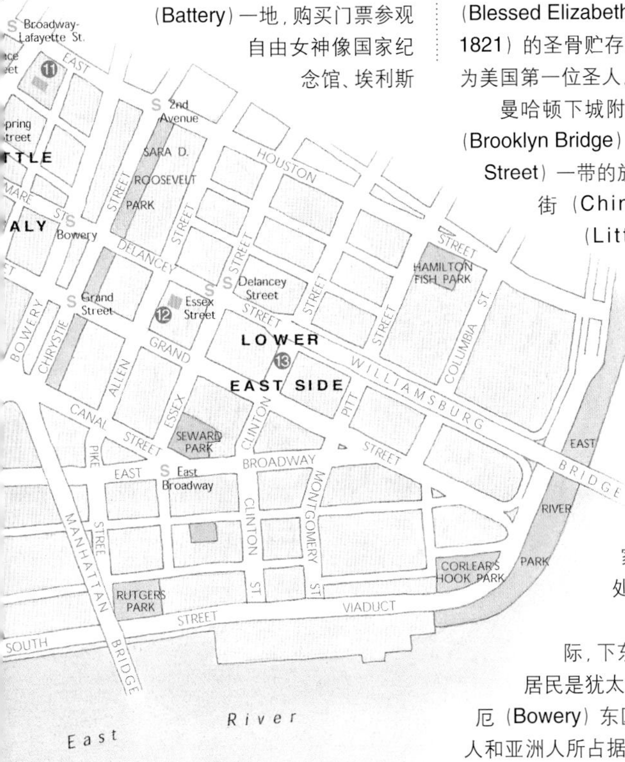

曼哈顿下城附近，介于布鲁克林桥（Brooklyn Bridge）和休斯顿街（Houston Street）一带的族群社区，包括了唐人街（Chinatown）、小意大利（Little Italy）、下东区（Lower East Side）、索霍区和崔比卡（Tribeca）等，充满着浓厚的早期风光和异国情调。依照以往惯例，这儿是移民们工作和生活的地方，但今天却成了美国本地艺术家和股票经纪人的落脚处。

21世纪即将来临之际，下东区约莫有四分之三的居民是犹太人，休士顿街以南和鲍厄（Bowery）东区一带，则是由西班牙人和亚洲人所占据。那些折扣成衣店和许多经营已久的店家，近年来已逐渐习惯与年轻人服饰店、美术馆、餐厅和酒馆等新行业为邻。然而，奥查德街（Orchard Street）这条主要的购物街却数十年如一日。它具有纽约典型的购物街风貌，拥挤的房舍和充沛的活力刻画出下东区的代表性格。在这儿，纽约的新移民可以享受到过往的购物情趣，到小店买肉、向推车小贩买鱼和鸡蛋，或者在人行道上与衣饰摊的店主讨价还价一番。

曼哈顿下城

❶克林顿城堡❷保龄球场❸海关局❹弗朗西斯饭店❺崔比卡❻非洲人墓园❼索霍区 ❽ 唐人街 ❾ 雪儿里斯犹太人墓园 ❿小意大利⓫老街巴特里克大教堂⓬下东区住宅博物馆 ⓭ 下东区

自由女神像国家纪念馆

见48页地图

Liberty Island, New York Harbor

212/732-1236

$$（于Castle Clinton购票）

地铁：搭1，9线至South Ferry站

在Battery Park搭乘渡船，每隔30分钟出发

从火炬的角度往下俯瞰，呈现出自由女神的星形底部轮廓。

自由女神像国家纪念馆

由于自由女神像坐落于纽约湾的上端远处，纽约人平日难得有机会看到她。也许正因为如此，即使是最易厌倦的人也还未对她感到不耐烦。拉萨鲁斯（Emma Lazarus）的著名诗句"请把疲倦的、贫穷的，以及渴望自由的紊乱人潮交给我"也依然隽永如新地刻在底座的青铜匾额上，丝毫没有失去原有的光泽。为了庆祝美国独立，法国人于1886年献给美国人这座雕像，以表达两国之间的同盟情谊。

法国雕塑家巴托尔迪（Frederic Bartholdi）仿效古代美妙的罗德斯巨像（Colossus Of Rhodes），塑造出自由女神的造型。他以火炬象征知识启蒙，以女神头上的发饰比喻全世界的七大洲，女神手上握的板块则代表着美国独立宣言。雕像高达151英尺，重2225吨，腰围35英尺，食指则有8英尺长。

曾于1887年至1889年间

你可以利用电梯或旋转阶梯通达位于火炬和皇冠内的观景台。

建造艾菲尔铁塔（Eiffel Tower）的工程师艾菲尔（Gustave Eiffel），发明了一种可负荷88吨重的薄铜片覆满整个铁架，使雕像得以承受强风从四方袭来的设计。学成于巴黎的亨特（Richard Morris Hunt）则负责设计底部和基座，以支撑165英尺高的雕像身躯。1886年10月28日揭幕式那天，乐鼓齐鸣、热闹非凡。1986年百年纪念时，纽约人更特意将雕像扩大整修了一番。底层扩增的博物馆提供多项相关展览，包括自由女神像的建造过程、移民历史，以及雕像与美国文化如何融为一体的种种资料。以俄国作家高尔基（Maksim Gorky）为例，他便写出了自己对纽约港的诠释 "那是谁？"一位波兰女子惊奇地注视着自由女神轻声问道。有人回答说"美国之神。"

雕塑家巴托尔迪选择原先称为贝娄岛（Bedloe's Island）的自由岛来设立雕像。

埃利斯岛国家纪念馆

埃利斯岛国家纪念馆

见 48 页地图

New York Harbor

212/269-5755

$$（包含渡船）

地铁：搭 1，9 线至 South Ferry 站

于 Battery Park 搭乘 Circle Line 渡船

有难以计数的美国人和外国人的祖先，越过了埃利斯岛开始他们的移民生涯。不管你是否有相同的背景，游访埃利斯岛国家纪念馆这处恢复旧观的移民注册所（Great Registry），都会是一次深刻的体验。首先，得搭乘一种小型的渡船，模拟当年移民登岸的景况。然后走进纪念馆，站在一间 200 英尺长、100 英尺宽、56 英尺高的大厅里，想象曾有一排排焦虑等候注册的新到移民在那儿，期待着他们的未来。从 1892 年到 1924 年间，抵达此地的 1600 万移民当中，大约有三分之二的人都定居在纽约。

这座岛屿是以 1785 年买下此岛的埃利斯（Samuel Ellis）

曾有许多焦虑的外来移民在移民注册所内等候。

命名，数十年间，岛屿面积从原先的3英亩扩增为27英亩。1892 年，联邦政府在这儿设立了一个办理移民事务的机构。从 1897 年的一场大火后，即被 1900 年重新开放的这所庞大、由砖和石灰岩材质建造的法国文艺复兴风格建筑物所取代。

在它最繁忙的 1907 年间，约有 1 285 349 人经由此地进入美国，其中有 75% 的人来自意大利、俄国和奥匈帝国，其余则是来自北欧、中国、日本、加拿大和墨西哥等不同国家。

1924 年国会设定了严格的移民限额制度，从那时开始，移民数字便随之缩减。后来，1954 年时关闭了这个移民注册所，直到 1984 年才又耗资 1.6 亿美元动工整修原址，并且于 1990 年开放埃利斯岛国家纪念馆供人参观。一共三层楼的场地，不仅重现早年埃利斯岛的移民经验，也庆祝他们对美国的可观贡献。随着当年移民必经的通关调查、健康检查等程序，看看他们的宿舍和餐厅，同时听听他们的移民故事。光荣墙（Wall of Honor）的外部刻满了移民者的姓名，甚至还保留了日后继续添加亲人姓名的空位。岛屿的南区另有 29 栋丝毫未改、且正逐渐毁坏的医疗大楼，目前已被史迹保存国家信托局（National Trust for Historic Preservation）列为濒临消逝的史迹之一。

曼哈顿历史剪影

巴特里公园（Battery Park）位于曼哈顿岛的最南端，是一片占有21英亩的狭长绿地；同时，它也是金融区上班族的庇护所。公园中零星散布了一些纪念碑，其中包括颂扬早期荷兰人与犹太人拓荒者、海岸卫兵，以及最早发现巴特里海岸的探险家维拉沙诺（Giovanni da Verrazano）。公园的北边是城市最古老的一区，迂回蜿蜒的街道今日已被周围高耸的摩天楼所淹没。南端则有开放的海域向你招手，在这儿可以闻到海水味，同时感受世界闻名港口的魅力风情。

克林顿城堡

见48页地图

Battery Park

212/344-7220

地铁：搭4，5线至Bowling Green站；1，9线至South Ferry站

巴特里最主要的一栋建筑物**克林顿城堡**（Castle Clinton），是曼哈顿目前仅存的一座堡垒。事实上，有着圆形结构的城堡原先是建在距海岸100码处的小岛上，当时正待展开与英国的1812年战争。后来使用填海的方式，才构成今日的巴特里公园这块范围。这个防御要塞以克林顿（De Witt Clinton）命名，他在担任市长期间，曾特别加强沿海的防御能力。

克林顿城堡内的28座大炮从未向任何敌人开过火，该城堡的历史非常复杂。1823年时，它曾以花园城堡（Castle Garden）的名称重新开放为娱乐场所。而在1855年至1890年间，当埃利斯岛的注册所尚未成立前，它则是一处移民注册所。桑古诺（Luis Sanguino）于1973年雕塑的"移民者"雕像，即是献给经由克林顿城堡进入美国的7 700万移民。从1896年至1940年，此处又被更改为一间纽约水族馆。之后经过一番争论，才于1970年代修复城堡旧观，并加设一所小型博物馆，成为一处史迹景点。夏季时，有许多音乐会和文娱活动在此举行。

1907年由吉尔伯特（Cass Gilbert）设计的**美国海关局**（U. S. Custom House，State St. &

位于巴特里公园的克林顿城堡，记忆着曼哈顿下城以往的围城要塞历史。

莫迪卡（Arturo Di Modica）雕塑的公牛铜雕，象征华尔街证券市场的兴起。

Battery Place，电话212/466-2906），坐落于1625年由荷兰人所建造的阿姆斯特丹堡（Fort Amsterdam，后来改为Fort George）遗迹地点。它最引人注目的庞大外观，即是法兰奇（Daniel Chester French）所设计的"四大洲"雕塑群像，分别以四位带有寓意的女子作为象征。其中的亚洲呈现出祥和宁静，美洲充满了活力，欧洲显得气派，非洲则在酣睡之中。

保龄球场（Bowling Green）就位于美国印第安人国家博物馆（National Museum of The American Indian，见56页）的后面，场内有一个美丽的喷泉和许多长椅。这儿曾经用来作为养牛场，1773年时，则以极低的租金租给三个市民辟为保龄球场，因而成为纽约市第一座公园。1770年，英国人在保龄球场内设有一尊乔治三世的雕像。稍晚时，革命爱国志士们却将它拆毁，甚至还传说他们把那些碎片制成了弹药。

华盛顿的告别

1783年12月4日，当华盛顿（George Washington）光荣战胜英国后，在弗朗西斯饭店设告别宴会款待他的军官们。在如此感性的场合，这位将军一反常态侃侃而谈："此刻的我，怀着满心感激向你们道别。由衷期盼你们在往后的日子，也能如先前获得的荣耀一般，感受到快乐和富足。"

在保龄球场的北端，有一座极不寻常、体型硕大的公牛铜像。20世纪80年代的某个傍晚，这座由雕塑家赠予的礼物意外地降临纽约证券交易所。后来虽被移走，但已成为最受欢迎的拍照景点。

无论你逛到那儿，别忘了有很多街道名称里藏着历史。华尔街（Wall Street）名字的由来，是因1653年荷兰人为保护殖民地北侧所筑起的木造防堵墙而取得；保龄球场确实是为了打保龄球而用；雷克特街（Rector Street）则是向三一会教堂的牧师们致敬；河狸街（Beaver Street）曾因河狸买卖而繁荣；珍珠街（Pearl Street）曾作为标识海岸的地理位置，故以贝壳的闪光命名；巴特里公园（Battery Park）则因1700年代英国人为海防设立炮台而获此名称。

一走近**弗朗西斯饭店**（Fraunces Tavern）这一带的史迹范围，就像是把时间转回了移民时代。从1719年开设至今，弗朗西斯饭店仍是金融区里较好、也较有气氛的一家。西印度群岛人弗朗西斯（Samuel Fraunces）在1763年买下这栋砖造楼房，同时将它开设为饭店。它之所以被保存下来，其实是基于爱国的理由：华盛顿曾在这里用餐（见54页），但最后却是整个地区都得以一并保存。

经过整个19世纪的持续恶化，弗朗西斯饭店于1907年重新装修后，呈现出标准的乔治时代风格，只有饭店的西墙还维持原状。它在1910年重新开放为餐厅和博物馆，其中的长厅（Long Room）将当年华盛顿告别演说时的场景重现在人们眼前，克林顿厅则装饰成联邦式风格，贴有1834年款式的壁纸。

弗朗西斯饭店史迹保护区

今天，弗朗西斯饭店附近的整个地区，也就是由珍珠街、布洛德街（Broad Street）、华特街（Water Street）及柯恩提斯船道（Coenties Slip）环绕起的这块区域，已被规划为一处史迹保存区，其中包含一些19世纪联邦风格和希腊复兴式建筑。附近的广场（55 Water St.）设有一座14英尺高、长方形玻璃棱镜式的**纽约越战老兵纪念碑**（New York Vietnam Veterans Memorial），藉以追思那些死于越战的士兵们。

弗朗西斯饭店博物馆

见48页地图

54 Pearl St.

212/425-1778

$

地铁：搭4、5线至Bowling Green站；1、9线至South Ferry站

美国印第安国家博物馆

美国印第安国家博物馆

见48页地图

Bowling Green

212/668-6624

地铁：搭4、5线至Bowling Green站；1、9线至South Ferry站

在2002年全新的博物馆大楼还未于华盛顿特区（Washington D.C.）开放以前，这座博物馆惟一的公开展示地点，即是附属在美国海关局内的美术展览区。

这栋充满装饰性的大楼里三间展览室，陈列着来自西半球各地的印第安艺术品和工艺品，但这只是收藏家海伊（George Gustav Haye，1874—1957）庞大收藏中的一小部分而已。

博物馆内两间展览室所展出的永久收藏，从1994年开馆时就已安置就绪。共有23个部落的成员所挑选的繁复珠子和羽毛饰品，以符合"每条道路都很美好"这个主题。此外，尚有一些类似用云杉根部编织的海达式（Haida）帽子这类独特物品。同时还有一项称为"创造的旅程"展览，呈现出以各种角度诠释的150多件作品，例如公元前200年所编织的捕兽鸭，便分别以艺术品、考古遗物，以及史前时代大盆地（Great Basin）、印第安人用来诱捕野兽的实用物品等形态一起并列展示。

上图：艺术品和工艺品在这里展现出极佳的陈列效果。

右图：阿拉巴霍（Arapaho）印第安人的鬼舞服饰。

自开幕以来，海伊中心（Haye Center）始终是观赏者的注目焦点，1998年夏天，已累计高达两百万名参观人数。然而，这也令人想起，纽约竟无法为这些无可比拟的收藏找到一个永恒的家，如今都已转交史密森博物馆（Smithsonian Institution）接管。

象征纽约人精神绿洲的三一会教堂，跻身在代表成功与致富的摩天楼里。

三 一 会 教 堂

三百年来，三一会教堂一直位居华尔街的首要地位，在这个金融社区里扮演着极为显着的角色。参观教堂的最好时间，是在周一至周五的中午时分。这时候，你可以加入那些刚甩开忙碌工作压力的华尔街人，一起参加礼拜、音乐会，或者悠闲地漫步于历史的墓园。

三一会教堂十分富有，这都得感谢1705年安女王（Queen Ann）将曼哈顿岛的一大片土地赐给了它。目前的教堂，其实是在这儿所建的第三所教堂。第一所完工于1698年，焚毁于1776年的一场大火。第二所于1787年重建完成，两年后在华盛顿就职为美国总统时，特别举行了一次颂赞礼拜。当这座教堂被夷为平地之后，厄普约翰（Richard Upjohn）便着手设计出今日这座哥特复兴风格的建筑，并采用新泽西的赤褐色砂岩作为建材。

直到1860年代为止，它那280英尺高的教堂尖顶一直是城市的最高点，也是海上船只所依赖的识别地标。亨特（Richard Morris Hunt）特别为教堂设计了三扇雕有装饰的铜门，以纪念艾斯特（John Jacob Astor）这位富有的教区居民。

教会的博物馆陈列有过去的报纸、埋葬纪录、地图，及其他的文件和工艺品等。墓园里则埋葬着许多纽约的杰出之士，包括汉密尔顿（Alexander Hamilton，见23和25页），以及汽船的创始者福尔东（Robert Fulton）等人。

三一会教堂

见48页地图

Broadway St.at Wall st.

212/602-0800 可洽询礼拜和音乐会

三一会教堂博物馆

212/602-0872

周日下午闭馆

自由捐献

地铁：搭2，3，4，5线至Wall St.站；1，9线至Rector St.站

股市开盘的铃声响起之后，整层楼便充满了互相叫嚷买卖的嘈杂声。

纽约证券交易所

头一次参观纽约证券交易所这个混乱的王国，从游客展览室望出去，必然会对场内的交易景象感到惊讶。除了满室的电脑、终端机和行情显示器以外，最不可思议的是，这些交易人仍在以挥舞双臂、叫嚣的方式从事证券买卖。当然，它也曾有过秩序井然的时候。早期时代，每个交易人都各有座位，今日他们早已忙得无暇坐下了，不过在证券交换时还是得对号入座。

纽约证券交易所

见48页地图

20 Broad St.

212/656-5168

游客展览室2:45 Pm以后关闭，周末、周日休馆

地铁：搭2、3、4、5线至Wall St.站

此处如今已是全球的经济中心，但早在1792年，股票交易人却是聚集于树下从事交易。当时在华尔街和威廉街（William Street）附近，他们同意只在彼此之间互相买卖证券和债券。

1903年时，交易所迁至当今这栋耗资200万美元所建的新古典风格大楼，它的山形墙上饰有一件由华德（John Quincy Adams Ward）设计、题为"维护人类结晶的正直"雕塑作品。虽然目前交易所一切都有严格的管理，"正直"却还不是全世界通行无阻的法则。

1929年10月，交易所曾创下股市的极低点，同时导致崩盘。另一次则是1938年，当交易所总裁惠特尼（Richard Whitney）以诈骗顾客名义定罪且入狱时创下股市的新低。1990年代中期，交易所开始寻找更大的场地来容纳业务，甚至参观人潮也需要适当的空间。有兴趣者请提早前来，可免费参观展览室内的展出，同时俯瞰玻璃墙外正在进行交易的整个楼层景象。

联邦纪念堂

从雕像基座的角度看出去，联邦纪念堂前的华盛顿像正注视着纽约证券交易所的正门。

纽约市最好的希腊复兴风格建筑，也许就属这栋站在全世界最繁忙金融区里的联邦大会堂。每一个交易日，成群的华尔街人走过这处写满了移民史的珍贵地点，来往穿梭的金融人士或许认得街前的华盛顿雕像，至于这儿是美国第一任总统华盛顿的就职宣誓地点，恐怕连倚在阶梯上享用午餐的人也不清楚吧。

目前的联邦纪念堂是1842年由唐恩（Ithiel Town）和杰克森（Alexander Jackson）所设计，有8根32尺高的希腊陶立克式（Doric）梁柱分别位于潘街（Pine Street）的前后门口。1883年华德（John Quincy Adams Ward）雕塑的华盛顿像展现了总统举起手以圣经宣誓的姿容。在1955年联邦纪念堂还未成为国家纪念馆前，曾经出借给美国海关服务处长达20年之久，后来还陆续借给一些其他机构使用。旅客到这儿可以随意浏览有关华盛顿就职典礼的历史资料，同时别忘了到游客服务中心拿一份史迹路线地图。

附近的**特朗普大楼**（Trump Building，40 Wall St.）、亦即是以前的曼哈顿银行大楼（Bank of Manhattan Building），1929年时以927英尺的高度成为全世界最高建筑的保持者，直到1930年才由克莱斯勒大楼（Chrysler Building）取代它的地位。位于华尔街55号的**花旗银行**（Citibank），也就是过去建于1840年第一首都银行大楼（First National City Bank Building）的旧址，当年动用了40组牛车，才把16根爱奥尼亚式（Ionic）的柱子拖上华尔街，1907年时并予以重新改造和扩充。

联邦纪念堂国家纪念馆

见48页地图

26 Wall St.

212/825-6888

周末、周日休馆

地铁：搭2、3、4、5线至Wall St.站

百老汇北上漫游

想要避开拥挤、快步的人潮，可以找一个周末来趟百老汇之旅，因为这时候整个街区都显得较为安静。从尾端巴特里公园附近开始，往上穿过金融区再抵达市政府，整条路上都是适合购物和用餐的地点与景观。

第一站停驻点，便是位于西侧百老大道25号的**康那德大楼**（Cunard Building）❶。它是一栋由莫里斯（Benjamin Morris）所设计的文艺复兴式建筑，1921年完工时作为康那德运输公司（Cunard Line）的纽约总公司，目前则是邮局所在地。在它堪称纽约最佳室内空间的大厅（Great Hall）可以买到邮票，从前它也出售泰坦尼克号（Titanic）、露西塔尼亚号（Lusitania）及其他知名海上邮轮的船票。室内的圆形拱顶和壮观的壁画，是以文艺复兴时期拉斐尔（Raphael）在罗马所绘的《庄园女子》（Villa Madama）一画为蓝本。接着，越过保龄球场之后，即是**美国金融史博物馆**（Museum of American Financial History，见74页）。继续往上走，将会遇到位于百老汇大道26号、由卡莱里（Carrere）和黑斯汀斯（Hastings）所设计状似金字塔的建筑物，过去曾一度称为美孚石油公司大楼（Standard Oil Building）。

刚好在**三一会教堂**（见57页）北侧和华尔街口的**公正大楼**（Equitable Building，120 Broadway）❷总共高达40层，因此引起评论人士对有关建筑规划和结构的诸多抗议。他们担心这样的高楼将会挡住纽约市内的阳光，于是在1916年通过立法程序，规范高楼必须设计成如梯形般逐层往后退的形式，好容纳更多的光线进来。公正大楼后方的**马林—米德兰银行大楼**（Marine Midland Building，140 Broadway）❸，于1967年由史基德摩（Skidmore）、欧文斯（Owings）和梅瑞尔（Merrill）所建。其中包含一个在曼哈顿下城堪称不错的广场，广场内装饰了Isamu Noguchi于1973年所制作的红色立方体雕塑。接下来，往右转至自由街（Liberty Street）。

前方便是充满文艺复兴宫廷气息的**联邦储备银行**（Federal Reserve Bank，33 Liberty St.，电话212/720-6130，预约免费导览）❹，此机构掌握了美国国内和世界各地银行的储备现金和黄金。65号的一栋4层楼，门前设有爱奥尼亚式圆柱的佛蒙特大理石大楼，于1901年时为了纽约州立商会（Chamber of Commerce of The State of New York）而建。该组织成立于1768年，当时有20个纽约商人一起在弗朗西斯饭店开会而做此决议。接着往左来到那撒街（Nassau Street），然后右转约翰街（John Street）。朴素的**约翰街卫理公会**（John Street United Methodist Church，44 John St.，电话212/269-0014）❺创建于1841年，它取代了1768年美国第一所卫理公会的卫斯里礼拜堂（Wesley Chapel）。一名早期的教堂司事原本具有奴隶的身份，后来向教堂的

见封面内页地图
➤ Cunard Building，25 Broadway
1.25英里
2.5小时
➤ City Hall，City Park

不可错过的景点

- 康那德大楼 (Cunard Building)
- 马林－米德兰银行大楼 (Marine midland building)
- 联邦储备银行 (Federal Reserve Bank)
- 伍尔沃思大楼 (Woolworth Building)

理事们买回他的自由，稍晚并成立美国第一所黑人卫理公会教会。

左转至威廉街。在福尔东街（Fulton）的西南角即是作家欧文（Washington Irving）的出生地（131 William St.）。1802到1810年间，他住在安街（Ann St.）和威廉街路口的北边几条街之远，就在那儿，他写出了家喻户晓的《尼可巴克人纽约移民史》（Knickerbocker's History of New York）。遗憾的是，如今两栋屋子都无法幸存。然后左转至福尔东街，在百老汇街口停住，即可以看到位于福尔东街和薇西街（Vesey St.）之间的**圣保罗礼拜堂**（St. Paul's Chapel，电话212/269-0014）和它的教会墓园❻。从1766年创立以来，它便持续开放至今，同时也附属于三一会教堂之下。礼拜堂的建材是采自墓园底下凿出的曼哈顿片岩，堂内祭坛画洒满霞光的绘饰则是由恩方特（Pierre L'Enfant）所设计；他同时也是联邦大会堂的设计师暨华盛顿特区的都市规划人。美国第一任总统华盛顿曾到此地做礼拜，后来则将他的座椅贴上名牌标示出来。

举世闻名的帝国象征：带有哥特式美感的伍尔沃思大楼，正是1913年的显著地标。

继续往百老汇大道上方走，来到233号，介于公园路（Park Place）和巴克雷街（Barclay Street）之间的位置，建于1913年60层楼的**伍尔沃思大楼**（Woolworth Building）❼矗立在那里。当年它曾荣登世界最高建筑的宝座，却在1929年让位给华尔街40号的高楼。根据建筑师吉尔伯特（Cass Gilbert）的描述，它就像是一具被砖石和陶瓦包覆着的钢架。大楼的前厅极尽豪华，装饰有壁画、马赛克镶嵌的拱形屋顶、彩色玻璃窗，以及一尊充满异想幽默的伍尔沃思雕像——显示这位连锁商店创办人数钱的神态。最后，穿过市府公园（City Hall Park）抵达**市政府**（City Hall，见62页），这趟徒步之旅便告完成。你可以接着走回百老汇大道，或者绕至**南街海港**（South Seaport，见64—65页）歇息片刻，继续走访更多的景点。

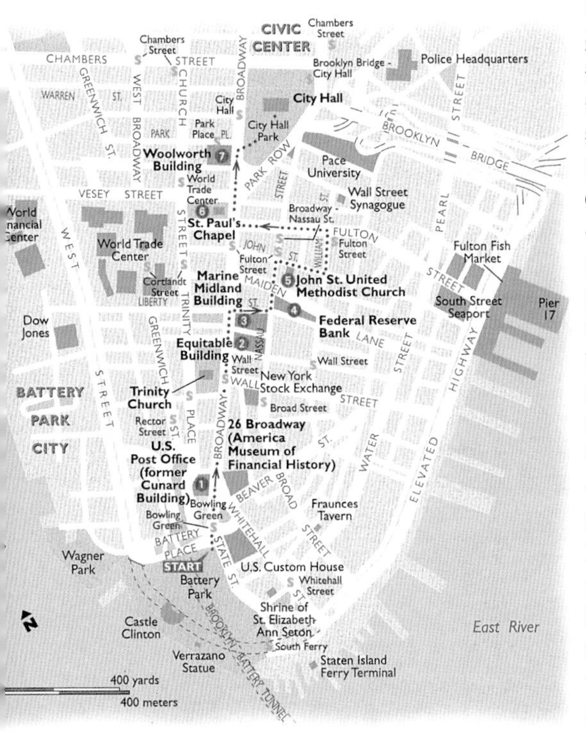

市政府和外围

市府公园（City Hall Park）以前曾是养牛的牧场，现在则成为一片环绕市政府的怡人绿地。公园中竖立的一座爱国志士海尔（Nathan Hale）雕像，让人忆起此处曾是美国人抵抗英国统治的史迹地点。这座雕像由麦可莫尼（Frederick Macmonnie）模塑、怀特（Stanford White）设计底座部分，当它于1893年11月25日英国撤军日（一次大战前的国定纪念日）公开揭幕时，曾获得众人的喝采。

市政府

见48页地图

City Hall Park

212/788-3071

周末、周日不开放

地铁：搭4，5，6线至Brooklyn Bridge站；3线至Park Place站

市政府内由两侧回旋梯攀延而上的圆形结构，正是这栋1812年建筑物的中央装饰。

即使你是初次光临纽约，也可能会认得市政府。电视新闻上经常播出偶像名人和达官显要拜访纽约时，市长在市府的阶梯前向他们颔首致意的镜头。同时这儿也是无数节庆和示威的核心地区。从1886年偶发的一场庆祝自由女神像落成的"电报纸带游行"开始，此后便成为纽约每年的例行传统，游行队伍由巴特里公园出发往百老汇上区行进，沿街的人从办公室窗口扔出一条条的电报纸带。虽然市政府是设在公园的中央，但你可能不明白为何建筑师麦可康（John Mc Comb, Jr.）和曼根（Joseph Francois Mangin）要把市府的门口朝向南方。答案是当1812年市政府创立的时候，没有人想到日后城市会往北方发展得太远。

市府平日办公时间可对外开放参观，走进大厅，你就可以看到一尊栩栩如生、由法国雕塑家休顿（Jean-Antoine Houdon）所塑的华盛顿青铜雕像，引人注目地立在那里。

以前用来招待英国殖民地总督的**总督室**（Governor's Room），现在已改装为一个小型博物馆，里面陈列有华盛顿当年使用的书桌。此外还有绘画作品，包括：由历史画家川伯尔（John Trumbull）所绘的1783年英国撤军日之华盛顿像，以及由贾维斯（John Wesley Javis）所绘的多幅1812年战役英雄画像；电报发明者摩尔斯（F.B. Morse）所画的1824年拉法叶侯爵凯旋回国时的画像；以及后来以西部画风闻名的凯特林（George Catlin）所绘的克林顿（De Witt Clinton）像等。

公园东北方的边界、靠近帕克区（Park Row）那里，有一尊由雕塑家华德所塑的葛雷里（Horace Greeley）雕像，刻画出这位报纸发行人摊开报纸、搁在膝上阅读的坐姿。有好长一段时间，帕克区一直是曼哈顿报业的出版中心。葛雷里的报社就位在那儿的论坛报大楼（Tribune Building），后来于1966年拆除。纽约时报（New York Times）1858年在帕克区41号创刊，直到1904年才迁至时报广场。

其他景点

靠近钱伯斯街（Chambers）31号的地方即是**代理人法庭**（Surrogates' Court），或者称作档案厅（Hall

自1730年起即存在市府公园内的喷泉，以及位于后方的市政大楼。

of Records），它完工于1911年，以雕塑作为大楼装饰。马提尼（Philip Martiny）负责正面的雕刻，他在楣檐的下方雕了一整列的市长雕像，并将两组雕像分别置于正门的两侧，隽刻着两个标题："摇篮期的纽约"与"革命时代的纽约"。1914年建于钱伯斯街和中心街（Centre St.）口，宛如结婚蛋糕的**市政大楼**（Municipal Building），则以拥有曼哈顿最高的25英尺铸铁雕像"市民荣誉"（Civic Fame）而闻名。

往北走两条街到爱尔克街（Elk Street）和杜安街（Duane Street）附近的**非洲人墓园**（African Burial Ground）。1991年时，工人们在百老汇大道和杜安街一带挖掘出埋于1712年至1794年间、多达2万名的黑人奴隶尸首，使这儿成了一片5英亩的墓地。这次的挖掘让人注意到，18世纪时竟有如此庞大数目的黑人奴隶居住在纽约的事实。1714年至1741年间的奴隶反抗遭到残酷的镇压，领导人都被判以死刑，推测就是埋葬在这里。

特威德法院

市府公园的北边有一栋3层楼的大理石法院大楼，经常被误以为是市政府，事实上是今日尊称为老纽约郡府法院（Old New York County Courthouse）所在地，内部装饰了19世纪风格的精致陈设。当它在1878年完工时，却得不到佳评。它原本以一位政治人物命名为特威德法院（Tweed Courthouse），由于这人的声名败坏，使得建筑物也广遭争议。曾有人描述这栋法院物就如同"充满一屋子死气沉沉的混乱房间"。这种严苛的评论也许正反映了当时人们对它的失望和不满，因为总共花费了20年时间、1 300万美元才建造完成，高出原先预估的5倍之多。而其中三分之二的金额，据称是到了特威德（William M. Tweed）和他同伙们的口袋里。

南街海港博物馆和市场

南街海港博物馆和市场

见48页地图

12 Fulton St.

212/748-8600

冬季周二不开放

$$

地铁：搭2，3，5，34线至Fulton St.站

游客服务中心

Schermerhorn Row

212/748-8786

这是一趟时光倒转之旅，让我们走回当纽约还是全世界最繁忙的港口时代。环绕着东河，来到位于福尔东街与南街交岔口、以11块方形街区形成的史迹保护区，此处便是由19世纪的滨海腹地改建成的南街海港博物馆和市场。1980年代开始发展之后，海港满足人们各式的需求，包括历史保存和娱乐设施、铺设着鹅卵石的街道，以及充满生气的露天鱼市场。

泰坦尼克号纪念灯塔（Titanic Memorial Lighthouse）位于珍珠街（Pearl St.）、华特街（Water St.）和福尔东街（Fulton St.）的交会口上，正好为海港之旅揭开序幕。别被拥挤的人潮搅扰得眼花缭乱，其实，围绕市场周围的海港正是一座精彩的海边博物馆，附近拥有许多19世纪的重要建筑。

海港被垂直的F.D.R公路（F.D.R. Drive）切分为两个区域，中间并横穿过福尔东街。公路的西边，也就是灯塔的前方，有许多复杂且相连的楼舍，如博物馆、展览中心、办公室及各式小店等都在该区。公路的东边为码头，陈列了一些历史船只，并且出售游览港口的门票。**17号码头**（Pier 17）拥有一个多层的综合购物中心，其中并包含一处餐饮中庭。餐饮中庭的外面有许多舒适的躺椅，想要观赏河景和布鲁克林桥的人，不妨到那儿小憩片刻。

这艘高耸的船是15和16号码头展示的船舶之一。

探索海港

建议你前往博物馆游客服务中心（Museum Visitors' Center），先了解有关特殊活动事项、景点的购票须知、"自由轮"的游览航程等，同时记住拿一份免费地图。只要通过大型的讯息看板（上面有非常实用的讯息），沿着福尔东街走下去，就会看到位于右方的席尔摩宏区（Schermerhorn Row）中央的游客中心。

席尔摩宏区最早建于1812年，共包括12栋联邦风格（Federal-Style）建筑物。沿着大楼走下去，即会碰到约翰街（John St.）。这里过去曾是柏林顿船道（Burlington Slip），一个专门让中国商船卸货的海港入口，卸货之后即把货品送至**A.A.法律大楼**（A.A. Law Building，171 John St.）加以清点。大楼是由一位经营中国进口买卖的商人于1850年所承揽建造的，如今里面已改为多间展览室。此外，这儿还有一个**儿童游乐中心**（Children's Center，165 John St.）。

在福尔东街和华特街交会口，有四个有趣的景点值得参观。由19世纪时的印刷厂整修而成的**鲍恩公司**（Bowne & Co.，211 Water St.，电话212/748-8651）；**惠特曼陈列馆**（Whitman Gallery，209 Water St.，电话212/748-8600）内展示有船只模型、邮轮备忘录等纪念物；**梅尔维尔美术馆**（Melville Gallery，213 Water St.，电话212/748-8600）陈列了许多美术作品，位于上层的**博物馆图书室**（Museum Library）则须事先预约参观。

记住一定要前往**15、16号码头**逛逛，有各种海上活动可供你选择，包括双桅式纵帆船、音乐游艇、环绕岛屿的圆环线（Circle Line）游艇、刺激的快艇，甚至季节性的拖船等等（资讯可洽Tel 212/748-8786）。此外，这儿还可看到引导船只进入纽约港的**安布洛斯号**（Ambrose，1908）灯塔船、1911年建造于德国汉堡（Hamburg）并设有4根桅杆的**北京号**（Peking），以及早期的货运纵帆船**先锋号**（Pioneer）等船只。

位于17号码头的三层楼建筑物在1983年附加上餐饮和商家，形成海港地区的综合性结构。

福尔东鱼市场：真实鲜活的体验

想要拥有最真实的海滨体验，你必须在清晨4点至5点左右抵达这儿，好观察此地市场交易的情景。这个全美国规模最大的一个鱼市场，是以汽船的发明人福尔东（Robert Fulton）命名。1814年时他经营布鲁克林和曼哈顿之间的渡船生意，过去的公司大楼即位于目前的市场地区。从1834年起，这里始终是鱼的销售中心。今日显得粗糙却活泼的市场强烈挑战人们的感官经验，刺鼻的鱼腥味、从手绘的标志到大型的磅秤、讨价还价的顾客及家族经营形态等等，都让人十分难忘。这是一幕真实发生的景象，绝非虚造，因此试着在它消逝以前去见识一下。

邻近社区

依照惯例，移民通常定居在这里的邻近社区。但尽管如此，今天这些地区的住户早已不再局限于移民，尤其是索霍区和崔比卡区，几乎已成为美国本地艺术家或股票经纪人的生活领域。

华裔美人博物馆

70 Mulberry St.和Bayard St.路口

212/619-4785

周日休馆

$

地铁：搭B、D、Q线至Grand St.站；J、M、N、R、Z、6线至Canal St.站

唐人街

走到柯乃尔街（Canal St.）下方的莫特街（Mott St.）和贝尔街（Pell St.）路口，即是唐人街（Chinatown）的市中心。纽约市最早的中国移民发迹于1870年代中期的莫特街一带，今日这区布满了精致餐馆、咖啡馆、古董店和书店等。不妨尝试一下这儿的美食，然后发掘此地混合着新与旧的愉悦气氛。

1892年开张的**广元兴**（Quong Yuen Shing，32 Mott St.）商店，里面出售陶器和瓷器娃娃、玩偶等。1801年建立的**主显圣容会教堂**（Church of The Transfiguration，29 Mott St.，电话212/962-5265）是专为英国路德教派的教友而设，1853年时转售给爱尔兰罗马天主教的会众，在它还未被多数中国教友主导之前，曾吸引过一些意大利裔的社区会众。

唐人街里最明显的象征标记，就属中文的招牌和到处可见的宝塔形屋顶，从银行到电话亭都有，至今莫特街41号还留有一个仅存的木制塔形屋顶。**东方佛教寺**（Eastern States Buddhist Temple，64 Mott St.，电话212/966-6229）里摆满了献给一百多尊金佛的蜡烛和祭品，**华裔美人博物馆**（Museum of Chinese in the Americas）则陈列着许多精采的展品。

在唐人街繁忙的莫特街上，英文和中文招牌、游客和居民都混杂在一起。

你还可以发现类似朵伊儿街（Doyers St.）这样的死胡同，它曾以血巷（Bloody Alley）闻名，当年各种帮派彼此互相袭击。查塔姆广场（Chatham Square）和孔子广场（Confucius Plaza）附近则竖立着一尊先圣孔子铜像。

报道中国近况的报纸和宣传品都张贴在贝涯街（Bayard St.）的**民主墙**（Wall of Democracy）上。如今的唐人街已侵入小意大利区，过去曾是两区边界的柯乃尔街上有一个喧嚷的路边市场，以及贩卖各式中国药材、蔬菜的商店，但什么也比不上莫特街附近蜿蜒崎岖、拥塞难行小路的奇特气氛吸引人。

史迹景点

位于鲍厄里街（Bowery St.）18号的**穆尼之屋**（Edward Mooney House，约1785—1789）让人们忆起过去那段优美住宅区的老时光。由怀特设计，位于鲍厄里街130号的鲍厄里储蓄银行（Bowery Savings Bank，1895）目前改称作绿点银行（Green Point Bank），具有古典的罗马寺庙建筑风格。**圣詹姆斯罗马天主教教堂**（St. James Roman Catholic Church，32 James St.，电话212/283-4541）是纽约第二古

老的罗马天主教教堂。附近的**雪儿里斯犹太人墓园**（Shearith Israel Graveyard，55—57 St. James Place）为1654年来自巴西的西班牙裔犹太人所设的犹太教会在北美地区的第一个墓地。

小意大利

相较于唐人街的逐渐扩充，小意大利（Little Italy）这些年来反倒有缩水的趋势。柯乃尔街北边的穆尔贝里街（Mulberry St.）是惟一保存的生存命脉，这里有很好的意大利餐馆、咖啡馆、熟食店、私人俱乐部，以及传奇的玛菲亚（Mafia）地区。想要一探究竟，你可以从一杯卡布奇诺咖啡、穆尔贝里街的美食，或者转角处的**法莱拉**（Ferrara's，195 Grand St.）百年酥皮糕点老店开始。

下东区的商店名称隐约透露了最初居民的身份。

小意大利的例行年节是9月19日前后，连续10天的圣吉纳洛节（Feast of San Gennaro）。在节庆游行中，一个雕像游街而过，沿路有食物摊贩、音乐、舞蹈，以及以穆尔贝里街上的**尊贵血教会**（Church of the Most Precious Blood，109 Mulberry St.）广场为核心所进行的种种节庆活动。除此之外，穆尔贝里街也和街头帮派有所牵连，帮派首领高提（John Gotti）在还未入狱前，经常出入位于247号的拉维尼提俱乐部（Ravenite Social Club）。另一名帮派兄弟盖娄（Joey Gallo）则于1972年在129号的昂伯托蛤蛎餐馆（Umberto's Clam House）遇害身亡。

这区里的历史景点几乎都和意大利居民毫无渊源。**老圣巴特里克大教堂**（Old St. Patrick's Cathedral，1809—1815，263 Mulberry St.，电话212/226-8075）是纽约市最古老的教堂之一，经过1860年代的火灾后，曾大规模地重新整建。最初的会众为爱尔兰人，1880年代才有少数的意大利会众形成。建于1816年的**凡伦斯莱之屋**（Stephen Van Rensselaer House，149 Mulberry St.）有着正面的砖墙、复折式屋顶和屋顶天窗。1909年建造的巴洛克风格纽约市立警察局（New York City Police Headquarters，240 Centre St.）曾经是现代警察势力的荣誉象征，1980年代已改为豪华的公寓住宅。

下东区

下东区的乡村和殖民历史，如今只剩下街道名称而已。早期时候，奥查得街（Orchard St.）正好穿过一片水果园，主要的南北向大道鲍厄里街（Bowery St.）曾经通往史都维森（Peter Stuyvesant）的农场。过去，城市里某些华丽的房舍位于鲍厄里街上，当1830年代的爱尔兰人移居此地，接着是德国人，然后是1880年代成批的东欧犹太人、波兰人、意大利人、罗马尼亚人、俄罗斯人和希腊人等陆续迁入，此后下东区竟成了一处充斥廉价公寓的贫民区。

参观**下东区住宅博物馆**（Lower East Side Tenement Museum），会让你得到一个初步的认识。这个特别的博物馆，首次呈现出试图保存和修复廉价公寓住宅的努力成果。1988年博物馆买下了一栋建于1863年（房屋法制定前）、由赤褐砂岩所建造的6层楼公寓。房屋的基本设备令人不敢恭维，狭小、没有窗户的房间，以及缺乏水电设施。直到1935年被强制收回以前，估计约有1万人左右住在那里。游客在这里除了取阅简介手册外，还可以看到有关移民住宿和教育情形的展示，并有一家小店出售移民生活的书籍和礼品。

亨利街社会福利机构（Henry Street Settlement，263—267 Henry St.，电话212/254-0499）于1893年由来自罗彻斯特（Rochester，New York）的德国犹太人华尔德（Lillian Wald）所创立，它以协助及训练移民学习适应美国本地生活为宗旨。此机构包含有3栋地标性的建筑：分别位于263和265号，建于1827年的联邦风格大楼，以及267号的1900年希腊复兴式大楼。跨过这条街的152号是一座佛教寺庙，在1990年以前曾是犹太教士的退休联谊中心。

新近修复完成的**爱尔瑞吉街犹太教堂**（Eldridge Street Synagogue）证明了整个下东区都很贫穷的说法是错的。1887年的摩尔人复兴风格的建筑耗资100 000美元才建造完成，这在当年是相当惊人的数字。

就在人口产生变化之际，犹太教会开始接掌天主教会。**拜里史托克犹太教堂**（Bialystoker Synagogue，7—13 Bialystoker Place，电话212/475-0615）在1826年兴建时原本是威列特街卫理圣公会教堂（Willett Street Methodist Episcopal Church），1905年时才改为犹太教堂，1912年完工的古典复兴式10层高的**先锋大楼**（Forward Building，173 E. Broadway）如今为一处中国教会的聚会场所，当年则是为广受欢迎的犹太人先锋日报（Jewish Daily Forward）所建。大楼以燃烧的火炬作为装饰，它象征了社会主义者对这份报纸定位的主要诉求。位于197号的教育联盟（Educational Alliance）成立于1897年，它以帮助移民融入美国、渐进同化为目标。喜剧演员坎特（Eddie Cantor）、雕塑家葛罗斯（Chaim Gross）和广播界的前驱萨诺夫（David Sarnoff）都曾在此地学习，他们还只是下东区杰出人士的其中几个而已。

下东区住宅博物馆

97 Orchard St.

博物馆游客中心

212/431-0233

周一闭馆

$-$$

地铁：搭F线至Delancey St.站；B，D，Q线至Grand St.站；J，M，Z线至Essex St.站

爱尔瑞吉街犹太教堂

12-16 Eldridge St. at Canal St.

212/219-0888

地铁：搭B，D，Q线至Grand St.站

被木板遮盖的大楼外墙上绘有鲜明、生动的涂鸦壁画。

传统的犹太人商店所以能吸引老居民一再地返回旧社区，不仅是基于宗教上的需要，更是受到美食的诱引。**艾塞克斯街头市场**（Essex Street Market）的创始原因，便是要收容那些街头的摊贩。此外还有一些教人珍爱的地点，像是史翠特面包公司（Streit's Mazoh Company，150 Rivington St.）、夏布洛酒馆（Shapiro's House of Wines，126 Rivington St.）、盖斯腌瓜（Guss Pickles，35 Essex St.）和罗特那乳品餐厅（Ratner's Dairy Restaurant，138 Delancey St.，电话 212/677-5588）。最受欢迎的凯兹熟食馆（Katz's，205 E. Houston St.），近来则因梅格·莱恩（Meg Ryan）主演的电影《当哈利遇见莎莉》（When Harry Met Sally）中难忘的一幕而声名大噪。

索霍区与崔比卡

索霍（Soho）这个称呼，是从"休斯顿南边"（South of Houston）的缩写而来，地理位置上是指介于休斯顿街（Houston St.）和柯乃尔街、以及西百老汇大道（West Broadway）和拉法叶街（Lafayette St.）之间的地区。索霍区素来以密集的铸铁大楼建筑（见72—73页）而闻名，主要的西百老汇大道上则布满了画廊、古董店和时髦的餐馆。

20世纪70年代索霍区的阁楼套房和低廉房租，吸引了许多年轻艺术家聚集在此。而一旦这个地点曝光之后，一夕之间房租飞涨，艺术家们则只好

索霍区某家意大利餐馆的桌椅延伸至狭窄的行人道上。

另觅他处。许多人都搬往介于柯乃尔街和钱伯斯街（Chambers St.）、以及西街（West St.）和教会街（Church St.）之间的工业区。

这个社区获得一个高雅的新名称：崔比卡（Tribeca），是指柯乃尔街以下的三角形区（Triangle Below Canal）。早先的索霍区现象再次发生，建筑形态的转变，以及大量商店、画廊、餐馆和夜总会的汇集涌入。其中有些机构是直接移植过来，例如，原先位于普林斯街（Prince St.）的**索霍摄影美术馆**（Soho Photo Gallery，15 White St.，电话212/226-8571）今日仍保持同样的理念，但地点已改为崔比卡。

进入1990年代的崔比卡正以快捷的脚步在改变。过去曾为一间大型仓库的崔比卡电影中心（Tribeca Film Center），1989年时由演员劳勃·狄尼洛（Robert Deniro）重新改装成一个电影制作中心，供自己拍摄影片及其他公司使用，内部并经营一家崔比卡烤肉店（Tribeca Grill，见240页）。今日由于涅波伦特（Drew Nieporent）的连锁餐馆经营有方，吸引了更多高水准的餐馆老板起而仿效。就某些角度来看，崔比卡已回复到久远以前索霍时代的景况，因为它又成了纽约市最顶级的住宅区。如今的居民则开始担心，当众多旅馆迁入后会导致的种种问题。此地的哈里逊街房舍（Harrison Street Houses，25—41 Harrison St.）是少数幸存的联邦风格建筑，值得一看。

索霍区铸铁风格巡礼

这个徒步之旅会带你走进历史性的索霍铸铁区。从索霍区的核心西百老汇大道开始，直接往南走去，然后沿着柯乃尔街往北回转，最后抵达百老汇大道。在这趟徒步行程中，可以看到全美最杰出的铸铁风格。这类铸铁都是预先在工厂中组装好，然后才运往大楼地区，安装于建筑物上。铸铁搭配石雕的建筑外观，却意外形成一种极尽华丽的风格。

从普林斯街和史卜林街（Spring St.）之间的西百老汇大道出发，首先你可以到附近任何一间美术馆取得免费的美术馆导览，或者往普林斯街西边走至160号的瓦苏维欧（Vesuvio's）购买刚出炉的面包，也可随意找一处地点喝杯咖啡。接着，便前往索霍区最大且最老的美术馆之一，位于西百老汇420号的**卡斯迪里美术馆**（Leo Castelli Gallery）❶。还未进入铸铁区以前，先提供你两处极端不同的餐馆，一家是位于386号、陈设轻松的夏门餐馆（Scharman's），另一家则是位于376号、风格高雅的西彼里阿尼餐厅（Cipiriani's），两者都附有人行道上的桌椅，非常合适在此欣赏街景和路人。

然后往左（东边）走至布鲁米街（Broome St.）。从489号的大楼外观得知它建于1873年，484号由砖和赤褐砂岩建造的大楼并未装设铸铁，却拥有哥特式的怪形滴水嘴和美丽的正面装饰。接着右转（南边）伍斯特街（Wooster St.），33号是前卫风格的伍斯特剧场（Wooster Group）之家：**表演车库**（Performing Garage，电话212/966-9796）。剧场的前期演员葛雷（Spalding Gray）和达佛伊（Willem Dafoe）仍经常在此出没。往前越过格兰德街（Grand St.）停在伍斯特街上，可回头观赏格兰德街72号、74号以及68—70号的房屋，它们都是由德库恩哈（George da Cunha）所设计的希腊风格建筑典型。往南再过一个路口的柯乃尔街显得较为粗砺、贫瘠，艺术创作者可能会想越过马路光顾一下**珍珠颜料店**（Pearl Paint，308 Canal St.，电话212/431-7932），这儿是全世界规模最大、且物美价廉的艺术材料中心。否则，便由此左转至葛雷尼街（Greene St.）往上城走。

从8号到32—34号之间相连的10栋建筑物，是铸铁造型最早发迹之处。它们大多呈现出意大利风格，且由最好的建筑师所设计。达克渥斯（Isaac F. Duckworth）设计的28—30号宏伟壮观，具有皇室风味的大楼，素有**葛雷尼街之后**（Queen of Greene Street）❷的封号，它的复折式屋顶确实就像是一顶适合的皇冠。但真正的铸铁之王，则应属作品遍布各处的费恩巴哈（Henry Fernbach），他总共设计了包含60、62、67、69、71、75、77和81号等多栋建筑。要特别留意，这些房屋外部的楼梯、柱子和窗户都带有重复出现的一致性，显示它们都是出自同一种模型。此地另一栋极尽豪奢，同样由达克渥斯所设计的72—74号大楼，它的大门玄关由五层楼高的哥林斯式（Corinthian）梁柱支撑堆起，富丽堂皇的风格为它赢得了**葛雷尼街之王**（King of Greene Street）❷的美名。

往右（东边）走至史卜林街，然后再右转（南边）到摩瑟街（Mercer St.）。如果需要稍微歇个脚，可到89号酒吧（Bar 89，89 Mercer St.）小坐，这儿有欣赏周围建筑的天窗。接着往左（东边）走至布鲁米街，你将会看到位于488号一栋建于1872年的房子，建筑师为设计杰佛森市场法庭（Jefferson Market Courthouse）的瓦克斯（Vaux）和威德斯（Withers）。往左（北边）来到百老汇大道，1857年的**豪渥特大楼**（Haughwout Building，488 Broadway和Broome St.交会口）❹是纽约最古老且保存得最好的铸铁大楼，它并设有由欧提斯（Elisha Otis）设计的第一座载客电梯。这栋以对称拱门闻名的大楼，则是一家经营瓷器和玻璃生意的公司委托建筑师约盖纳（John P. Gaynor）所设计的。

左边在布鲁米街和史卜林街之间的百

老汇大道521—523号，正是曾拥有无数宽敞、优雅房间的圣尼古拉斯饭店（St. Nicholas Hotel，1854）的仅存遗迹，饭店早在1870年代时即已关闭。批发商人罗斯（Charles Rouss）于1889年委请祖可（Alfred Zucker）所建的百老汇大道555号楼舍，写着一个真实的故事。楼舍旁边立着一个牌子，上面写道："居住此地的主人盖了这栋由砖、铁和砂粒建造的屋子，13年前他路过这儿时尚且一文不名，身怀50 000元负债。"百老汇大道560号里都是美术馆，可以顺便停留一下。561号则是有名的**小歌手大楼**（Little Singer Building）❺，它是1903年时由弗来格（Ernest Flagg）为歌手制作公司（Singer Manufacturing Company）所设计，它的赤陶色正面和复杂的锻铁阳台非常值得一看。同时，它也被视为1950年代摩天楼的玻璃帷幕先驱。

继续来到**古根海姆美术馆索霍分馆**（Guggenheim Museum SoHo，575 Broadway，电话212/423-3500）❻它于1992年成为上东区古根汉美术馆的卫星分馆，孕育出许多当代艺术家。附近位于百老汇大道583号的**当代艺术新美术馆**（New Museum of Contemporary Art，电话212/219-1222）❼成立于1977年，它以实验性的行动艺术为展出重点。展览时艺术家经常成为作品的一部分，有时甚至与观众交谈或继而冒犯对方。来到这区，当然不可错过**非洲艺术馆**（Museum of African Art，593 Broadway，电话212/966-1313）和**非传统文化博物馆**（Alternative Museum，594 Broadway，电话212/966-4444）。在还未过休斯顿街之前，旅程就算抵达终点。但有一家独立电影院**安姬利卡**（Angelika）就位于休斯顿街的左手边（西边），有兴趣者也不妨一游。

- 见封面内页地图
- ➤ West Broadway
- 1.1 英里
- 1.5 小时
- ➤ Below Houston Street

不可错过的景点

- 葛雷尼后街（Queen of Greene Street）
- 葛雷尼王街（King of Greene Street）
- 豪渥特大楼（Haughwout Building）
- 小歌手大楼（Little Singer Buildi ng）

葛雷尼街修复后的铸铁大楼。

犹太文物博物馆内展出的历史圣品。

非传统文化博物馆

素描中心

以推广素描艺术为成立宗旨，馆内展出的当代与历史素描作品相当精采，包括从毕加索到当代漫画家、街头艺术家等所有艺术。

✉35 Wooster St. ☎212/219-2166 🕒周日闭馆 🚇地铁：搭A，C，E线至Canal St.站；N，R线至Prince St.站

美国金融史博物馆

此处以荷左（John E. Herzog）的私人收藏为展出重点，其中包括1880年由艾迪森（Thomas Edison）所发明的股票行情显示器。

✉28 Broadway ☎212/908-4110 🕒周六、日闭馆 🚇地铁：搭1，9线至South St.站；4，5线至Bowling Green站

犹太文物博物馆

博物馆成立于1997年，藉由生动鲜活的展出，重新检验纳粹屠杀犹太人的历史及犹太人的文化生活。建筑师洛奇（Kevin Roche）为博物馆设计了六角形的花岗岩造型结构。

✉40 First Place，Battery Park City ☎212/968-1800 🕒周六闭馆 💲$$ 🚇地铁：搭1，9线至Rector St.站

纽约消防博物馆

博物馆的地点正是以前索霍区的消防队，馆内陈列大量的老式灭火器材和历史遗物，其中并包括1765年的消防车。

✉278 Spring St.，介于Hudson St.和Varick St.之间 ☎212/691-1303 🕒周日、周一闭馆 💲$ 🚇地铁：搭1、9线至Spring St.站

纽约考古博物馆

随着纽约发展所掘出的地底古物，都被保存并展示在这个博物馆内。其中一间以玻璃围起的实验室，可供人观看考古学家分析地下的古物残片，同时还有录影带播放模拟地下挖掘通道的过程。

✉17 State St.和Battery Park交会口 ☎212/748-8628 🕒周六、周日闭馆 🚇地铁：搭1、9线至South Ferry站；4、5线至Bowling Green站

格林尼治村和东村有着狭窄却清爽的街道、古朴而低矮的房屋，不论是纽约最高尚的家庭和移民社群，还是美国最好的艺术家和作家，都将此地视为一处理想的居所。

双村区
The Villages

悬挂在东村住宅外的美国国旗。

双村区：格林尼治村和东村

格林尼治村（Greenwich Village）是纽约最具传奇色彩的社区之一。它以华盛顿广场（Washington Square）西区为中心，涵盖了从休斯顿街以北至 14 街，以及从百老汇大道以西至哈得孙河之间的地区。今日通常以西村（West Village）来称呼它，以对照百老汇大道东边的东村（East Village）。直到 1950 年代，生气蓬勃的东区才从下东区里脱离出来。

20世纪初期，西村（West Village）俨然是自由思想家、自由恋爱主义者、艺术家、诗人、作家、反叛人士及革命分子的避风港；不过，这个特殊地位如今已转移至东村身上。西村的地区规划同样也显示出波西米亚风格，呈对角线式的街道，完全违反纽约自14街以北整齐的棋盘方格街区分布。街道是依照过去的农地来规划的，沿路布满早期留下的低矮房屋和绿地庭院。

今日，除了艺术家和诗人之外，你还可以看到学生、溜轮鞋的年轻人、推着娃娃车的妇女，或者聚集在西村的华盛顿广场和东村的汤普金斯广场（Tompkins Square）下棋的老人，以及那些不得不倚赖城市维生的贩毒者。华盛顿广场附近有纽约警察巡逻，汤普金斯广场就没有这样幸运了。两个村区都拥有幽静、植满绿树的市容，但也不乏破旧、脏乱的市街隐藏其中。

不过，什么也阻挡不了游客和晚来者，甚至华尔街类型人士继续涌入此地，因为他们付得起持续高涨的租金。

西村独特迷人、不断改变的风格，成为吸引纽约人和外地旅客的主要因素。人们着迷于意大利风味的小店、古董店和街头艺术表演。同样地，他们也想在咖啡馆、酒吧或街头巷尾寻找名人的踪迹。1960年代，歌手巴布·狄伦（Bob Dylan）曾在华盛顿广场演唱民谣。哈得孙街（Hudson St.）和西11街（West 11th St.）转角处的白马酒馆（White Horse Tavern）曾是1880年代作家聚集的场所，威尔士诗人托马斯（Dylan Thomas）便在这儿饮下他此生最后一杯酒。位于东村东7街（East 7th St.）的麦可索里老麦酒馆（Mcsorley's Old Ale House）开张于1854年，当时他们将酒馆题献给"好的麦子、生洋葱，以及所有的男客们"（直到1970年才对女士开放）。鲍厄里街（Bowery St.）上的CBGB'S酒馆则孕生出美国的朋克文化。

早期的村舍

早在城市还未开发以前，卡纳西印第安人（Canarsee Indians）利用格林尼治村这块沼泽地来打猎和捕鱼。荷兰人抵达以后，他们沿着米奈塔河（Minetta Brook）种植烟草，从此这块区域成为殖民地上最好的烟草栽种区。1644年，在后来改为地铁轨道的米奈塔路（Minetta Lane）附近成立了一家西印度公司（West India Company），他们并给予奴隶部分自由权利。当英格兰人接管后，此地便改称为格林尼治村，代表绿色村庄（Green Village）的意思。1820年代城市开始往北发展，致使一些逃避黄热病和霍乱的富有纽约人迁往西村。19世纪时，作家詹姆斯（Henry James）便以华盛顿广场北街（Washington Square North）18号的祖母房子作为小说《华盛顿广场》（Washington Square, 1881）的背景。20世纪末的移民、知识分子、艺术家和作家，则共同奠定了格林尼治村的特殊声望。

位于第 5 大道末端的拱门是华盛顿广场公园的主要据点。

华盛顿广场公园

华盛顿广场公园在 1960 年代实施交通管制，因此成为纽约市学生、遛狗居民、表演艺术家、观光客和警察们的聚集场所。广场上吸引众人焦点的地标，是一座由怀特（Stanford White）设计、86 英尺高的华盛顿拱门（Washington Arch）；1895 年落成时，正好是纽约市民热烈庆祝华盛顿就职百年纪念之后的第 6 年。

这一片曾利用为制陶工厂、绞刑示众区和游行场地的 8 英亩土地，直到 1826 年才设计成华盛顿广场公园。随着公园的设立，附近盖起了时髦的房子，例如位于广场北边称作"排屋区"（The Row）的 12 栋希腊复兴风格的砖制高雅房屋（建于 1831 — 1833 年）便是。

虽然"排屋区"和北边附近住了很多作家和艺术家，如华顿（Edith Wharton）、卡特（Willa Cather）、帕索斯（John Dos Passos）和马克・吐温（Mark Twain）等人，却丝毫不曾散发出波西米亚的气息。作

家巴尼斯（Djuna Barnes）在描述华盛顿广场北边与南边的差别时，以20世纪初的用语说道："丝缎和汽车在这边，污秽和手推车则在那头。"甚至在今日，广场仍然明显地分为两个截然不同的社区。沿着拱门的北边，尽是安静、贵族般充满绿荫的街道。拱门北方不远处，第5大道上的两所教堂更延续了这股拘束感。在西10街（West Tenth St.）由厄普约翰（Richard Upjohn）设计于1841年、哥特复兴式的**耶稣升天会教堂**（Church of The Ascension，电话212/254-8620），内部装饰了由拉法吉（John La Farge）所设计的彩色镶嵌玻璃和祭坛壁画。1846年建立的**第一长老会教堂**（First Presbyterian Church, West 12th St.，电话212/675-6150）则是依照牛津（Oxford）区麦格达兰学院（Magdalen College）的样式，造了一座相同的高塔。

跨过拱门，往布立克街（Bleecker St.）方向走去，整个气氛顿时变得世俗而具有民族风味。对今日民众来说，**贾德逊纪念会教堂**（Judson Memorial Church, 1892）即是政治激进主义的象征。这座罗马式的长方形建筑，内部有拉法吉设计的彩色镶嵌玻璃，以及圣-高登斯（Augustus Saint-Gaudens）制作的大理石浮雕。教堂所背负的社会和政治使命，即是让北边的贵族市民和南边的移民得以融合。

当移民迁进西区的同时，奋力挣扎的艺术家和作家也一起移居此地。布兰查德（Blanchard）夫人在华盛顿广场南街（Washington Square South）61号所经营的寄宿公寓，因为"天才之屋"（House of Genius）的美称而出名。从1890年开始，公寓内曾经住过克莱恩（Stephen Crane）、德莱塞（Theodore Dreiser）和诺里斯（Frank Norris）。附近位于麦可道加尔街（Mcdougal St.）139号，开设于1917年的乡城剧院（Provincetown Playhouse），则是孕育出有名的奥尼尔（Eugene O'Neill）戏剧的地方。1911年和1912年间住在华盛顿广场南街42号的激进作家里德（John Reed, 1887—1920），曾颂扬西村是一个"没有人会质疑你的道德，也没有人摧讨房租"的地方。

如今情况早已改变，再也没有人的房租能够迟缴太久。格林尼治村已是现在纽约人最迫切渴求的居住地点，而且住着像克劳奇（Stanley Crouch）和派莉（Grace Paley）这样的作家，以及理查德·吉尔（Richard Gere）和凯瑟琳·泰纳（Kathleen Turner）这般的明星邻居了。

贾德逊纪念会教堂

见76页地图

55 Washington Square South

212/477-0351

漫步格林尼治村

这趟90分钟的路程，将带你走过幽雅的住宅区、迷人的世外桃源，以及繁忙的市区大道，一路探访西区的特殊史迹。

从第6大道和9街的交会口开始，首先看到的是**杰斐逊市场法院图书馆**（Jefferson Market Courthouse Library）❶，它的名字是由此地一处设立于1833年，以杰斐逊（Thomas Jefferson）总统命名的市场而来。目前的哥特式红砖结构是由中央公园设计师之一的瓦克斯（Calvert Vaux）与威德斯（Frederick Withers）于1877年共同设计完成。1960年，包括诗人康明斯（E.E. Cummings）在内的改革派村民共同努力的结果，使这栋大楼免于遭致毁坏的命运。

往西走到西10街，即可遇到狭小的**派青路**（Patchin Place）❷。这是一条死胡同，从1848年起就有10间砖房建在此地，起初都是附近布里福特饭店（Hotel Brevoort）的服务生住在这里。康明斯曾经在4号住了40年之久，直到1962年去世为止，期间如庞德（Ezra Pound）和艾略特（T.S. Eliot）等知名作家都经常来此探望他。另一位作家邦尼斯（Djuna Barnes）在1928年以90岁高龄去世前，则是住在5号的居所。

在克里斯多夫公园中，陈列着席格尔雕塑的同性恋伴侣作品。

接着左转格林尼治大道（Greenwich Avenue），再右转至克里斯多夫街（Christopher Street），然后再往左转至**盖伊街**（Gay Street）❸。这条弯曲的小路是西区不规则街区的最好示范，因为纽约市从14街以北都谨守棋盘方格的形式。盖伊街原本只是一条不知名的小巷，后来却因《我的姊姊艾琳》（My Sister Eileen, 1938）这本描述格林尼治村古怪生活的小说而引人注目。作者麦可肯尼（Ruth Mckenney）是一位来自俄亥俄州（Ohio）的年轻女子，她和没没无闻的演员姊姊一起住在盖伊街14号。

左转至伟佛利街（Waverley Street）。爱伦·坡（Edgar Allan Poe）这位风格阴郁的诗人曾在137号住过一阵子。平日

见封面内页地图
Sixth Avenue 和 Ninth Street
1 英里
1.5 小时
Sixth Avenue或Bleecker Street

不可错过的景点

- 盖伊街（Gay Street）
- 谢里丹广场（Sheridan Square）

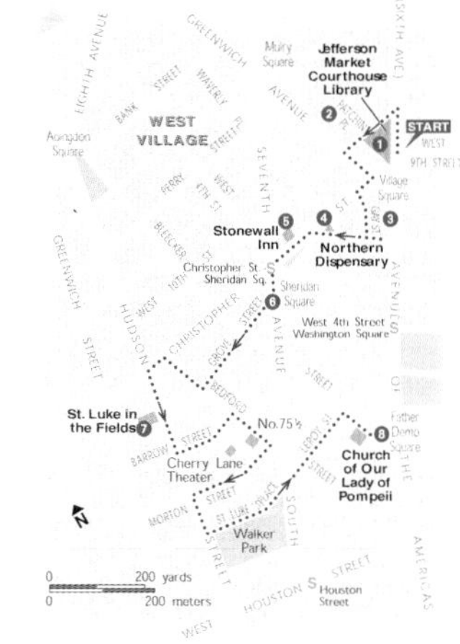

格林尼治村的街道优雅，适合悠闲漫步。

感冒的时候，他只需沿着街走下去，马上可以获得治疗。跟着他的脚步，回转身往西边的伟佛利街走。眼前这栋建于1827年的三角形大楼，正是提供爱伦·坡和其他居民免费诊疗的**北方药房**（Northern Dispensary）❹。

往左走至附属于克里斯多夫街的一小段石墙路（Stonewall Place），它的名字正是由此地的一家**石墙酒馆**（Stonewall Inn, 51 Christopher St.）❺而来。1969年6月27日，同性恋解放运动在此地开始萌发。目前的石墙酒馆仅采用原有的部分空间营业，并在酒馆的内墙上记录了1969年"石墙事件"的始末。酒馆对街的克里斯多夫公园（Christopher Park）里，如今还陈列了一件席格尔（George Segal）所雕塑的同性恋伴侣作品。

前面就是第7大道（Seventh Avenue）。此地以**谢里丹广场**（Sheridan Square）❻闻名，同时它也是西村从过去到现在的生存命脉。艺人芭芭拉·史翠珊（Barbara Streisand）早期曾在都普莱克斯酒馆（Duplex Cabaret, 61 Christopher St.和7th Ave.交会口，电话212/255-5438）表演。前卫村吧（The Village Vanguard, 178 7th Ave.，电话212/255-4037）自1935年起便是极好的一家爵士乐酒吧。

沿着第7大道往南走，然后右转至葛洛夫街（Grove Street）。革命时期的作家潘恩（Thomas Paine）曾住在59号的1839年建筑物内，如今此处已成为一家叫做玛莉危机（Marie's Crisis，电话212/243-9323）的演唱酒吧。

继续走到贝德福街（Bedford Street）右转，即是102号的双峰大楼（Twin Peaks）。1926年时，资本家卡恩（Otto Kahn）仿照纽伦堡（Nuremberg）一栋大楼的结构重新改建这栋大楼，让它成为一处提供艺术家创作养分的场所。接着左转克里斯多夫街，再左转哈得孙街到达485号的**圣路加纪念馆**（St. Luke in the Fields, 于1981年重建）❼。转角附近有一条静谧的公园小径，以及供人歇息的凉椅。

往左经过巴洛街（Barrow Street）后再右转贝德福街。中途你可以选择漫步到康摩斯街（Commerce Street）去看建于1924年的樱桃路剧场（Cherry Lane Theater），这也是纽约最早的外百老汇剧场（Off-Broadway）之一。当然，千万不要错过1873年的建筑**钟李斯酒吧**（Chumley's, 86 Bedford St.），虽然门口没有标示名称。这家从1920年代开始营业的地下酒吧，填满了作家们赠与的旧书套。记着：要使用秘密的后门。

回到贝德福街，往东走。演员约翰·巴利摩尔（John Barrymore）于1915年左右住在贝德福街75又1/2号；1923年至1924年间，则是诗人米莱（Edna St. Vincent Millay）住在这儿。才9.5英尺的宽度，是纽约市里最窄的一间房子。

右转摩顿街（Morton Street），接着左转哈里森街，然后再左转至缀有1850年代赤褐砂岩的圣路加街（St. Luke'S Place）。纽约最受爱戴的沃尔克（Jimmy Walker）市长于1886年至1934年间即住在6号。作家则有住在16号的德莱塞，以及14号的摩尔（Marianne Moore）。

穿越第7大道后来到李洛伊街（Leroy Street），华特市长便是在100号的屋里出生。从此次处开始，可以带你来到西村的购物和餐饮街：布立克街（Bleecker St.）。

位于布立克街和第6大道（Sixth Avenue）路口的**狄莫神父广场**（Father Demo Square）❽上有舒适的座椅等着你。广场是以1926年**庞贝圣母教会**（Church of Our Lady of Pompeii, Carmine & Bleecker Sts.）的一位神父来命名的。

如果还有体力和兴致，穿过第6大道往布立克街方向走下去，即到了充满传奇色彩的咖啡馆区的核心地带，你可以前往147号的苦果咖啡馆（Bitter End，电话212/673-7030）朝圣一番，这里曾经培养出伍迪·艾伦（Woody Allen）、巴布·狄伦（Bob Dylan）以及更多的喜剧演员和歌手。

艺术的风华年代

1913年，外界开始注意到格林尼治村这个地区，以及此地的艺术家和知识菁英分子。曾为格林尼治村最佳购物区的西8街（West Eighth Street）上，矗立着一栋迈向20世纪繁盛期的建筑据点。当时，对美国现代艺术最有贡献的赞助者惠特尼（Gertrude Vanderbilt Whitney）女士，以及她所经营的艺术沙龙便设在西8街8号。藉由她的沙龙，和另一位阔绰且公关极佳的路涵（Mabel Dodge Luhan）女士所开设的美术馆，格林尼治村的艺术家和知识分子觅得了一处聚会地点。在这些沙龙聚会中，他们完成两项不同凡响的重要决议。一项是1913年为挑战美国艺术认同议题所主办的军火库艺展（Armory Show），另一项则是为了支持新泽西州一家丝绸工厂的工人罢工运动，以奇特的戏剧手法演出的派特森罢工舞台剧（Paterson Strike Pageant）。

1913年军火库艺展

有好长一段时间，格林尼治村始终是艺术活动的核心，这其实与先前艺术家共同策划、筹办兵库艺展的光荣历史有关。1840年代，梅尔维尔（Herman Melville）和爱伦·坡（Edgar Allan Poe）等人经常在伟佛利街116号的一间沙龙里小聚畅谈。1858年一位富商委托亨特（Richard Morris Hunt）在西10街（West Tenth St.）上建造一栋包含25间工作室和一个中央展览空间的大楼。大楼里的房客包括建筑师杭特自己，以及拉法吉、荷马（Winslow Homer）、邱尔吉（Frederic Church）等画家，以及收藏许多美国印第安文物的比尔斯达（Albert Bierstadt）。

20世纪初，聚集在格林尼治村的艺术家变得更加前卫和激进。惠特尼本身即是一名成熟且传统的雕塑家，但作为一名艺术赞助人，她却投身于现代主义绘画。1913年她所协办的军火库艺展在25街（25th Street）和莱克辛顿大道（Lexington Avenue）路口的第69军团军火库（69th Regiment Armory）举办。此项展览总共展出了300多位艺术家的作品，并且吸引了7万名左右的人潮，可以说是美国有史以来最重要的独立展览。其中一些极为大胆激进的抽象作品，如杜尚（Marcel Duchamp）的《下楼梯的裸女》（Nude Descending A Staircase）一画便遭致报章媒体的嘲讽。一位评论家称此次展览“有一半的机率是疯狂，另一半则是欺骗”。然而，这次展览却为美国艺术带来了不可磨灭的影响，从此动摇了“艺术应该为何”的假设前提。

军火库艺展之后，惠特尼将她位于8街的工作室扩大为艺术展场和一间艺术家俱乐部。1929年时她更表示愿意提供她所收藏的美国现代艺术作品，在大都会美术馆（Metropolitan Museum of Art）展出。不过，这项提议遭到否决，于是她便开始筹划位于西8街8—14号的住宅里、属于自己的惠特尼美国艺术博物馆（Whitney Museum of American Art）。它是全世界第一座以美国艺术为主题的美术馆，也是今日惠特尼美术馆（Whitney Museum, 见164—165页）的前身。

派特森罢工舞台剧

路涵在第5大道23号所开设的沙龙，是格林尼治村另一个有影响力的机构。路涵既不是一位艺术家、也不是知识分子，她只是一间沙龙的女主人。她对艺术界的贡献，便是把有创意的人聚集在一起。经常出入的常客有激进分子戈德曼（Emma Goldman）和瑞德（John Reed）、摄影家史提格列兹（Alfred Stieglitz），以及节育鼓吹者桑格（Margaret Sanger）。在一次路涵的晚间聚会里，格林尼治村的知识分子首次听到新泽西州派特森丝绸工厂对罢工事件的暴力镇压。聚会之后，即决定演出一次大型的露天舞台剧。在1913年6月7日的麦迪逊广场公园（Madison Square Park）里，大约有超过1000名的示威者亲自重现当时罢工事件的场面。

路涵以财力资助此次的舞台表演，瑞德担任编剧和导演工作，艾许坎画派（Ashcan School）成员之一的画家史龙（John Sloan）则负责制作舞台布景。这场在200英尺长的露天舞台演出的戏，招徕了大约15 000名观众。虽然花费不少金钱，却促成纽约激进和实验剧场的诞生。后来路涵和瑞德成为一对情人，当瑞德感染白喉发病时，路涵虽悉心照顾，仍然挽不回他的生命。她后来在回忆录里提及格林尼治村的生活："我有许多重大的事情要表明，惟独我的感情运气不佳。"

左图：效果显眼的派特森罢工舞台剧宣传海报。

左下图：再次重现的派特森罢工示威情景。

右下图：悬挂在军火库外面的1913年现代艺展旗帜。

纽约大学

纽约大学

见76页地图

Washington Square

212/998-1212

地铁：搭A,B,C,D,E,F,Q线至West 4th St.-Washington Square站

全美私立大学中规模最大的纽约大学（New York University，简称NYU），其校园的神经枢纽即是华盛顿广场，学校的图书馆、学生活动中心、法律学院和行政管理大楼都环绕在公园外围；附近随处可见学生的踪影，而其他校区则散布在纽约市的各个角落。学校于1831年以纽约市立大学（University of the City of New York）名义创立，试图提出一种无派系且有别于哥伦比亚大学（Columbia University）的教育理念。

尽管早期的校舍建筑多已拆除，历史性的标注却俯拾皆是。1833年，石匠们为了抗议纽约大学第一栋校舍工程有监狱囚犯参与，因而引发了一场暴动，纪录这次事件的纪念碑便竖立在华盛顿广场。1835年，一座哥特复兴式的大学大楼（University Building，1894年时因毁损而拆除）建于华盛顿广场东街（Washington Square East），曾在它的塔楼内教学和工作者包括建筑师亨特、画家荷马、诗人惠特曼，以及在此展示电报发明成果的摩尔斯；今日仍有部分塔楼展示于西4街（West Fourth Street）的顾尔德广场（Gould Plaza）。摩尔斯则曾经在一幅题为《展现大学的寓言风景》画中描绘过大学大楼。

纽约大学于1890年代迁移至布朗克斯区（Bronx），但仍保留一部分在华盛顿广场附近。1911年时，社区居民目睹了一场恐怖事件，在今日布朗大楼（Brown Building）所在地的一家三角形女装公司（Triangle Shirtwaist Company）发生一场大火，有146名年轻女子葬身火窟。这场纽约有史以来最严重的一次火灾，促使保障工作场所安全法的成立。

1973年，纽约大学将布朗克斯校区出售后，重新回到华盛顿广场。如今现存的学校建筑有1972年的博布斯特图书馆（Bobst Library, Washington Square South）、提许厅（Tisch Hall, 40 W. 4th St.）、梅约物理大厅（Meyer Physics Hall，地址707 Broadway），以及异国风格的近东文化中心（Hagop Kevorkian Center For Near Studies, 50 Washington Sq. South）。在华盛顿广场北街（Washington Sq. North）以北称作华盛顿马厩路（Washington Mews）的迷人小径上，沿路有一些以19世纪马厩改建而成的公寓。此外，**葛雷美术馆**（Grey Art Gallery，地址33 Washington Sq. E.，电话212/998-6780）里展示有19世纪末和20世纪初的艺术品。

罗森索尔（Tony Rosenthal）的巨型立方体《白杨》雕塑，在艾斯特广场上有如一座安全岛。

艾斯特广场

艾斯特广场置身于洋溢学生气息的社区中心，四周环绕着圣马可广场（St. Mark's Place）、商业类型的第4大道（Fourth Avenue）、破败的鲍厄里街，以及建筑风格卓越的拉法叶街。

1849年艾斯特广场的歌剧院暴动，在历史上有详尽的记载。当时由于一位英格兰演员麦可里迪（William Macready）取代另一位爱尔兰裔美国人法里斯特（Edwin Forrest）主演《哈姆雷特》，引发一万多名爱尔兰裔美国人群起抗议。警察对示威人群开火，造成众多死伤。今日的艾斯特广场，则因此地一栋意大利式红砖大楼内以宏扬科学和艺术为宗旨的**库珀学院**（Cooper Union for the Advancement of Science and Art，简称Cooper Union）而为人知晓。

1857年至1859年间，库珀（Peter Cooper）创立了专为优秀的穷人子女提供免费高等教育的库珀学院，至今仍维持学费全免原则，而且美国历任总统都曾来过此地演讲。创办人库珀不仅为美国建造了第一个蒸汽火车头，同时还是自学出身的企业家兼改革派政治家。由圣-高登斯所雕塑的库珀像，如今便站在学校的入口处。

艾斯特图书馆（Astor Library）于1854年设立，为纽约市第一座免费的图书馆，馆内藏有艾斯特（John Jacob Astor）死后的书籍遗赠。今日图书馆已改为**派普公共剧院**（Joseph Papp Public Theater），并以剧院一位活跃的制作人命名：他于1965年说服纽约市将此地改建为剧院。目前剧院定期有精采的戏剧和电影演出。另一栋建于1886年的罗马复兴式**德凡日报大楼**（De Vinne Press Building，，地址393-399 Lafayette St.）也值得留意。位于428-434号的**列柱大楼**（Colonnade Row）还保存有1833年9栋楼房的其中4栋，呈现出希腊复兴式风格。

派普公共剧院

425 Lafayette St.

212/260-2400

地铁：搭6线至Astor Place站

库珀学院

30 Cooper Square

212/353-4100

地铁：搭6线至Astor Place站

库珀学院位在艾斯特广场南边，为19世纪时美国第一所免费的学院。

"公理创造权力"

1860年2月27日下着雪的傍晚，有1500人挤在库珀学院里，聆听即将竞选总统的林肯（Abraham Lincoln）发表一场有关奴隶制的演说。他在演讲中讨论到宪法赋予联邦政府在联邦土地上限制奴隶制的权力，最后他说出一段十分有名的结语："让我们相信公理创造权力，而且相信在了解之后，便能勇敢地实现它。"

充满活力的圣马可街（St. Mark's Place）并不太长，却是东村的主要街道。

老商人之屋

见76页地图

29 E. 4th St.

212/777-1089

早晨与周五、周末不开放

$

地铁：搭6线至Astor Place站

乌克兰博物馆

见77页地图

203 2nd Ave., 介于12th St.和13th St.之间

212/228-0110

上午与周一、周二闭馆

$

地铁：搭L线至3rd Ave.站

东 村

东村曾经是种族色彩浓厚的下东区一部分，从1960年开始，渐渐吸引艺术家、音乐家、作家和政治激进分子迁移至此；而同时人口庞大的移民也不曾搬走。来到这儿一定要细细探索种类繁多的书店、唱片行和各种专属商店，当然也要享受各式的餐点，例如：门口摆设两张桌椅的小店、犹太人的熟食铺、波兰人的咖啡馆、整条东6街上的印度餐馆，以及浪漫的高雅餐厅。似乎，连东村的饮食也反映出种族融合的特殊风情。

汤普金斯广场（Tompkins Square）为东村的心脏地带，是以曾任纽约总督的汤普金斯（Daniel Tompkins, 1774—1825）命名。荷兰统治时期的总督史都维森（Peter Stuyvesant）则埋葬于**鲍厄里街圣马可教堂**（St. Mark's-in-the-Bowery, E. 10th St. at 2nd Avenue，电话212-674-6377）后方，有人传说他的鬼魂还在附近出没，晚上时会发出木脚走路的声音。如今这座教堂是行动主义和艺术活动的据点，尤其现代诗特别活跃。毕池诗社（Beats）经常在此地聚会，同时每周都有公开朗读活动（Poetry Project，电话212/674-0910）。

越过教堂，就是一栋建于1803年、古典联邦风格的**史都维森渔屋**（Stuyvesant-Fish House, 21 Stuyvesant St.,不对外开放）。伦威克（James Renwick）在1861年建了23-26号的意大利式城市住宅，同时也在东10街的114—128号建了相同的住宅类型，形成所谓的伦威克三角区（Renwick Triangle）。教堂南边由葛拉翰（Bill Graham）所经营的迷幻风格的**菲尔摩酒馆**（Fillmore East, 2nd Ave at 6th St.），曾有贾普琳（Janis Joplin）、门乐团（Doors）和其他乐手们在此献唱。

圣马可教堂的西边，有一栋伦威克建于1846年的哥特复兴式建筑杰作：**恩典会教堂**（Grace Church, Broadway & E. 10th St.，电话212/254-2000）。内部饰有彩色镶嵌玻璃和马赛克地板。恩典会教堂的北边，则是一间大型的**史川德书店**（Strand Book Store, 828 Broadway，电话212/473-1452），店里专卖二手书，爱书人将会在此流连忘返，爱不释手。

东村的博物馆包括：1832年的**老商人之屋**（Old Merchant's House），馆内展示19世纪生活的真实景象；**乌克兰博物馆**（Ukrainian Museum）收藏有精致的民间美术作品，如织品、珠宝和复活节鸡蛋等。

中城南区（Midtown South）充满了多样的风貌，有幽静的格雷摩西公园（Gramercy Park）、典藏丰富的图书馆、纽约市最热闹的购物区、造型特出的建筑物，以及本市最受欢迎的两座摩天大楼。

中城南区
Midtown South

熨斗大楼的特殊几何造型。

中 城 南 区

中城南区与北区市中心的差别，在于它的步调、生活形态、以及年龄阶层。相较北区马不停蹄的紧凑生活节奏，比邻的南区则是闹中有静，格调迥异。中城南区的一些僻静角落，完全将尘世的喧嚣隔绝于外；而一旦走到闹区，像是坐落在赫拉德广场（Herald Square）的梅西百货（Macy's），以及时装成衣集散区等地，拥挤的人潮和交通却居全市之冠。

中城南区的建筑物，比起上城（Uptown）那些著名的摩天大楼，虽然老旧些，但同样壮丽且具有历史价值。19世纪时南区曾是纽约的市中心，在它的全盛期，曾拥有全市最好的旅馆、餐厅、戏院、歌剧院、百货公司，以及达官显贵云集的高级住宅区等傲人的荣耀，完全足以媲美今日的上城。

纽约公共图书馆（New York Public Library）建于1898年到1922年间。19世纪中，政府把全长41码的克若顿水道（Croton Aqueduct）其中的一个蓄水池封住，便在上面盖起图书馆来。著名的麦迪逊广场庭园（Madison Square Garden）运动场，乃是中城南区重要的景点之一。最早的"花园"（1879年）位于23街附近，是由麦迪逊广场公园（Madison Square Park）东边的一个旧火车站改建而成的。

1892年，运动场原址改建，采用的是怀特（Standford White）的设计。怀特在顶端放置了一尊戴安娜女神（Goddess Diana）裸体像，在民情尚称保守的当时，引起不少争议。怀特原本即是新派人物，他那放纵的生活态度，更为自己的生命带来了宿命的悲剧性结局，他于1906年时因偷情而在运动场顶楼花园遭人枪杀。1925年，运动场即迁移到上城，旧址则被拆除。

19世纪时，中城南区成为纽约市成衣制造中心。整个成衣工业自下东区（Lower East Side）开始发展，接着移至23街麦迪逊广场一带，最后则转移到西30街，也就是现今著名的时装成衣集散区（Garment District）。这里到处有人推着整杆的衣服在大街小巷穿梭，人行道也成了暂时的仓库。一尊由维勒（Judith Weller）在1984年时塑造、题为《成衣工人》的铜像即矗立在此，以纪念犹太移民对成衣业的贡献。纽约时装设计学院（The Fashion Institute of Technology, 7th Ave.和27thSt.交会口，电话212/217-7999）素有时装工业人才摇篮之称，除了经常主办时装展示会，该学院还拥有收藏多达400万件的布料样本馆。

在过去20年里，南区彻底地改头换面。

中城南区

❶贾维兹会议中心❷总神学院❸圣彼得圣公会教堂❹圣徒会教堂❺邮政总局❻麦迪逊广场庭园❼圣餐会教堂❽新阿姆斯特丹剧院❾梅西百货❿熨斗大楼⓫华斯纪念碑⓬罗斯福出生地⓭Con Edison总部⓮纽约州最高法院⓯纽约人寿保险公司⓰美国辐射大楼⓱道成肉身会教堂⓲每日新闻报大楼

近百年前曾兴盛过的商店、餐厅、夜总会、广告、出版业，全都再度回流，重新当道。熨斗大楼（Flatiron Building）附近的区域现在已为著名的摄影中心，摄影工作室、摄影棚、暗房、美术馆等四处林立。在上城和市中心（Downtown）房租飞涨的情况下，许多人渐渐迁往租金较为合理的中城，14街以北的区域也因此持续发展。

切尔西

位于西区从14街直到28街一带的切尔西，一直以来都以其19世纪风格的房屋建筑、保存完善的教堂，以及安详的气氛受人瞩目。然而，今日此地也在快速转变中。第6大道（23街以南）的巨型商场在沉寂多年后，又再度回复19世纪时的光采，成为崭新的时尚中心。

圣彼得圣公会教堂。

甚至，哈得孙河（Hudson River）的邻近区域也一并发展了起来。这个位于切尔西西边的地区，曾被誉为仅次于索霍区（Soho）的艺术中心。新潮的**迪亚艺术中心**（Dia Center for the Arts）吸引了不少前卫美术馆驻留，像是原本开在东村（East Village）和索霍区的荷恩美术馆（Pat Hearn Gallery），也搬到这一区。迪亚艺术中心建于1974年，已成为纽约艺术爱好者的必访之地；这里宽阔的展示空间，可以容纳超大尺寸的艺术品，例如塞拉（Richard Serra）以钢板弯曲成椭圆圈环的巨型作品，便于1990年代末期在此展出。

迪亚艺术中心

548 W. 22nd St., between 10th St. &11th Ave.

212/989-5566

每日上午、周一至周三闭馆

$

地铁：搭C、E线至8th Ave. & 23rd St.站

切尔西史迹保护区

切尔西原为荷兰人殖民地。1750年时，英军退役上尉克拉克（Thomas Clarke），向荷兰人梭摩尔因戴克（Jacob Sommerindyck）购得土地，作为养老之用，并以伦敦切尔西皇家医院（London's Chelsea Royal Hospital）之名，将该地命名为切尔西。克拉克上尉的外孙，也就是以儿童文学经典《圣诞节前夕》（The Night Before Christmas）而闻名的作家兼学者摩尔（Clement Clarke Moore），为切尔西奠定了日后发展的基础。

摩尔将自己位在第9大道切尔西广场（Chelsea Square）的一整区方形土地捐出，作为创建**总神学院**（General Theological Seminary）的校址，这也是全美最早的一所圣公会神学院；摩尔本人则在院内教授圣经语言。为哥特式建筑所环抱的学院中庭，成为纽约市里最独特的一片净土。学院西翼的建筑建于1836年，为哥特复兴风格的最早代表作。具有现代造型的圣马可图书馆（St. Mark Library）成立于1960年，馆内藏有大量的拉丁文圣经。

神学院对面的**库舒曼区**（Cushman Row, 406—418 W. 20th St.），一共有7栋美仑美奂的希腊复兴风格房舍。其中一些房屋的楼梯上还缀有花环和松果，象征对访客的欢迎之意。这些屋子是贸易商兼都市规划者库舒曼（Don Alonso

Cushman）于1839年至1940年间所出资建造，稍后他并于1858至1960年间，在同一条街的北侧（355—361号）盖了4栋意大利风格建筑物。不远处显得较窄的一系列意大利式房舍（400—412 W. 22nd St.），则是以另一位当时著名的都市规划者来命名，称作**威尔斯区**（James N. Wells Row）。威尔斯自己的居屋即在隔壁，为一栋建于1835年，具有5扇凸窗的希腊复兴风格豪宅。

教堂区

摩尔同时也是**圣彼得圣公会教堂**（St. Peter's Episcopal Church, 344W. 20th St.）的创建者。一式三栋的会舍建于1836年到1838年间，其中牧师会所是全市最古老的希腊复兴风格建筑。会所的铁栏杆则是前一个世纪的产物，原为百老汇下城（Lower Broadway）圣保罗小教堂（St. Paul Chapel）的一部分。

建于1846年的**圣餐会教堂**（Church of The Holy Communion, 49 W. 20th St. At 6th Ave.）为建筑师欧普约翰（Richard M. Upjohn）的杰作，他的父亲正是三一会教堂（Trinity Church）的建筑师。欧普约翰父子并曾于1858年合作设计了**圣徒会教堂**（Church of the Holy Apostles, 9th Ave. at 28th St.）的左右两翼部分；整座教堂于1848年由拉菲佛（Minard Lafever）设计，最特别之处在于青铜和板石制的尖塔，以及由美国最早的彩色镶嵌玻璃制作者波顿兄弟（William And Jay Bolton）所共同设计的彩色玻璃窗。南北战争之前，这里曾是提倡废除黑奴制度的大本营，也是当时"地下铁路"的一个停靠站。

切尔西饭店

切尔西饭店（Chelsea Hotel, 222 W. 23rd St. Between 8th And 9th Aves.）建于1884年。装饰华丽的阳台，使得饭店别具一格。原本整栋皆是商务套房，后来则成为文人墨客的接待所。进门处的名人板上，不乏马克·吐温（Mark Twain），狄伦·托马斯（Dylan Thomas），田纳西·威廉斯（Tennessee Williams）等知名作家的大名。饭店大厅内有舒适的坐椅，并陈列有艺术作品。

总神学院

125 9th Ave.

212/243-5150

每日上午闭馆

地铁：搭1、9线至23rd. St.站

象征着纽约尊荣的切尔西饭店，在其历史上曾发生过各种文人轶事和绯闻。

在19世纪中期，以低价的褐色砂石为建材所建造的城市民宅。

格雷摩西公园

格雷摩西公园是纽约仅有的私家公园，也正因为如此，它成了纽约市民最感兴趣的景点之一。整座公园环绕着风雅而庄严的铁栅栏，除了附近居民或是居民的友人能取得钥匙，其余人士皆不得其门而入。惟一对外开放的一次，则是在1863年因南北战争的征兵草案所引发的一场城市暴动中，特别允许军队驻扎该地。今日这里常外借供电影拍摄之用，导演马丁·史可西斯（Martin Scorcese）的《天真时代》（Age of Innocence）即曾在此取景。

演员布思的雕像于1917年时竖立在他的旧宅对面。

公园的名字是由荷兰文直接音译过来，原意为"小而斜曲的沼地"。1822年时，一位叫罗格斯（Samuel Ruggles）的人买下此地，抽干沼泽、建造公园，并将土地割售。早期住在此地的居民有律师兼札记家斯特朗（George Templeton Strong），以及出版家兼当时的纽约市长哈波（James Harper）等人；后者在公园西侧的住宅外，还立有市府专用灯柱标示。

知名作家

1883年建造的格雷摩西公寓（34 Gramercy Park E.），是市内最老的几个商务套房之一。好些艺文界名气响亮的人物，如剧作家赫华德（Dubose Heyward）、已逝的演员凯格尼（James Cagney）、杜纳克（Mildred Dunnock），以及有"西方邪恶巫婆"之称的汉密尔顿（Margret Hamilton）。

公园南侧的东20街114号，1860年时为贵格会信徒聚会所（Quaker Meeting House），如今则是一所犹太教堂。位于欧文路（Irving Place）转角、格雷摩西公园南侧19号的砖屋，80年代时为金融家费许（Stuyvesant Fish）所有，稍后移转至演员巴利摩尔（John Barrymore），现任屋主则是公

悲伤的表演者

从深锁的格雷摩西公园围篱间望去，隐约可见布思（Edwin Booth，1833-1893）的青铜雕像。这位美国当时最具盛名的演员，在1865年4月，却由于同为演员的亲兄弟约翰（John Wilkes Booth）在华盛顿广场刺杀林肯总统，而受到家族的牵连；约翰后来在逃逸过程中不幸身亡。经过这次事件，布思退隐了一段时日，复出后为演出自己的作品而建造了一座剧场。1888年，他在格雷摩西公园南侧16号成立剧作家协会（Players' Club）。在他逝世后的第25年，协会筹资为他设立一座雕像。那瘦小、文弱的身形，一如他生前演出的角色哈姆雷特；或许正由于自身的遭遇，才能让他将剧中王子的忧郁性格诠释得恰到好处。

冬季的格雷摩西公园。

关长才桑能堡（Ben Sonnonberg）。1888年，经过建筑师怀特（Stanford White）的一番装修，演员布思（Edwin Booth，见下栏）将自己位于格雷摩西公园南侧16号的住宅改造，成立了**剧作家协会**（Players' Club）。剧作家协会的隔邻，即是瓦克斯（Calvert Vaux）于1884年为前纽约州长蒂尔登（Samuel Tilden）建造的住宅。由于担心人民暴动，蒂尔登请人在家中挖了一条直通19街的地下隧道。这座褐色石屋，重建后改为**国家艺术协会**（National Arts Club），并经常举办艺文活动。

格雷摩西公园的古迹（Gramercy Park Historic District）散布在公园周围的几条街上，都市开发者罗格斯把从公园到14街之间六条街的区域，以其作家友人之名命名为欧文路（Irving Place）。曾有人误以为欧文本人在此住过，其实只有他的侄子曾住在欧文路45号。20世纪初期，这栋房子易主为室内装潢师渥尔夫（Elsie De Wolfe），她的社交圈中不乏达官贵人和浪子之流。她和出版经纪人马伯里（Bessie Marbury）的公开恋情，也是当时的热门话题。另一位以笔名欧·亨利（O. Henry）闻名的波特（William Sydney Porter），大部分时间都在66号的希利酒馆（Healey's，现在改称Pete's Tavern）内饮酒、创作，他的著名短篇《东方三贤士献礼》（The Gift of the Magi）便是在此地完成。

格雷摩西公园西侧是**罗斯福的出生地**（Theodore Roosevelt Birthplace N.H.S.），现在可看到复制的建筑物，真迹建于1845年，1916年时予以拆除。罗斯福于1858年在此出生，1872年时迁出此地。复制的寓所为1923年时由美国第一位女性建筑师蕊多（Theodate Pope Riddle）所建造，如今则由国家公园服务处（National Park Services）管理，且对外开放参观。

国家艺术协会

- 15 Gramercy Park S.
- 212/477-2389
- 电话洽询入场费
- 地铁：搭6线至23rd St.站

罗斯福的出生地

- 见89页地图
- 28 East 20th St.
- 212/260-1616
- 周一、周二不开放
- $
- 地铁：搭6线至23rd St.站

仕女小径

这一段不算太长的徒步路程，涵盖了两处广场：北端的麦迪逊广场（Madison Square）和南端的联合广场（Union Square）。不妨用大约1小时的时间，仔细看看这个市区如何重现它的原始风貌。

1870年，许多时装界的零售商聚集此处，沿街设店，因而造就了今日的仕女街。后来商店纷纷北移，许多荒废的大楼存留下来，经过一番装修改造，不仅吸引了许多商业回流，新兴行业如酒吧、餐厅等也如雨后春笋般冒了出来。仕女街的历史古迹包括第6大道的时尚区，以及18街与19街之间的19世纪建筑。

你可以从靠近东26街的**麦迪逊广场**（Madison Square）❶北端开始步行。麦迪逊广场在1847年开放，最初是纽约市第一支棒球队伍尼可巴克人（The Knickerbockers）队的总部。广场内有十分精致的雕塑，著名者有1881年由圣高登斯（Augustus Saint-Gaudens）塑制雕像、怀特设计底座的"法拉格特上将纪念碑"（Admiral Farragut Monument）。

广场上矗立着三座摩天大楼：26和27街之间，占据了一整条街的**纽约人寿保险公司办公大楼**（New York Life Insurance Company Building,51 Madison Ave.）❷，为吉尔伯特（Cass Gilbert）在1928年设计的新哥特式建筑。第二座摩天人楼位丁东25街和麦迪逊大道（Madison Avenue）北角的**最高法院上诉分部**（Appellate Division of the Supreme Court）。建筑物的内部以极尽华丽的彩色镶嵌玻璃及壁画装饰，外部置放了雄伟的雕塑，如法兰奇（Daniel Chester French）的作品《正义》（Justice）。

接下去，则是介于东23和东24街之间、由雷布朗（Napoleon Lebrun）于1931年所设计的**大都会人寿保险公司办公大楼**（Metropolitan Life Insurance Company Building, 1 Madson Ave.）❸。向南行到第5大道和东23街口，可以看到建筑师伯恩翰（Daniel Burnham）在1902年所设计、高达20层的**熨斗大楼**（Flatiron Building）❹。曾有人担心该大厦特殊的扁薄造型会禁不起风吹，批评伯恩翰的设计未经审慎思考。熨斗大楼一度是全市最高的大楼，后来则由位于麦迪逊大道和24街交会口的大都会人寿保险公司大厦（Metropolitan Life Tower）取代了它的地位，成为全市最高点。

继续向南边市中心走下去，到与东20街交会的**百老汇大道901号**，映入眼帘的是帝国式的铸铁建筑物，此处在1914年以前为Lord & Taylor Store的前身。再往南下一条街，另有3座可观的19世纪古迹。百老汇大道889-891号那栋1884年安女王（Queen Anne）式的建筑，以前是美国银器制造商高尔汉公司（Gorham Manufacturing Company）的零售点。**康斯塔伯干货食品店**（Arnold Constable Dry Goods Store，881—887 Broadway At E. 19th St.）这栋1869年的建筑，其铸铁的外观和双斜坡屋顶造型，堪为当区的特殊景观。靠近东19街的东南角的**百老汇大道884号**，以往曾是地毯、窗帘布料供应商史龙家族企业（W. & J. Sloane）的店面，铸铁的店门及雕塑梁柱均极有特色。

继续往南走3条街到**联合广场**（Union Square）❺，这里曾是毒贩的主要据点，经过1986年的大改造之后，整个区域焕然一新，变成休闲购物的好去处。往北一些，便是位于东17街33号、

近一世纪以来，高雅无瑕的熨斗大楼吸引了无数观光客的目光。

建于1881年的**世纪大楼**（Century Building），当年致力于南北战争后国家统一的《世纪》（Century）杂志，就是在这栋红砖白墙的建筑物里开办；目前这里则开设着巴恩和诺伯（Barnes And Noble）大型连锁书店。东16街与联合广场西区31号的路口，为普莱斯（Bruce Price）设计的大都会银行（Bank of Metropolis）旧址，也是摩天大楼创新风格的代表作之一。联合广场西区29号，为一家时髦的**咖啡馆**（Coffee Shop）餐厅。往广场东侧看去，一栋颇为显眼但比例奇差的希腊神殿建筑，即是建于1907年的联合广场储蓄银行（Union Square Savings Bank）。

联合广场在1831年开放为公园时，原本是与街道齐平的地面楼层，后来为了配合建造地铁而将整个广场架高。自南北战争以来直到不久前，此地常为政治运动分子的活动场所。而今联合广场设有一长年经营的**果菜青蔬市场**（Green Market）（逢周一、周三和周末开市），农民们在这里贩卖各式各样的新鲜蔬果和食品，像是手制乳酪、苹果酒、刚出炉的糕饼、鲜花等等，广场内并竖立有林肯、华盛顿及拉法叶侯爵（Marquis De Lafayette）的雕像。

若开始有饥肠辘辘的感觉，可以走到南帕克大道（Park Avenue South），从联合广场东侧一路走下来，沿途有一些不错的餐厅。或者可以再走远一点，到百老汇大道下区靠近纽约大学（New York University）一带。而若是想要购物，则可沿着14街往西边走，途中会经过一些折扣商店。

见封面内页地图
Madison Sq.
0.5 英里
1 小时
Union Square

不可错过的景点

- 熨斗大楼(Flatiron Building)
- 大都会人寿保险公司办公大楼(Metropolitan Life Insurance Company Building)

New York Life Insurance Company Building
START
Appellate Division of the Supreme Court
Farragut
Madison Square
Metropolitan Life Insurance Company Building
23rd Street
Flatiron Building
Gramercy Park
No. 901 (former Lord & Taylor Store)
Nos. 889-91 (former Gorham Manufacturing Company)
Nos. 881-87 (former Arnold Constable Dry Goods Store)
No. 884 (former W. & J. Sloane Store)
Century Building
Green Market
Lincoln
Lafayette
Union Square
Washington
14th Street - Union Square
200 yards
200 meters

帝国大厦

帝国大厦

见89页地图

350 5th Ave.

212/736-3100

$$

地铁：搭B、D、F、N线至34th St.站

曾位居全世界最高摩天楼宝座达40年之久的帝国大厦（Empire State Building），在人们的心目中永远都象征着摩天楼的理想原型。从曼哈顿的大部分角落，几乎都可以一睹它的风采。由于这儿已成为纽约市的热门景点之一，帝国大厦的顶楼早晚都涌满了观光人潮。你可以搭乘快速电梯抵达86楼的户外观望台，或是到更高的102楼俯瞰曼哈顿全景。此外，大楼内尚包含吉尼斯世界纪录展示馆（Guinness Exhibition of World Records），以及模拟飞行剧场（Skyride）等参观地点。

日夜通明的帝国大厦虽已风华不再，却仍是全世界的建筑杰作之一。

帝国大厦建于1931年，在平均一个星期建造4层半的惊人速度之下，3500名工人在10天内迅速完成14层楼的工程。整个施工进度不但大幅超前，所消耗的费用甚至还远低于预算。当年5月一开放便造成极大轰动，但在经济大萧条时期，帝国大厦也曾面临半数房间都无人承租的窘况。1945年，美国空军B-25战斗机失事撞上帝国大厦的78和79楼，所幸没有损伤大厦的主体结构。

帝国大厦共有102层，高达1250英尺。它那6400扇窗户都设计成突出在大楼的石灰石表面上，从而避免了一般摩天楼那种难看的斑驳状。它的地下室共有5层，占地2英亩。建筑物的主轴一直延伸到86楼，上端再加建金属和玻璃制的尖塔。尖塔的设计原意是作为绑系飞船的桅杆，不过截至目前为止只使用过两次。有人批评桅杆的造型破坏了大厦的整体美，不过在1933年的“大金刚”（King Kong）电影中，金刚抱着帝国大厦桅杆的那一幕却成了经典画面。每逢国庆节日等特殊场合，大厦顶端都会点起各种应景的五彩灯光。

1970年世界贸易中心（World Trade Center）大楼启用时，帝国大厦也交出了世界最高大楼的宝座。但论及它在人们心中的地位和受宠程度，丝毫不减当年。一位评论家曾赞叹道：对帝国大厦来说，“全世界最高大楼的头衔，是无关紧要的”。

贝聿铭以金属与玻璃材质设计建造的贾维兹会议中心。

赫拉德广场

词曲创作人柯恩（George M. Cohan）于1904年写下了“代我向赫拉德广场问好”（Remember Me To Herald Square）这段歌词，当时的赫拉德广场正是全纽约市的商业中心。如今大部分的店家若不是迁走，便是结束营业，而惟有在百老汇大道和第6大道交会于34街的这个地区，至今依旧生气盎然且活力十足。

梅西百货（Macy's）从1902年开幕至今，仍稳守世界最大百货公司的宝座。每当一年一度的感恩节狂欢大游行来临时，更是吸引了无数的人潮前来此地。

赫拉德广场之名是从纽约先驱报（New York Herald）而来，1894年到1921年间，报馆总部设在广场内的一栋文艺复兴式的大楼内。现在大楼早已拆除，大楼上的古钟却留了下来，每到整点，时钟的两个铜铃便互相敲击出美妙的声音。

往西走，一般称之为“庭园”（The Garden）的**麦迪逊广场庭园**（Madison Square Garden）坐落于原先宾夕法尼亚车站（Pennsylvania Station）的地点。目前简称**宾州车站**（Penn Station）的火车站则移至了地下，跨州的长途火车及开往长岛和新泽西的通勤火车仍从这里发车。麦迪逊广场庭园的球场，经常举行大型比赛、演唱会、展览和表演艺术活动，同时这里也是职业棒球纽约尼可巴克人队（New York Knicks）和纽约兰哥斯队（New York Rangers）的总部。

在宾州车站出口处的宾州广场2号（2 Penn Plaza），有两座1910年由威曼（Adolf A. Weinmen）所塑制的雕像：一座10英尺高的铁路总裁塑像，和两只花岗岩老鹰。宾州车站在不久的将来，会有更富丽堂皇的面貌。参议员莫尼翰（Daniel Patrick Moynihan）在90年代开始筹划，欲将车站大厅移到位于31和33街之间的第8大道西侧的**邮政总局**（General Post Office）。这座位于车站对面的历史建筑，是由麦可金、米德和怀特（Mckim, Mead & White）配合扩大车站的计划所共同设计的。再往西行到位于34和37街之间的第11大道，看到的则是贝聿铭所设计的**贾维兹会议中心**（Javits Convention Center），它以共和党参议员贾维兹而命名，整栋建筑完全采取玻璃亭阁式的设计，相当宏伟且充满现代感。

梅西百货

见89页地图

151 W. 34th St.

212/695-4400

地铁：搭1、2、3、9线至34th St.站

麦迪逊广场庭园

见89页地图

4 Pennsylvania Plaza

212/465-6741；可电洽咨询与导游

$$-$$$$$

地铁：搭A、C、E、1、2、3、9线至34th St.站

贾维兹会议中心

见88页地图

655 W. 34th St.

212/216-2000

地铁：搭1、2、3、9线至34th St.站

摩根图书馆典藏丰富的东厅，得经由狭窄的通道才能通达共有3层的珍版书籍处。

摩根图书馆和莫瑞山

莫瑞山以纪念贵格会信徒莫瑞夫妇（Robert And Mary Murray）而得名；他们在殖民时代曾拥有这儿的土地。莫瑞山涵盖的区域，包括南北向的34街到40街、东西向的第3大道至麦迪逊大道。如今，置身于曼哈顿繁忙喧闹的中城，莫瑞山的林荫街道却教人忆起当年仅富豪名流定居于此的幽静时光。那个年代，对于赚取财富几乎毫无限制，世界首富之一的银行家摩根（John Pierpont Morgan, 1837—1913）即择居此地。

摩根图书馆

摩根也是那个镀金时代的重要收藏家。图书馆的首任馆长曾揶揄道：图书馆内"除了原版的十诫之外，什么都有。"虽然馆内的当代图书皆依照摩根自己制定的标准分类，摩根图书馆仍被视为全球收藏最齐备的图书馆之一。走在这宛如大理石宫殿般的图书馆内，浏览艺术文学的珍贵宝藏，有如欣赏美术馆的件件稀世杰作，不禁令人心生敬畏之情。除了大啖精神粮食，也可到馆内精致的咖啡馆和礼品店逛逛。

摩根起初仅收藏如1465年版的《美因兹诗篇》这类的书籍和手稿，接着更扩大到雕塑、文艺复兴时期画作、古代大师的素描和乐谱。等到收藏品多得连他的宅邸都容纳不下时，即聘请麦可金（Charles Mckim）在东36街为他设计一栋1层楼高的新古典风格图书馆。

图书馆以旧时惯用的手法，采用大理石为主要建材，没有掺入任何石灰泥。威曼（Adolf A. Weinmen）在图书馆外墙用雕刻的镶板来象征艺术和其他学问。门口外置有波特（Edwrd Clark Potter）塑制的狮子雕像，这也是后来他为纽约公共图书馆塑制的作品前身。图书馆内部包括入口处的圆形大厅（Rotunda）、陈列书籍的东厅（East Room）、用作办公室的北厅（North Room），以及主人书房所在的西厅（West Room）。一位传记作家曾如此描述1907年经济恐慌期的摩根：在图书馆中"平静地坐在火炉旁的红丝绒沙发上，墙上一幅宾杜利基欧（Pinturicchio）的《圣母与圣婴》（Madonna and Child）俯视着他……"

图书收藏

1924年，摩根的儿子将图书馆开放给大众参观。4年后，摩根位于36街和麦迪逊大道交会口的家则被拆除，并改为图书馆的入口处。收藏中最有名的一幅画，或许可算是西厅中梅姆林（Hans Memling）所绘的《男人与石竹》（Portrait of a Man With a Pink，约1475）；摩根拥有的谷登堡印刷版圣经（Gutenberg Bibles，总共仅印制3本）如今陈列于东厅，这间藏书室有壮观的圆形屋顶、石砌的火炉，以及装满书籍的3层楼阶。

馆内收藏因各方的捐献而不断扩大：1992年，有人捐赠一份由林肯签署的解放宣言复本和美国历史文件；1998年，又获赠年代起自1870年共8万卷的美国文学作品，价值约800万至1000万美元。1988年，图书馆购得摩根儿子的住宅摩根之家（Morgan House, 37th St. and Madison Ave.），并且将这栋共含45个房间的豪宅装修成书店及教育中心，在图书馆和摩根之家中间，则以一座庭园相连。

莫瑞山附近

豪华的**摩根饭店**（Morgans，见244页）值得一看。附近建于1905年的**德·拉玛宅邸**（De Lamar Mansion, No 233）原先为荷兰商人住宅，现在则为波兰领事馆。位于35街上，1864年建的**道成肉身会教堂**（Church of the Incarnation and the Rectory）饰有莫里斯（William Morris）、蒂芙尼（Louis Comfort Tiffany）和拉法吉（John La Farge）设计的彩色镶嵌玻璃，以及法兰奇和高登斯的雕塑。

往东走到下一个街口，公园大道57号是费城建筑师川伯尔（Horace Trumbauer）的1911年杰作，大楼正面上端有雕塑饰带的设计。这里曾住着社交名流道格拉斯（Adelaide L. T. Douglas），如今则为危地马拉领事馆。以前是广告协会（Advertising Club）的23号现在已成为公寓大楼，为麦金、米德和怀特所设计的另一栋富豪华宅。在列克星顿街（Lexington）和第3大道之间、莫瑞山的东侧边界，坐落着全市最小的史迹点**史尼芬庭院**（Sniffen Court, 150—158 E. 36th St.），这个包含10间马车房的马厩建于1850年代。

摩根图书馆

见89页地图

29 E. 36th St. At . Madison Ave.

212/685-0008

周一闭馆

$$$

地铁：搭6线至33rd St.站

道成肉身会教堂

见89页地图

209 Madison Avenue

212/689-6350

周日至周三及周五上午11:30至下午2:00开放

地铁：搭6线至33rd St.站

纽约公共图书馆

纽约公共图书馆中央研究分部

见89页地图

5th Ave. & 42nd St.

展览及活动讯息：212/869-8089
开馆时间：212/661-7220

每周日闭馆

地铁：搭B,D,F,Q线至42nd St.站；7线至Times Square站

由波特塑制象征"耐心"和"坚毅"的狮子雕像所守护的纽约公共图书馆，为全世界最好的文化机构之一。图书馆成立于1895年，随后与百万富豪艾斯特（John Jacob Astor）和地产大亨雷诺克斯（James Lenox）的私人图书馆合并，因而造就了今日的纽约公共图书馆。

成立于1911年的纽约公共图书馆，为过去克罗顿蓄水池（Croton Reservoir）的所在地。竖立有柯林斯式圆柱的大门外，通往入口的阶梯和露台即是纽约客的常聚之地。在设计过程中，由于获得图书馆员的参与，卡来尔和黑斯汀（Carrere & Hasting）的建筑作品兼具了美观和实用，可视为本世纪美术风格的建筑设计经典。单以搬运900多万本藏书的大工程来说，就已称得上是一门艺术了。除了书籍以外，图书馆内还有其他多达2100万件的收藏品，无价的手稿、录音、期刊、老地图、印刷物、照片、甚至族谱，以提供馆内定期或不定期的展览活动。

图书室及阅览室的摆设高雅，并且巧妙运用自然光线。靠近室内中庭的主阅览室，饰有高贵的吊灯和木制的天花板。架有天窗的巴托司广场（Bartos Forum），和挂有哈斯（Richard Haas）壁画的期刊室，同样是美不胜收。书店和纪念品店里，也有许多新奇的玩意。

图书馆后面一直到第6大道，是**布来恩特公园**（Bryant Park）的所在地。这个纪念诗人布来恩特（William Cullen Bryant, 1794—1878）的公园，90年代经过重新整理，园中有许多长凳供人小憩，还有一个室内与室外两用的餐厅（Bryant Park Grill，地址25 W. 40th St.，电话212/840-6500）。往南走，是1924年建的**美国辐射大楼**（American Radiator Building, 40 W. 40th St.）。大楼的外墙以黑砖和金色陶土为材质，为胡德（Raymond Hood）在纽约所建的第一栋摩天楼。

图书馆主阅览室内的橡木桌，整修后显得崭新耀眼。

纽约公共图书馆藏有发现美洲新大陆最珍贵的文件之一：哥伦布在1493年的信中描述如何"在33天之内，从加那利群岛来到了西印度群岛……"

从东河到哈得孙河、从时报广场到洛克菲勒中心，这里正是纽约不容错过的游访范围。附近什么都有，餐馆、音乐厅和剧场随处可见，还有耐久的建筑与更多稍纵即逝的事物环绕近旁。

中城北区
Midtown North

洛克菲勒中心的建筑细节部分。

中城北区

洛克菲勒中心（Rockefeller Center）国际大楼的入口处，竖立了一座巨大的阿特拉斯（Atlas）神像，背上扛着象征宇宙的空心球体。雕像有4层楼高，因此你很难不留意到它。对很多人来说，阿特拉斯像正象征了从东河至哈得孙河、42街至59街之间这段长形的中城北区。这儿是商业、文化和娱乐的神经枢纽，有众多的办公大楼、剧院、历史悠久的音乐厅、地标似的克莱斯勒大楼（Chrysler Building），以及无数的博物馆、教堂、犹太教堂、旅馆和餐厅。大中央车站经年都有来自世界各地的旅客，联合国总部广场（United Nations Plaza）更是款待全世界的中心。

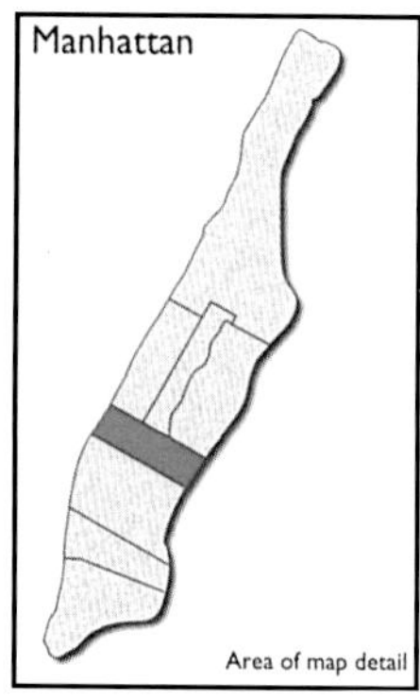

你当然可以住在这里，纽约人即为此支付了昂贵的租金。其中以毕克曼街（Beekman Place）、萨顿街（Sutton Place）及东河附近最为豪奢。超级市场很缺乏，但其他民生必需的餐馆、雪茄铺、熟食店，以及如布鲁明戴尔（Bloomingdale's）这类高级商店等却应有尽有。至理名言是：有钱人永远不愁饿着。中城北区边缘、也就是沿着59街（59th Street）的中央公园南街（Central Park South），则是另一个特权区域。但西边哈得孙河附近的房价显然较为合理，那儿原本是以工人阶级为主的地狱厨房（Hell's Kitchen）社区，今日则改称作克林顿区（Clinton）。

有两个地点最能显示中城北区的多元性，一个是疯狂的时报广场（百老汇大道和第7大道交会口），另一个则是沉稳的洛克菲勒中心（介于第5大道和第6大道之间）。在时报广场上，你会遭受繁忙交通、噪音、行人以及白天或黑夜都不停歇的巨型招牌所干扰。洛克菲勒中心则散发出适当而节制的气氛，大楼和维护良好的开放空间都代表着世界美好的信念。

当生活富裕的菁英分子开始往北方发展，便形成了中城北区。1848年一位主教希望将罗马天主教的圣巴特里克教堂建在第5大道上，以便像基督教的新教教会般占有一席之地。1926年，附近的一块土地被选来建造大都会歌剧院（Metropolitan Opera），当这个计划辗转传至主要投资人之一的洛克菲勒（John D. Rockefeller, Jr.）耳中后，想法却改为创建一个全世界最好的都会中心。1903年以后，纽约中央运输局决定将铁轨铺设在地下以支援大中央车站时，帕克大道（Park Avenue）渐渐发展为主要的住宅区；稍晚时并转型为商业区。

在纽约1811年行政首长命令的棋盘街区计划里，将中城南区边界的42街设计为一条跨越城镇的主要道路。即使如此，当1904年纽约时报决定迁至它的西区时，仍被视为过分大胆。那时该区称作长地广场（Longacre Square），为一处配合马车生意而形成设有马厩和商店的红灯区。时报的发行人欧奇斯（Alfred Ochs）说服纽约当局在此地建设地下铁路，并保证将会带动发展。于是，发行报纸的大楼改称作时报大楼（Times Tower），此地则成为时报广场（Times Square）。10年后，纽约时报搬至今日位于西43街的现址，时报大楼则变成所谓的“时报广场”（One Times Squere）。1900年代早期，剧场区开始在此发展，时报广场也因为“白色大道”（The Great White Way）而闻名。从此以后，它标示着中城北区的一个特征，同时也成为全纽约最受欢迎的观光小站。

中城北区

①前麦可葛罗丘大楼②莱西恩姆剧院③哥伦布广场④阿尔冈钦饭店⑤卡耐基厅⑥法兰奇大楼⑦钱宁大楼⑧大军广场⑨索尼大楼⑩特朗普普大楼⑪华多夫－艾斯塔利亚饭店⑫新闻大楼⑬西提科普中心

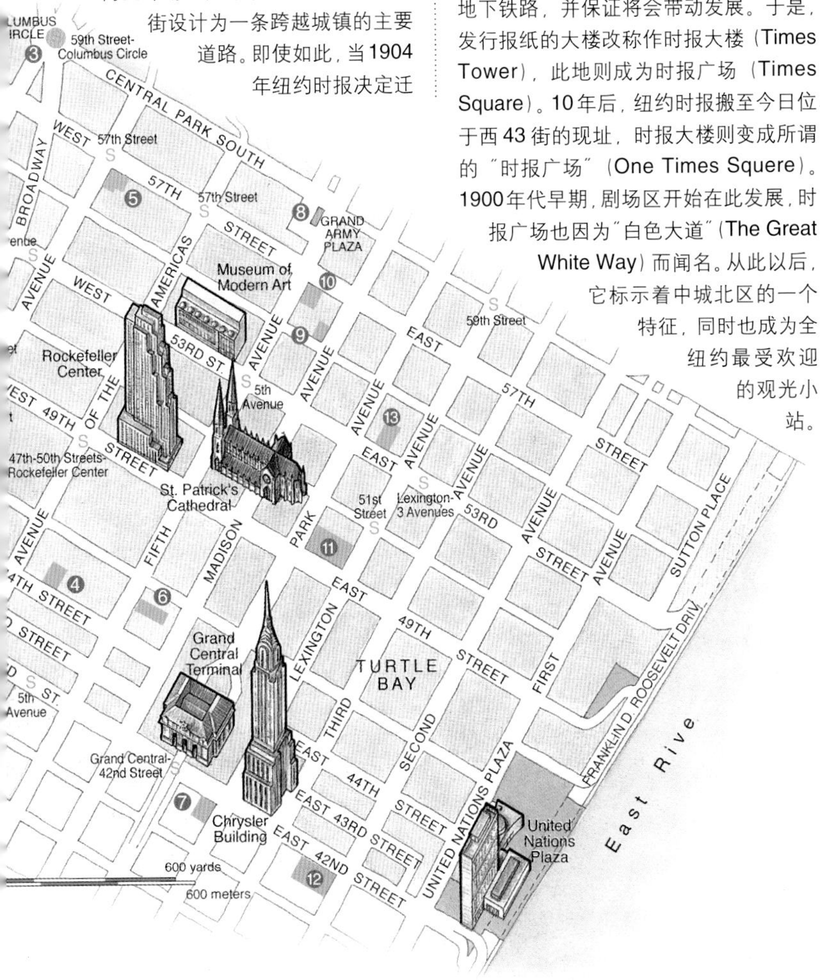

大中央车站和42街

大中央车站

见103页地图

42nd St.&Park Ave.

212/340-3000（生蚝餐厅）212/490-6650

地铁：搭4、5、6、7线至Grand Central站

站在大中央车站靠近凡德比尔特大道（Vanderbilt Avenue）这头的楼台上，享受一下车站主厅（Main Concourse）的景象；此处所显示的，正是纽约市颠峰时间此起彼落的人潮。为纽约市入口把关的大中央车站，每日约有15 000名通勤旅客，以及无数的过路行人。

大中央车站（Grand Central Terminal）于1913年开放启用，惠特尼（Warren Whitney）为车站朝南的42街正面设计了美术造型。入口处上端挂了一个时钟，钟顶上有一尊麦丘里（Mercury）神像；雕塑家库谭（Jules-Felix Coutan）将它诠释为“速度、交通和传递智慧之神”。瑞德（Reed）和史坦（Stem）两位建筑师共同设计出一种铁轨系统，可以让火车分别从两层驶入。

圣雷吉斯饭店气氛典雅的大厅内，有一个精心描绘的天花板。

耗资1.96亿美元、修建9年的东区候车室（East Waiting Room）于1992年终于完工，紧接着便进行豪华得惊人的主厅翻修工程。125英尺宽、175英尺长的巨大空间，有着占据两边高达75英尺的拱形窗户、以田纳西大理石制成的地板，同时还有一个125英尺高、绘有象征星宿图像的圆拱顶篷。位于两层之间的是生蚝餐厅（Oyster Bar），它不仅提供出名的生蚝煲汤，还有1966年火灾后修复的葛斯塔维诺（Gustavino）磁砖顶篷。

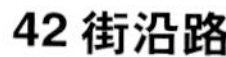

42街沿路

以下的景点，可提供你作为初次游览42街的参考。

以前的**麦克劳—希尔大楼**（McGraw-Hill Building, 330 W. 42nd St.）是于1930年由胡德（Raymond Hood）所建的一栋前卫风格摩天楼。你可以参观它充满艺术装饰的大厅，内部和外墙都采用同样一种绿色磁砖，因此有人昵称这栋楼为“愉快的绿巨人”。对街即是1870年拜占庭风格的**圣十字教堂**（Holy Cross Church，电话212/927-4020），它是由杜费（Francis P. Duffy）神父所管理的教区教会。杜费神父曾任一次大战期间的军中牧师，如今的杜费广场（Duffy Square，见108页）便是以他命名。

通过整建后的剧院区（见114—115页），即是**尼可巴克饭店**（Knickerbocker Hotel, 1466 Broadway和42nd St.），它是于1906年由建筑师阿斯特（John Jacob Astor）所建造。原先挂在饭店里由帕里斯（Maxfield Parrish）所绘的壁画，如今则陈列在圣雷吉斯饭店（St. Regis Hotel）内的金柯尔酒吧（King Cole Bar）里。穿过纽约公共图书馆（New York

Public Library)，音乐家葛西文(George Gershwin)于1924年在那儿某音乐厅里首次演出有名的《蓝色狂想曲》(Rhapsody In Blue)。隔壁的**葛雷斯大楼**(W.R. Grace Building)有着高低起伏的轮廓，夹杂在附近多半呈水平与直线的建筑物中显得极为独特。越过第5大道、再走三条街，即是**惠特尼美国艺术馆中城分馆**(Whitney Midtown，见164—165页)，里面附属的雕塑公园可供人暂时歇脚。越过**大中央车站**，继续来到122号的**钱宁大楼**(Chanin Building)，它建于1929年，有56层楼高，为此区的第一栋摩天楼。内部有钱柏兰(Rene Chambellam)的青铜雕饰，她同时也为无线电城音乐厅(Radio City Music Hall)从事雕塑装饰。穿过莱克辛顿大道(Lexington Avenue)，眼前矗立着**克莱斯勒大楼**(Chrysler Building，见106页)。再越过第3大道(Third Avenue)，即是由胡德所设计，具有装饰风格的**新闻大楼**(News Building)，它在1995年以前是纽约第一份小报的发行场所；同时，也是电影《超人》(Superman)所虚构的"行星日报"(Daily Planet)拍摄场景。穿过马路，来到321号的**福特大楼**(Ford Foundation Building)，大楼建于1967年，以玻璃楼层环绕着一座广场庭院。往前走一小段路，即可到达第5大道附近的都铎市(Tudor City)，它是一个充满都铎王朝—哥特风格，自给自足的社区。

惠特尼美术馆中城分馆—摩里斯分部

120 Park Ave. at 42nd St.

212/663-2453

周末、周日闭馆

地铁：搭4、5、6线至Grand Central站

具有实用性质的地标建筑：大中央车站。

克莱斯勒大楼

在许多纽约人和游客的心目中，装饰艺术风格的克莱斯勒大楼（Chrysler Building）是他们最珍爱的一栋摩天大楼。1970年，汽车大王克莱斯勒（Walter P. Chrysler）希望在纽约设立一个象征美国汽车工业成就的联合总部，于是委托建筑师创造了这座历史性的地标建筑。

为了达到这个目标，建筑师凡艾伦（William Van Alen）在大楼的正面装饰了轮胎和冷却器盖作为象征，不锈钢的大楼尖顶则是具有装饰风格的挡风板。豪华的花岗岩和大理石大厅曾经作为展览室，里面有特朗布尔（Edward Trumbull）绘制的顶篷壁画。打从开始，大楼就成为艺术家的宠儿：奥基夫（Georgia O'Keeffe）特别赠与她的一幅画，以及一张由柏克一怀特（Margaret Bourke-White）拍摄她高坐在大楼滴水嘴上的照片，表达她对这栋建筑的欣赏之情。

克莱斯勒大楼

见103页地图

Lexington Ave. at 42nd St.

212/682-3070

地铁：搭4、5、6、7线至Grand Central站

克莱斯勒大楼与大中央车站仅一街之隔，楼顶尖塔的灯光照亮了附近的夜空。

永远再高一些

1920年代晚期，某位建筑师宣布他建造了一座摩天楼；然而，他只不过是为整个摩天楼历史写下扉页而已。在这种紧张的气氛里，克莱斯勒大楼的建筑师凡艾伦和他的对手塞维伦斯（H. Craig Severance），也就是同时在华尔街40号建造曼哈顿银行（Bank of Manhattan）的建筑师展开了一场媒体竞相报道的比赛。起初凡艾伦只盖了56层，后来为了超越塞维伦斯，即增加至65层。塞维伦斯因此增加了一座塔顶作为反击，达到71层高，眼看着似乎将成为最后的赢家。不过，凡艾伦秘密地在防火通道里组装了一个185英尺的不锈钢尖塔。根据他自己的回忆，当时"尖塔慢慢地浮现，就像一只破茧而出的蝴蝶……"克莱斯勒大楼终于以1048英尺的高度夺得宝座。1930年开幕时，它曾一度为全世界最高的大楼，但随即被艾菲尔铁塔（Eiffel Tower）所取代。凡艾伦的光环没有停留太久，几个月后帝国大厦（Empire State Building）即落成启用。但无可否认地，克莱斯勒仍是那个浮华年代的精采杰作，而且从1978年起便点亮起它的塔顶，不分日夜地照耀着纽约的天空。

联合国总部广场

1946年，适才届满一岁的联合国组织决定在美国境内成立一个总部。尽管当时还有许多城市在争取，却由于洛克菲勒愿意提供850万美元，让联合国购买东河附近的一小块土地，才让纽约中选。

广场入口处插满了185个会员国的旗帜。**部长大楼**（Secretariat Building）是整个综合结构的核心，它由法国建筑师柯比意所设计，共有39层楼高。往北延伸出去，即是有着圆形拱顶的**联合国大会**（General Assembly）。往东边扩展，过了F.D.R.公路（F.D.R. Drive），即是举行国家安全会议的**会议大楼**（Conference Building）。游客们从联合国大会的大厅出发，那儿还有一个礼品中心和出售特种邮票的柜台。

由会员国捐赠的艺术品在这里随处可见。广场入口处，由海普渥丝（Barbara Hepworth）雕塑的青铜像自喷泉里升起，也别忘了欣赏南斯拉夫艺术家奥古斯丁西克（Antun Augustincic）的〃和平〃雕像，以及日本和平钟（Japanese Peace Bell）。在秘书长大楼的汉玛斯科德纪念礼拜堂（Dag Hammarskjold Memorial Chapel）里，你可以看到夏卡尔（Marc Chagall）设计的彩色镶嵌玻璃窗户。

广场的建造开始于1947年，原本那儿只是一些廉价公寓、屠宰厂和啤酒场。1963年加盖了一间图书馆，其他环绕广场的建筑物包括一栋集合办公室和旅馆的综合大楼，以及UNICEF大楼。走至43街，将可通往**本奇公园**（Ralph Bunche Park）；公园以这位曾经荣获诺贝尔和平桂冠的非洲裔美国人本奇而命名。其中一面以赛亚墙（Isaiah Wall）上隽刻着〃他们将把箭敲打成犁……〃来开垦土地的一段文字，正是世界和平与自由的最佳象征。

联合国总部广场

见103页地图

1st Ave. and 46th St.

212/963-7713

$$（导览）

地铁：搭4、5、6、7线至Grand Central站

联合国大会可容纳超过185个会员国代表。

时报广场

站在46街和47街之间的杜费神父广场（Father Duffy Square），面向时报广场的北方。看着百老汇大道和第7大道路口的交通和人潮交错而过，这儿似乎像是全世界的十字路口。无论白天或夜晚，霓虹闪烁的招牌强烈地传送着讯息。密集的剧院、46街的整排餐馆，或者建筑物本身就是来此观光的目的。同时，它也通往全新登场的传奇表演区：42街，这条位于第8大道和百老汇大道间的小街，将为21世纪增添更迷人的风采。

时报广场游客中心

1560 Broadway at 46th St.

212/768-1560

地铁：搭1、2、3、7、B、D、N、Q,R,S线至42nd St.-Times Square站

TKTS折扣票亭

Broadway at W. 47th St.

地铁：搭至42nd St.-Times Square站

百老汇大道和第7大道相交的十字路口，在时报广场的核心地带形成两个三角形区。

和1989年的庸俗娱乐区相比，今天的时报广场已改变很多。新建了许多大楼，其中一栋便是**杜费广场**上专为电动看板设计的大楼。位于第四时报广场（Four Times Square）的崭新大楼，则是耐斯特（Conde Nast）的办公室，《时尚》杂志（Vogue）、《名利场》（Vanity Fair）和《纽约客》（New Yorker）的编辑工作都在这里完成，因此有人戏称此地为“风雅的据点”。而就在几年前，根本无法想象《时尚》杂志的主编会在时报广场出没。

10年前，第7大道（Seventh Ave.）和第8大道之间（Eighth Ave.）的42街有“魔鬼街”（The Deuce）之称，暗示其中隐藏了或多或少的潜在危险。那时街上充斥着摔角场、二轮X级色情电影院、偷窥秀和情趣商品。时报广场成为纽约市的一个污点、一个人们避之惟恐不及的地方。如今则都已改观，有整洁的市容、巡逻的警察，以及对游客友善的态度。到纽约观光的游客、通勤者、学生团体明显地增多，纽约人也对更新后的社区感到骄傲。

离开杜费广场之前，记住向此地的两座雕像致敬：演员兼制作人柯翰（George M. Cohan），以及一次大战时69军团和圣十字教区的杜费神父。接下来，在雕像附近确认你的方位，TKTS折扣票亭在你的后方，时报广场游客中心（Times Square Information Center）在杜费广场的左边（东边）。此地便是美国第一家放映新闻影片的**大使剧院**（Embassy Theater），它提供许多游客服务和售票业务。杜费广场的正前方（南方）即是第一时报广场（One Times Square），每到新年除夕，这儿便会洒下五彩的汽球。一楼为华纳兄弟电影公司专卖店（Warner Brothers Studio Store），对街则是迪斯尼专卖店（Disney Store, 210 W. 42nd St.）。特别要记住，在42街和45街之间的百老汇大道和第7大道都可能有百老汇的地址，因此在寻找地点时，最好至NYPD车站对面中央参考一下所张贴的地图，那儿会有关于旅游定点的资讯。如果想要有亲身的城市体验，则不妨中途享受一下高科技的娱乐，往南走到适合全家同游的**XS虚拟游乐场**（XS, 1457 Broadway,

41st St.和 42nd St.之间，电话 212/398-5467）。他们的标语"过犹不及！"在时报广场的每一个角落都可以见到。到那里你可以试试赛车模拟。如欲参加大苹果导游团（Big Apple Tours，见236页），可走到XS游乐场的对面左边。

地标建筑

在此地你也会发现许多有名的地标建筑。剧院区（见114—115页）里的每一栋建筑物都是珍宝。1931年的**布里尔大楼**（Brill Building, 1619 Broadway 和49th St.路口）过去称为汀潘巷（Tin Pan Alley），为美国流行音乐的重镇。若想光顾老式且保存完整的唱片行，可以试试**殖民地唱片行**（Colony Records，电话212/265-2050）。

午夜十二点

时报大楼（Times Tower）于1904年的新年除夕开幕，第一次把广大人潮引入了时报广场。施放烟火是庆祝仪式的高潮，媒体上报道："当第一束火花在时报大楼上空绽放时，引起了一声呐喊，接着大楼下方无数狂欢的人都将手中的火炮拉开，响起了震耳欲聋的爆裂声响。"因此，纽约时报在不知不觉中孕育了这个传统仪式，即使在他们1913年迁出这栋大楼之后仍然继续保持着。如今每年除夕有上百万人潮涌入时报广场，只为了目睹一颗光芒四射的旋转球体倒数读秒。同时，还有全世界无数的人在电视机前观看这个壮观奇景。

无论是雨雪纷飞、或者天灾人祸，都无法阻止上百万人潮参加时报广场前的新年除夕盛会。

1926年建的梯形后退造型的**派拉蒙大楼**（Paramount Building, 1501 Broadway）曾经是派拉蒙剧院的所在地，今日则改为一座富丽的电影皇宫。1944年一场令少女陷入疯狂的法兰克·辛那区（Frank Sinatra）演唱会，至今仍教人记忆犹新。在**派拉蒙饭店**（Paramount Hotel, 235 W. 46th St.，电话212/764-5500）可感受到"饭店如剧场"的体验。大厅里的明亮场景让一座普通的楼梯变得生动；威士忌酒吧（Whiskey Bar）十分时髦；梅冉宁餐厅（Mezzanine Restaurant）更提供拉丁风味的菜肴。楼下是1999年才开幕、极度现代化的钻石马蹄铁俱乐部（Diamond Horseshoe），它的风格和1940年代罗斯（Billy Rose）表演著名的钻石马蹄铁秀的"谢绝精致"原则很近似。较少装饰的**沙迪餐馆**（Sardi's, 234 W. 44th St.，电话212/221-8440）是一处充满戏剧风格的餐厅和地标，开幕于1921年，以餐厅墙壁上的名人讽刺漫画，以及专门提供演员协会（Actors' Equity）会员的廉价"演员菜"而闻名。

然而，有时难免有口味改变的意外发生。曾在科尼岛（Coney Island）以热狗出名的纳檀餐馆（Nathan's）消失了；有歌舞表演的拉丁区酒馆（Latin Quarter）多年前关起了大门；有名的林迪乳酪糕点（Lindy's）也已不再营业。此外，成立多年专门收藏怪诞事物的赫伯特博物馆（Hubert's Museum）、海克勒跳蚤马戏团（Dr. Heckler's Circus）、"法国医药学园，巴黎分部"所揭露的性启示、变装癖酒吧、街头流莺，全都成了往事。也许有人会认为，时报广场的特色都被洗刷得一干二净，但即使是反对者也对重生后的时报广场至表欢迎，因为它不仅为纽约带来更多的观光客和财政收益，也催化了其他地区的复苏计划。幸运的是，一项早期的更新方案由于资金不足而并未实现，否则这儿将只能成为一处拘谨的办公大楼区罢了。如今的时报广场，正以最活泼的脉动为纽约注入新的生命力。

43 街与 44 街

离开繁忙匆促的时报广场，不妨到西43街和西44街（第5大道和第6大道之间）舒解一下心情。这里的街道多半高雅，而且建筑物的室内尤其漂亮。首先从1902年的**阿尔冈钦饭店**（Algonquin Hotel）开始，它便是文学史上有名的圆桌（Round Table）之家。这个团体的成员包括帕克（Dorothy Parker）、班区里（Robert Benchley）及其他的艺术家和文学家，他们的谈话和讨论为这个浮夸的年代写下深沉的一页。庄严的橡树厅（Oak Room）、蓝色酒吧（Blue Bar），以及不再有新鲜玫瑰的玫瑰厅（Rose Room）提供用餐与定期的歌舞表演，供应可口午茶的大厅仍保持原先的风雅气派，必须按铃来通知侍者。若想要寻找名人的足迹，则最好到对街建于1898年的**罗雅顿饭店**（Royalton Hotel，见246页），它在1988年时由史达克（Philippe Stark）重新设计整修。附近一栋大楼挂有《纽约客》杂志的招牌，他们的办公室也在这里（25 W. 43rd St.）。**马斯曼锁收藏中心**（Mossman Collection of Locks）和总社图书馆（General Society Library）位于同一栋大楼，可免费参观馆内收藏的400种包含古时和现代的各式各样的锁。

此外，还有某些特殊的组织坐落在其他划时代的大楼里。**纽约大楼酒吧联谊会**（Bar Association of The City of New York Building, 42 W. 44th St.，及37 W. 43rd St.）位于1895年所建的一栋石灰岩大楼内，但同一个街区上却有两个不同的会址。从1857年至1983年间举办美国杯竞赛的**纽约游艇俱乐部**（New York Yacht Club、37 W. 44th St.）的所在位置，是一栋1899年的时髦大楼，它的美术风格凸窗充满着航海气息。麦可金（Mckim）、米德（Mead）和怀特（White）共同设计了1849年有砖墙正面的哈佛俱乐部（Harvard Club、27 W. 44th St.），以及另一栋1891年意大利式的大楼，也就是**世纪联谊会**（Century Association、7 W. 43rd St.）的会址。

马斯曼锁收藏中心

- 20 W. 44th St.
- 212/840-1840（事先打电话预约）
- 周末、周日不开放
- 地铁：搭1、2、3、7、B、D、N、Q、R、S线至42nd St.-Times Square站

罗雅顿饭店的宏伟大门出自名设计师史达克之手。

白 色 大 道

好消息宣布了！白色大道正燃烧着前所未有的光芒，电光招牌闪烁而耀眼地彼此竞相推挤，就如同极力争取关爱焦点的孩子一般。

在20世纪初，几乎包办时报广场大部分电光招牌的业者古德（O.J. Gude），为最早使用“白色大道”（The Great White Way）这个名词的人。由于当时的看板都只采用白色日光灯，因此这个封号即是指百老汇夜晚点亮招牌灯光的景象。古德认为电光招牌是一项艺术，而且，他更有先见之明地相信招牌所具有的强大效果：“每个人都得读它，同时吸收它的讯息；不管愿不愿意，都得接受广告商的教诲。”另一个年代的诗人庞德（Ezra Pound）则将电光招牌视为“我们的诗，因为我们依照自己的意愿把星星拉至地球上来。”

古德和庞德都说得很对，此种广告手法早已超越单纯的传播功能。时报广场发明出一种独特的城市大众艺术，一种与美、传播、建筑和科技紧密结合的创作类型。此地最早登场的招牌设计者是史特劳斯（Artkraft Strauss），在他的主要作品下方，甚至还可见到他的“签名”。你若想浏览整条白色大道，最好从时报广场的南方边界开始。站在42街和第7大道口的地铁入口处，往北边的百老汇大道主干看过去。在你的对面，硕大的奥力欧饼干（Oreo Cookies）看板占据了整个转角（特别留意亚克莱夫特的签名）。左边则是新近整修完工的戏院区，一家家戏院门口的遮檐呈扇形往复合式戏院区伸展出去。越过42街后回过头，即可看到英国航空公司（British Airways）的协和机（Concordc，几乎相当于二分之一的实体模型）落在时报广场啤酒场（Times Square Brewery）的头顶上。继续往上城

运用电子影像这类新科技，让时报广场的广告招牌比以往更为光彩夺目。

去挑选你的最爱 杜费广场上堆积如山的招牌直插云天，一栋建筑物的顶端举起一个42英尺高的可乐瓶子，藉由电的魔术，显示瓶子里的可乐全部被吸管吸收殆尽。

第一个电光招牌是1898年为科尼岛做的宣传广告，竖立在38街和百老汇大道交叉口上。1904年纽约时报的乔迁之举，使时报广场的电光招牌时代得以开花结果。1910年，时报把热门新闻的消息藉由招牌的标语报导出来，新闻内容以15 000只灯泡、每秒闪烁72 000次的频率显示出来，而且这项技术今日仍继续用在电子字带上。

1916年区域规划的修改，招牌不再受到大小的限制。1917年瑞吉里薄荷口香糖（Wrigley Spearmint Gum）竖立了一个号称当时全世界最大的巨型看板，80英尺高、200英尺长的广告招牌，描述一个小精灵吞下薄荷草的卡通画面。1920年，霓虹灯把色彩带进了白色大道，但白色大道的名字却没有更改。每个人回忆起时报广场，都不免联想到某个特定的广告招牌，比如1950年到处可见百事可乐（Pepsi-Cola）的广告，显示一个丰沛的瀑布被硕大的可乐瓶子包围着 甚至有人计算过，得用7812加仑的可乐才能装满招牌上的瓶子。这个广告招牌是亚克莱夫特的作品，同时他也制作了其他如骆驼牌（Camel）香烟的招牌地标，让广告中的人物每隔20秒吹出一口烟圈，制造烟的来源则是蒸气。

50年代被视为白色大道的全盛时期，但随着日新月异的技术改变，许多招牌甚至更为庞大，这个头衔可能已经不适用了。当然，或许可以用两个完全不同的全盛期来看待。今天的彩色霓虹招牌更亮，也更具侵略性，而且还有许多招牌都显示外国进口的商品广告。虽然如今的招牌比往日更可观，但相较之下，更教人们怀念那段已经消逝的老时光。

百老汇剧场

百老汇剧场问询处

☎ 212/282-2907 or 800/755-4000

如果你曾听说百老汇剧场已经死了，别相信它。1997年有1100万人支付5亿美元来购买戏票，同时拥有将近40出戏的选择，远超以往任何一段时间的演出剧目。从1880年开始，"百老汇"（Broadway）就成为自纽约发迹的大型剧场代名词，后来且经常至海外巡回演出。1929年时，由于许多电影院取代了原先的剧院，大部分戏剧演出都移往时报广场外围的狭窄街巷去了。

百老汇剧场最持久的戏码之一"歌剧魅影"，在具有传统剧场风格的庄严剧院找到了永远的家。

新阿姆斯特丹剧院

✉ 214 W. 42nd St.

☎ 212/282-2900, 800/755-4000

🚇 地铁：搭1、2、3、N、R线至Times Square站

漫游在街道上，你仿佛走回过去那段璀璨的历史。首先来到**贝拉斯科剧院**（Belasco Theater, 111 W. 44th St.），然后再往西边沿着"罗杰斯和翰莫史坦路"（Rogers & Hammerstein Row）走访一系列的剧院。沿路有**舒伯特剧院**（Shubert, 225 W. 44th St.）、**布洛德赫斯特剧院**（Broadhurst）、**庄严剧院**（Majestic）、**海伊丝剧院**（Helen Hayes）和**圣詹姆斯剧院**（St. James）。更远一点，则有凯让（Elia Kazan）在1947年所成立的**演员培训班**（Actors Studio, 432 W. 44th St.，电话212/757-0870），导演史特拉斯堡（Lee Strasberg）即是在这里教导他的学生如马龙·白兰度（Marlon Brando）、玛丽莲·梦露（Marilyn Monroe）和艾尔·帕西诺（Al Pacino）等人。

下一条街上闪闪发光的**莱西恩姆剧院**（Lyceum, 149—157 W. 45th St.）是1903年的美术杰作，特别留心剧院优雅的遮篷、装饰的梁柱，以及宏伟正面上方跨过柱顶的戏剧面具。隔两条街，便是1947年马龙·白兰度首演"欲望号街车"（A Streetcar Named Desire）的**巴利摩尔剧院**（Barrymore, 243 W. 47th St.，电话212/869-8400）。

虽然剧院建筑本身就已是一场表演，但真正美妙的还是在戏剧舞台上。每一出戏都得有好的演员搭配辉映，例如1997年籍由无名的普朗摩尔（Christopher Plummer）在《房租》一剧中的演出，便造成极大的轰动。欣赏百老汇的最好方式，就是买一张票走进剧院。在**贝克剧院**（Martin Beck Theater, 302 W. 45th St.），你也许会发现自己置身于一座摩尔式的宫殿里；或者走进**舒伯特剧院**，感受一下仿佛回到文艺复兴时代的情景。也可以在

科特剧院（Cort, 138 W. 48th St.）欣赏舞台拱门上方飞舞的法式庭园，同时顺便浏览剧院的外观。或者，确实来一次剧院参观导游，到豪华的**新阿姆斯特丹剧院**（New Amsterdam）享受走入梦境的感觉。

史迹保护工作

1980年将时报广场的多数合法剧院列为史迹的决议，使得剧院保存工作往前迈进了一大步。可惜的是，包括碧尤剧院（Bijou）、阿斯特剧院（Astor）和原来的海伊斯剧院在内的5家剧院都已经毁坏殆尽。因此，史迹保护单位把重心转移至时报广场西边42街的9家剧院，它们也已多半毁损不堪，或者沦为放映色情电影和表演成人秀的场所。1995年迪士尼公司承诺斥资8亿美元来整修新阿姆斯特丹剧院，使剧院区的前景全然改观。如今时报广场商业促进会（Times Square Business Improvement District）这个非营利机构，正着手进行拯救剧院和重振市区的计划。

整修后显得十分壮观的新阿姆斯特丹剧院，成为往后其他追随者的基准。它的原始剧院以奢华著称，附有一角散步场地和一座屋顶花园。1913年至1927年间，《查菲尔德·法里斯》（Zeigfeld Follies）一剧便在此地演出。今日这座剧院重新启用，呈现出新艺术风格的造型，开幕戏则是老少咸宜的《狮子王》（The Lion King）。

所以呢，记得到杜费神父广场的TKTS折扣票亭和其他人一起排长长的队，买一张折扣戏票（只接受现金），然后尽情享受入座以后的美妙和惊喜。

像《西贡小姐》这样的音乐剧类型已成为百老汇的主流，令某些严肃的剧场观众感到惋惜。

摩天楼徒步之旅

这条弯曲如Z字形的路线，将带你走访纽约建筑史上的重要建筑。从位于帕克大道（Park Avenue）上高耸的巴洛克式汉姆斯里大楼（Helmsley Building）出发，接着来回好几次穿越帕克大道，最后在麦迪逊大道（Madison Avenue）上一栋装饰艺术风格的富勒大楼（Fuller Building）前结束这个徒步旅程。

1929年为纽约铁路公司所建的纽约中央大楼（New York Central Building）、也就是**汉姆斯里大楼**（Helmsley Building, 230 Park Ave., 介于E. 45th St.和

E. 46th St.之间）❶，具有炫丽的内部和教人印象深刻、白色如高塔般的造型。遗憾的是，1963年的潘安大楼（Pan Am Building）、今日的梅特来福大楼（Met Life Building）盖得更高，使汉姆斯里良好的视野被阻挡起来。继续往北走三条街，来到帕克大道301号有名的装饰艺术式**华多夫—艾斯特利亚饭店**（Waldorf-Astoria Hotel）。它有两座625英尺的同一形式高楼，里面住的全是名人和富豪。饭店甚受王室和首领级人士喜爱，而且它比原来的华多夫饭店还要壮观。欣赏它采用装饰风格大理石圆柱、布满青铜和桃花木的奢华大厅，以及雕饰的最高潮部分：法国艺术家雷盖尔（Louis Rigal）所设计、由14.8万片马赛克磁砖镶嵌制作的《生命的轮》（The Wheel of Life），内容描述人类的存在处境。

往左（西边）走到东50街（East 50th St.），越过帕克大道，然后右转至麦迪逊大道451—455号的**维拉大楼**（Villard Houses），后方则是高耸的**汉姆斯里皇宫饭店**（Helmsley Palace Hotel）。维拉大楼是1883年时为铁路大王维拉（Henry Villard）所建，由6栋赤褐砂岩楼房相连成一栋文艺复兴式的皇宫。1980年，因为东翼部分延伸至汉姆斯里皇宫旅馆大厅而差一点被拆除，北翼部分如今为市立艺术协会（Municipal Art Society）和都市中心艺廊（Urban Center Galleries）的所在地。你可以路过那儿，在汉姆斯里皇宫内饰有镀金天花板的金厅（Gold Room）里喝杯下午茶。

右转至51街和帕克大道的交会口，便是**圣巴托罗缪教堂**（St. Bartholomew's Church）❷。这座建于1918年的拜占庭风格主教教堂，原本位于麦迪逊大道和东44街的路口，它的迁移说明了城市重心往北发展的趋势。怀特（Stanford White）设计的大门玄关，饰有由原先教堂移来、马提尼（Phillip Martiny）和法兰奇（Daniel Chester French）的雕刻作品。左转（东边）至东50街，接着转往莱克辛顿大道，再左转即可看到**通用电力大楼**（General Electric Building, 570 Lexington Ave.）❸，这座建于1931年的RCA维克多大楼（RCA Victor Building）采用砖与陶土包覆的装饰艺术风格，乃是向隔壁的圣巴托罗缪教会致以敬意。

左转至东51街，然后右转至帕克大道370号的网球俱乐部（Racquet and Tennis Club、1916—1919）。这栋仅限会员使用的男性堡垒，由麦可金、怀特和米德所设计，风格完全模仿自一栋意大利文艺复兴风格的宫殿建筑。对街则是1958年采用钢、铜和玻璃建成的**西葛兰大楼**（Seagram Building, 375 Park Ave.）❹，它是纽约市惟一由德籍美国建筑师凡德罗（Mies Van Der Rohe）设计的作品，安装在大楼后方广场上的大型厚板设计，后来经常被人借用模仿。往北走一条街，到达帕克大道390号的1952年地标**利弗大楼**（Lever House），这是纽约第一栋采用玻璃厚板建材的办公大楼。往右转至东54街，即可看到**西提科普中心**（Citicorp Center, 1978）❺

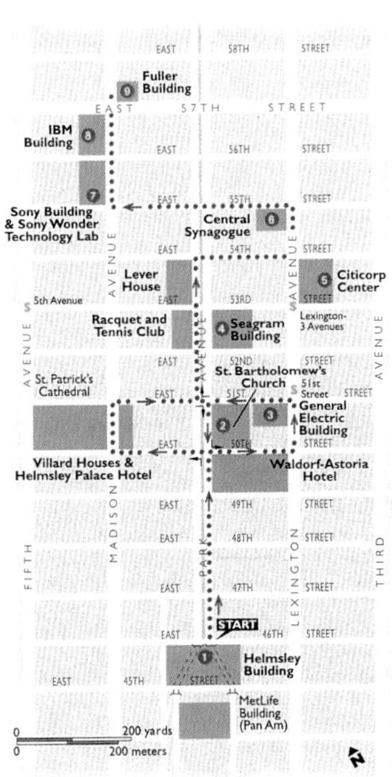

这栋包覆着铝衣的悬臂式高楼，它有如凿子造型的顶端，正反映出现代建筑顾及天空轮廓的设计观点。大楼内有许多的商家和圣彼得路得宗教堂（St. Peter's Lutheran Church）。位于55街和莱克辛顿大道路口的**中央犹太教堂**（Central Synagogue, 1872）❻，为纽约市最古老且持续使用的犹太人教堂，1998年遭火灾损毁的部分目前尚在修复中。

往左向东55街走两条街，即是1984年由约翰森（Philip Johnson）所设计的**索尼大楼**（Sony Building, 550 Madison Ave.）❼，它也是第一栋后现代风格的摩天楼。你可以进入大楼内的**索尼神奇科技研究室**（Sony Wonder Technology Lab，电话212/833-8100）参观，它提供免费的多媒体展览，甚至可让你亲自设计一盒音乐录影带，并有人工语音带你进行互动式游戏。

往前走远一点，眼前就是建于1983年的绿色花岗岩**IBM大楼**（IBM Building, 590 Madison Ave.）❽。大楼设有一座种满竹子的天井，可供人小憩和午餐。旅程的最后一站，则是1929年充满装饰艺术风格的**富勒大楼**（Fuller Building, 41 E. 57th at St.和Madison Ave.）❾。大门入口处的上端，有出自纳达尔曼（Elie Nadelman）之手的“建构工人”雕塑作品。楼内有许多的美术馆，附近则有各式各样的商家。

左页图：装饰艺术风格的华多夫—艾斯特利亚饭店。
右图：索尼大楼。

见封面内页地图
➤ Helmsley Bldg., Park Ave.
1.2 英里
大约1小时
➤ Fuller Bldg., Madison Ave.

不可错过的景点

- 通用电力大楼 (General Electric Building)
- 西葛兰大楼 (Seagram Building)
- 西提科普中心 (Citicorp Center)
- 索尼大楼 (Sony Building)
- 富勒大楼 (Fuller Buiding)

洛克菲勒中心

洛克菲勒中心的人行步道、低凹式广场、花园、雕塑，以及装饰艺术风格等设计特点，虽然都曾被人抄袭挪用过，它的独特地位却从来无法取代。占据了第5大道和第6大道、以及48街和51街之间的整片区域，洛克菲勒中心就像是一个由19栋大楼组成的城中之城。尽管仍有争议，它似乎堪称都市发展史上最为成功的例子。

无线电城音乐厅

见103页地图

1260 6th Ave.

212/632-4000

$$

地铁：搭B、D、F、Q线至47th－50th Sts.-Rockefeller Center站；6线至51st St.站

注意：无线电城观光导游每日从大厅出发。

119页图：洛克菲勒中心的巨型圣诞树灯火，为纽约节庆时的醒目焦点。

游客不妨从**无线电城音乐厅**（Radio City Music Hall）开始参观。至今，每逢圣诞节和复活节时，拥有36位成员、擅于踢高舞步的洛凯兹舞团（Rockettes）仍会在音乐厅中演出，同时全年都有顶级歌手在此演唱。此外，这儿也是1940年落成时仅有14栋大楼结构的范围边界，位于第6大道的另外5栋大楼则是于1945年才附加进来。若想索取详细的综合大楼资料，则可以前往洛克菲勒广场（Rockefeller Plaza）30号的**通用电气大楼**（General Electric Building，简称GE）。这栋大楼内设有NBC的总公司，而大楼外介于西49街和西50街之间的地区，则是柯瑞克（Katie Couric）和劳尔（Matt Lauer）主持晨间"今天"（Today Show）节目的现场摄制地点。你可以透过玻璃观看里面的场景，或许还有机会在电视上看到自己被拍入镜头的画面。综合广场的中央是挂满旗子的低凹式广场，冬天时适合在户外滑冰，夏季则可以到取代溜冰场的美国节咖啡馆（American Festival Cafe）用餐。穿过溜冰场是一片倾斜的散步区，每到各种节庆时，点燃灯火的巨型圣诞树便成为城市目光的焦点。你可以坐在香奈儿花园（Channel Gardens）里的植物和雕像旁边，然后随意漫步至第5大道上，但须记住回来前往下一个参观点。

高雅的**彩虹厅**（Rainbow Room）位于洛克菲勒广场的顶楼，它的鸡尾酒、旋转扶梯，以及一览无遗的视野都是最受欢迎的特色。1998年开始改变经营方式，如今主要提供私人宴会使用，仅预留少数席位开放给一般客人，但仍值得前往一试，洽询是否还有坐在65楼顶层用餐的机会。而不管天气好坏，你都可以到地下楼的综合商场逛街或享受餐饮。

尽管今天三菱公司掌握了大部分洛克菲勒中心的股份，最初开发此地的投资人却是洛克菲勒（John D. Rockefeller）。这块地区原本是计划用来建设大都会歌剧院（Metropolitan Opera），后来由于股票崩盘，使得原先投资人不得不撤资毁约。1929年的年尾，洛克菲勒宣布将建造一个容纳广播和电视工业的综合商业大楼。当美国广播公司（Radio Corporation of America，简称RCA）搬进这栋大楼后，整个综合商业中心即成为人们所熟知的无线电城（Radio City），最后此名称则被

洛克菲勒中心所取代。至于连锁的无线电城音乐厅，不仅名字保留下来，同时也保存了厅内6200张座席，成为美国最大的表演厅。此外，它更象征了当年仍由RCA、RKO和NBC主导大楼的年代。目前，洛克菲勒中心所包含的主要企业类型则是出版和传播。

附近有两条街不属于综合大楼，却是有名的史迹地区。一条是介于第5和第6大道间、有"摇摆街"（Swing Street）之称的52街，它可以说是1930年代爵士乐的中心。那个年代的历史，如今都遗留在一栋赤褐砂岩造的华丽餐馆"**21俱乐部**"（21 Club, 21 W. 52nd St.，电话212/245-5398）里。另一处仍然生气蓬勃的地点是42街沿路的"钻石区"（Diamond Row），当年这里的钻石切割师傅都是为逃避纳粹而移民的欧洲犹太人。

圣巴特里克大教堂

圣巴特里克大教堂

见103页地图

5th Ave. & 50th St.

212/753-2261

地铁：搭B、D、F,Q线至47th-50th Sts.-Rockefeller Center站；6线至51st St.站

劳瑞雕塑的"阿特拉斯"神像面对着圣巴特里克大教堂。

圣巴特里克教堂极为庞大壮观，它总共长达332英尺、宽及174英尺，几乎是全世界最大的教堂。矗立在繁忙的中城区，它已然成为一处逃避尘嚣的藏身之所。这儿不仅持续用来举行结婚典礼和仪式活动，教堂的正门台阶也是观赏游行的理想地点。

它的建筑已经成为永恒的代名词。建筑师伦威克（James Renwick, Jr.）在德国的科隆（Cologne）完成模型，同时加进欧洲各地的建筑元素。完工于1888年的教堂尖塔高达330英尺，在20世纪30年代摩天楼出现以前它始终是城市上空最高的尖顶。伦威克最初建的教堂东翼正面，1960年时为马太（Charles Matthews）设计的圣母礼拜堂（Lady Chapel）所取代，第5大道上的三座铜门则是于1949年才添加上去。教堂中央的门上，描绘美国第一位本地圣徒塞顿（Elizabeth Ann Seton）女士和其他纽约圣徒们的肖像，里面并设有题献给她的神坛和一尊她的青铜雕像。

游客进入教堂内须保持安静，但可自由参观。教堂的中央正厅可容纳2500人，有108英尺高、48英尺宽。务必要去参观为颂赞圣母而建的圣母大教堂（Lady Chapel Cathedral），里面有一座1906年由派崔吉（William O. Patridge）所雕塑圣母哀痛基督之死的大理石圣殇像（Pieta）。这所教堂虽不像一般哥特式教堂都有飞扶壁的设计，但在祭坛的上方有一个57英尺高的青铜神龛。也要记住欣赏教堂的入口处，当阳光从管风琴上方26英尺宽的玫瑰窗户洒下的时候，景象特别壮观。

这座耗资190万美元的大教堂，1858年由休斯（John Hughes）主教宣布兴建计划，并由他的继任者麦克劳斯基（John Mccloskey）主教于1879年5月25日揭幕启用，将教堂题献给爱尔兰的圣徒赞助者。

第 5 大道

今日位于中城的第5大道，和昔日住满百万富豪的景象已相差甚远。不过，仍然有一些以新貌呈现的史迹地点坐落于此，比如附近的大军广场、圣巴特里克教堂、洛克菲勒中心，以及其他的历史建筑物等。

有玩具商店贵族之称的**史瓦西玩具**（F.A.O. Schwartz, 767 5th Ave.），在此出售有关艾洛伊斯（Eloise）的书籍或玩具，而塑造出这个6岁大角色的剧作家汤普逊（Kay Thompson）过去即住在附近的广场饭店（Plaza Hotel）。喜欢滑稽卡通玩偶的人，可以试试**华纳兄弟公司**（Warner Brothers, 1 E. 57th St.）。创始于百老汇大道下区的**蒂芙尼珠宝**（Tiffany's）在此地仍然光华依旧，店内的中低价位产品倒是可以一试。接着，欣赏那栋设有商店和喷泉、闪烁着华丽黄铜色泽的**特朗普大厦**（Trump Tower, 725 5th Ave.，电话212/832-2000），经历属于特朗普（Donald Trump）式的独特美学。对街转角和55街交会的路口有两栋高水准的饭店，一栋是建于1905年,美术风格的**纽约半岛饭店**（Peninsula New York），另一栋则是1904年由阿斯特（John Jacob Astor）所建的**圣雷吉斯饭店**（St. Regis Hotel）。光临它的金柯尔酒吧（King Cole Bar），并欣赏店内由帕里斯（Maxfield Parrish）所绘制的老灵魂乐手壁画。想要一睹纽约市景风采，不妨走访位于顶楼的潘脱普酒吧（Pentop Bar）和泰瑞斯烧烤（Terrace Grill）。1917年**卡蒂尔珠宝**（Cartier, E. 52nd St.）将两栋跨世纪的砖楼改装为珠宝商场，服装名牌**范思哲**（Versace, 647 5th Ave.）则占据一栋由凡德比尔特（George W. Vanderbilt）于1902年至1905年间建造的大楼。1922年的一栋文艺复兴风格的地标大楼，从它兴建之初即是**萨克斯第5大道**（Saks Fifth Avenue, 611 5th Ave.）的所在地。1927年的**法兰奇大楼**（Fred F. French Building, 551 5th Ave.）为梯形后退建筑的古典范例，奇特的大厅并提供丰盛的款待。

左图：包装成圣诞礼品的卡蒂尔珠宝。

下图：停在蒂芙尼珠宝店外的交通工具。

现代艺术美术馆

现代艺术博物馆

见 103 页地图

11 W. 53rd St., Between 5th Ave. 6th Ave.

212/708-9400

周三闭馆

$$$

地铁：搭 E,F 线至 5th Ave.站

现代艺术美术馆（Museum of Modern Art）是个令人赞叹的地方，值得你去深入探索。它每年吸引将近150万名游客前往参观，遇到知名艺术家如毕加索和布拉克（Picasso & Braque, 1992）、雷格（Leger, 1998）、帕洛克（Jackson Pollock, 1998）等专题特展时，庞大的参观人潮则往往演变为一出爆炸性的表演。馆内常年展出20世纪来自各地不同类型的杰出艺术品，适可满足不同观众的艺术品味。美术馆简称Moma，收藏从塞尚（Paul Cezanne）到克劳斯（Chuck Close）、从早期达盖尔式（Daguerreotype）摄影到现代录影艺术应有尽有。

从1929年开幕至今，MoMA所坚持的主要理念便是打破狭隘的艺术范畴，大量引介除了绘画、雕塑、素描之外的所有视觉艺术类型。比如在建筑、平面设计、工业产品和织品设计方面的开发，它都堪称为前卫先锋。在其他主要美术馆还未举办任何摄影展之前，它已开始涉足这个媒材领域，并且进行收藏和保存底片的工作。因此，它拥有的馆藏和硬体设备都在逐渐扩充，目前所进行的计划之一，便是将于2005年左右在西54街开幕一栋大楼新馆。

除了展览之外，馆内还附设自助式餐厅和一家精致的意大利餐厅塞德 MoMA（Sette MoMA，电话212/708-9710）。对街的MoMA设计商品店（MoMA Design Store）则提供精心制作的设计商品。

收藏

MoMA 的永久馆藏有10万多件作品，内容包括绘画、雕塑、素描、摄影、设计、建筑草图和模型。此外，还有14 000张底片，400万张电影剧照，以及12万册的书籍、期刊和艺术家专书。同时，大约有9万平方英尺的空间作为展览会场。

莫奈的《睡莲》为MoMA的重要收藏之一，它由三幅巨型画布所组成，陈列在专属的展示空间里。

美术馆精华作品

由外面街道进来，即是美术馆的一楼。除展场以外，书店、寄物处、雕塑庭园、庭园咖啡馆和餐厅也都在这个楼层，电影放映则在地下楼的两间提塔斯戏院（Titus Theaters）。由大街入内绝不会认错方向，因为国际会议画廊（International Council Galleries）就在左手边。一楼展出当代的重要创作，包括卡萝（Frida Kahlo）和罗钦科（Aleksandr Rodchenko）等大师作品回顾、历史潮流运动、新生代艺术家作品等等。楼上则是占地5万平方英尺，分居两层的绘画雕塑展览馆。

依照时代顺序，一段现代艺术史就此展开。二楼首先呈现的是后印象派（Postimpressionism）作品，其中包含凡·高（Vincent Van Gogh）的名作《星夜》（The Starry Night, 1853—1940）、莫奈（Claude Monet）的《睡莲》（Water Lilies, 1840—1926），以及卢梭（Henri Rousseau）的《酣睡的吉普赛女人》（Sleeping Gypsy, 1844—1910）等。其他珍藏还有毕加索在立体派（Cubism）时期的作品《亚维农的女子们》（Demoiselles D'Avignon，1881—1973），以及达利（Salvador Dali）的超现实主义（Surrealism）风格作品《记忆的执着》（Persistence of Memory, 1904—1989）。三楼的展出，开始即是魏斯（Wyeth）最为家喻户晓的名画《克莉斯汀娜的世界》（Christina's World，1948）。接着是战后时期的欧洲艺术和抽象表现主义（Abstract Expressionism）作品，帕洛克、罗斯科（Rothko）及其他艺术家壮观宏伟的巨型画布填满了展场空间。大众艺术家沃荷（Andy Warhol）的《玛丽莲·梦露》（Marilyn Monroe）绢印版画也是观众的焦点之一。

此外，二楼还有摄影展区，三楼则是素描、版画和插画书籍展览专区。记得务必要参观四楼，那里迎接你的将是一个悬浮半空中的直升机，同时还有建筑师莱特（Frank Lloyd Wright）有名的多阶式房屋"瀑布"（Fallingwater）模型。

艾比·洛克菲勒雕塑庭园

建筑师约翰逊于1953年设计了这座庭园，并于1964年时加以扩充。这个被纽约人视为心灵避难所的沉思净土，里面的雕塑收藏相当可观，包括史密斯

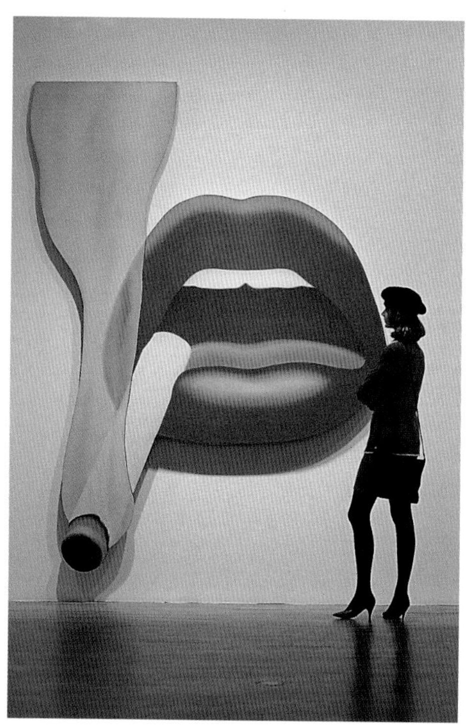

这幅魏索曼（Tom Wesselman）的作品明显违反馆内严禁吸烟的规定。

（David Smith）的《立方X》（Cubi X, 1963）、科尔达（Alexander Calder）的《黑寡妇》（Black Widow, 1959）、拉却斯（Gaston Lachaise）的《站立女子》（Standing Woman、1932），以及罗丹（Auguste Rodin）的《巴尔扎克像》（Monument to Balzac, 1897—1898）。

绘画和雕塑

MoMA二三楼收藏的当代绘画和雕塑，囊括了19世纪末到当代共3200件作品，全世界无人能及。最早一件馆藏作品是1880年代塞尚的后印象派名作《浴者》（The Bather），最近的收藏则是那些60年代以降如沃荷、罗森基斯特（James Rosenquist）、罗森伯格（Susan Rothenberg）等人的作品。一系列展示区里的艺术家包括莫内、毕加索，以及马谛斯（Henri Matisse）、米罗（Joan Miro）、蒙德里安（Piet Mondrian）、布朗库西（Constantin Brancusi）、卡萝（Frida Kahlo）、琼斯（Jasper Johns）、李奇登斯坦（Roy Lichtenstein）和帕洛克（Jackson Pollock）等。馆内原本已非常丰富的印象派作品，在获得美国著名收藏家惠特尼（Betsey Cushing Roosevelt Whitney）所遗赠的七件作品后而显得更为阵容坚强。这批价值约1 500万美元的画作包含马谛斯的《豪华、宁静和享乐》和《舞蹈》（Dance）、毕加索最早的一幅《自画像》（Self-Portrait, 1901），以及凡·高的《橄榄树》（Olive Tree, 1889）等。

125图：MoMA的雕塑庭园是纽约人最喜爱的休闲地点之一，晴天时尤受欢迎。

摄影

1940年由纽霍尔（Beaumont Newhall）成立的摄影部门，1947年改由施泰肯（Edward Steichen）接手，他曾于1955年主办了一个广受欢迎的“人类的家”（the Family of Man）摄影展；二楼的**施泰肯摄影中心**（Edward Steichen Photography Center）就是以他命名。Moma所持有的25 000张摄影作品，在全世界占有极其重要的地位。从1840年开始，馆内便例行展出永久馆藏摄影作品，其中包括史提格列兹（Alfred Stieglitz）、雷（Man Ray）、兰格（Dorothea Lange）、康宁汉（Imogen Cunningham）和谢尔曼（Cindy Sherman）等多位重要摄影家，以及新闻摄影、科学摄影和业余摄影类型作品。此外，随时都有不同主题的单元特展。

素描、版画和插画书籍

大约任何地方都找不到像MoMA如此完整的素描收藏，总共包含了6000件作品。素描媒材

除了传统的铅笔、墨水和炭笔之外，还包括水彩、胶彩、拼贴与混合媒材等。其中尚有引人争议的马谛斯、杜布费（Jean Dubuffet）、罗劳申伯格（Robert Rauschenberg）和其他艺术家作品。收藏中最受瞩目的焦点是4万件版画和插画书，包括土鲁兹—罗特列克（Henri de Toulouse-Lautrec）、蒙克（Edvard Munch）和德国表现主义作品。

建筑与设计

建筑馆内含有建筑纪录和60多个建筑模型、1000幅建筑草图，以及一个大型的**凡德罗资料中心**（Ludwig Mies van der Rohe Archive）。设计馆则有3000多件设计产品，内容包括日用品、家具、古董车、织品和矽片等，平面设计则包含4000件的印刷品和海报。

四楼设计馆所展出的古董车。

一位参观者在静静地凝视着弗兰克·斯泰勒（Frank Stella）的《印度皇后》（Empress of India 1965）。

历史

1928年至1929年间的冬天，洛克菲勒的妻子艾比（Abby Rockefeller）和布里斯（Lillie P. Bliss）女士在埃及开罗（Cairo）相遇时，构思出现代艺术美术馆的腹案。她们认为，美国应该拥有一座美术馆来推荐遭其他美术馆拒绝的现代艺术作品。后来，莎丽雯（Mary Quinn Sullivan）女士成了第三位股东。

三位女士也向外界征募资源，她们找到曾以5000美元购得毕加索名画的美术馆信托人古德伊尔（A. Conger Goodyear）及历史学家萨奇斯（Paul J. Sachs）来共同筹备。不久，这所位于海克却尔大楼（Heckcher Building, 750 5th Ave.和57th St.路口）12楼的小型美术馆开幕了。首任馆长为27岁的艺术史学者巴尔（Alfred H. Barr, Jr.），他在早期即将美术馆功能定位在广义的视觉艺术收藏和展示。

1932年，美术馆迁至西53街现址的一栋民宅。同一年，馆长巴尔邀请建筑师约翰逊（Philip Johnson）和希区柯克（Henry-Russell Hitchcock）共同筹办了第一次建筑展。这个轰动一时的展出，引介了当时争议性极大的国际风格建筑，包括葛罗皮斯（Walter Gropius）、凡德罗、柯比意，以及荷兰欧德建筑（J.J.P. Oud）的作品，不仅令美国观众大开眼界，也让美术馆信托人转向投资国际风格作品。1936年，MoMA委托建筑师杜瑞尔（Edward Durell）与信托人古德温（Philip Goodwin）在目前西53街地点规划一栋新的美术馆大楼。新美术馆于1939年开幕，大楼前面罩了一层玻璃和大理石，是美国最初采用国际风格的建筑物之一。

1984年，建筑师贝里（Cesar Pelli）为MoMA设计了一座庭园及两栋侧楼，使美术馆面积扩增为原先的两倍之多。而即将于2005年开幕的西54街新大楼，特别邀请日本建筑师谷昇（Yoshio Taniguchi）参与设计是一大重点。届时，美术馆的大门入口将移至新大楼，旧大楼则会予以更新和调整。

中城其他博物馆

中城北区到处都是博物馆，某些博物馆藏有精采的美术作品并定期更换展出。其中两处特别显著的机构在51街上，分别为**潘恩·韦伯**（Paine Webber, 1285 6th Ave.，电话212/713-2885）和**公正美术馆**（Equitable Gallery, 787 7th Ave.，电话212/554-4818）。可前往公正美术馆欣赏中庭的壁画展示，其中包括李奇登斯坦的巨幅壁画《有蓝色笔触的壁画》。

美国工艺美术馆

此地展出的作品很难区分工艺和美术的界线，馆方致力于提升工艺品的艺术地位和价值。展出作品使用包括黏土、木材、金属、纤维和玻璃等材质，除却美学目的之外，几乎没有任何功能性。同时，馆内也展示如百衲被这类的传统工艺品。

40 W. 53rd St. 212/956-3535 周一闭馆 $$ 地铁：搭B、D、F,Q线至47th-50th Sts.-Rockefeller Center站

国际摄影中心：中城分馆

此摄影展览中心成立于1985年，为第5大道上区国际摄影中心（International Center of Photography，简称I.C.P.，见156页）的分部。它的展览类型和总部一致，同样包含纯艺术摄影、实验摄影、报导摄影和电子摄影等范围。曾举办多次新闻摄影展，例如以枪枝为题的摄影联展"在我们的时代"（In Our Time）。

1133 6th Ave.和43rd St.路口 212/860-1777 周一闭馆 地铁：搭B、D、F、Q线至42nd St.站

"英勇号"海洋/大气/太空博物馆

这个特别的博物馆位于哈得孙河（Hudson River）码头，陈列一艘曾参与二次大战、朝鲜战争和越战的航空母舰。1978年时将残余断片重新组合起来，1982年开放为军舰航空史博物馆。

86号码头，One Intrepid Square，W. 46th St.和12th Ave.路口 $$$ 212/245-0072 地铁：搭A,C,E线至42nd St.站

日本会社美术馆

馆内不仅展出私人收藏的Shiko Munamata 20世纪木刻版画，同时也向其他机构商借作品展览。该会社组成于1907年，美术馆则在1971年对外开放。此处附设的小型庭园内设有池塘和竹林，适合静思冥想。

333 E. 47th St. 212/832-1155 周一闭馆 自由捐献 地铁：搭E、F线至Lexington Ave.站；B、6线至51st St.站

广播和电视博物馆

CBS公司的总裁派里（William Paley）于1975年成立了这所保存70年广播历史、包含6万个节目的博物馆。1991年时馆址迁至目前的总公司，并由建筑师柏吉（John Burgee）和强森共同设计。馆内设有两座剧院、两间放映/视听室，以及美术和工艺品展览空间。电脑设备提供你选播任何节目或单元，不论是1937年现场转播的兴登堡（Hindenburg）爆炸事件，或是早期的席德·凯撒（Sid Caesar）电视节目，都可以随时切入观看。

25 W. 52nd St. 212/621-6600 周一闭馆 $$ 地铁：搭E、F线至5th Ave.站

卡耐基厅罗丝美术馆

即使没有这座小型美术馆，你也应该光临卡耐基厅。卡耐基（Andrew Carnegie）于1891年建立了这座有名的音乐厅，柴可夫斯基（Tchaikovsky）曾在此亲自指挥他的乐章，后来此地则成为所有知名古典音乐家、爵士乐手、流行音乐和摇滚乐歌手的演出圣地。1962年林肯中心（Lincoln Center）揭幕时，原已预定将卡耐基厅拆除，在小提琴家史登（Isaac Stern）的争取下，音乐厅于1986年获得重新整修，并于1991年附增一所美术馆。馆内展出摄影珍藏及音乐手稿等项目，并且定期更换。

154 W. 57th St.和17th Ave.路口 212/903-9629 周三休馆 地铁：搭N、R线至57th St.站

美国工艺美术馆内，通往二楼的回旋木制阶梯本身即是一项精采的设计。

中央公园南街

卡耐基厅

见103页地图

154 W. 57th St.

212/247-7800

地铁：搭N、R线至57th St.站

中央公园南街上有两个风格迥异的地点，一处是邻近第5大道、充满欧洲风味的大军广场（Grand Army Plaza），另一处则是第8大道附近、异常繁忙的哥伦比亚广场（Columbus Circle），而有趣的是，两者仅隔三街之遥。

哈登伯（Henry Hardenbergh）于1907年所设计的一栋法国高楼城堡风格的**广场饭店**（Plaza Hotel），尊荣和气势为大军广场增色不少。一楼大厅内棕榈厅（Palm Court）供应的酒、橡树厅的晚餐，都营造出一种老纽约的气氛。北边位置立着一座谢尔高登斯（Augustus Saint-Gaudens）最后一件雕塑杰作：南北战争的谢尔曼（William Tecumseh Sherman）将军纪念碑（1892—1902）。广场对街的史瓦西玩具（见260页）非常适合阖家光临，它还曾经出现在电影《庞大》（Big）中一幕钢琴演奏的场景。中央公园南街沿路布满高雅的饭店，并且不时伴随着踢踏作响的马车声。不妨至**圣摩里兹饭店**（St. Moritz Hotel, 50 Central Park S.）前的人行道咖啡座小坐一下，欣赏悠闲的街景。附近还可浏览**阿尔文庭院公寓**（Alwyn Court Apartments, 180 W. 58th St.）的赤陶装饰，以及著名的**卡耐基厅**。隔壁的俄罗斯茶馆（Russian Tea Room, 150 W. 57th St.，电话212/265-0947）是1927年餐馆大战的幸存者，目前可能还在停业整修中。此地也是餐厅、美术馆聚集区，还有一家生气蓬勃的竞技场书店（Coliseum Books, 1771 Broadway和57th St.路口，电话212/757-8381）。

哥伦布广场中央一座77英尺高的方尖上立有一尊哥伦布雕像，这也是广场名称的由来。前往**哥伦布广场**附近要特别警觉，到处都是飞快的车阵和地铁站涌出的广大人潮。广场西边一片3.5英亩的竞技场区，未来将产生急遽的变化。1998年，市府以据称3.45亿美元的价格将它售予一个由相关公司（Related Companies）领导的组织。计划中除了哥伦布广场外，还包含一组成双的高楼（灵感得自上西区的一对高楼公寓）。此外，这个组织也正是时代华纳（Time Warner）和华纳公司电视摄影棚的契约主。

整个综合商区的焦点，将是一座由巨大圆形玻璃建筑入内的爵士乐表演中心。承建此计划的建筑师柴尔斯（David Childs）曾设计过克林顿市（Clinton）地狱厨房（Hell's Kitchen）里的世界广场（Worldwide Plaza），以及巴特里公园市（Battery Park City）的摩肯提尔交易所（Mercantile Exchange）。

在一片郁金香的后方，坐落着洋溢女性气息的广场饭店，宛如法国城堡一般。

上东区是纽约市里最独特的地区，此处布满了高雅大道、宁谧小街，还有名流权贵和富豪人士夹杂其中。来到这区的第5大道，除了好运气和好建筑以外，更有目不暇给的艺术名作呈现在人们眼前。

上东区 Upper East Side

古根海姆美术馆的圆顶。

上 东 区

上东区这个神奇字眼，虽立刻让人联想到富豪与权贵之流，却不能代表整个从中央公园到东河之间的曼哈顿区域。但毫无疑问，只有上层阶级的有钱人才住得起第5大道和帕克大道。在这儿可以看到街旁身穿制服的门房为华宅主人招呼出租车，妆扮高贵的妇人优雅地牵着修饰整洁的狗儿，偕同小孩和保姆一起漫步中央公园。单是如此的画面，便已值得人们前往上东区一游。

一旦来到这里，你便可以像那些居住此地的上层人士一样享受生活的气质。比如在前往大都会美术馆途中，若能顺路至第5大道上的史丹霍普饭店（Stanhope Hotel）或麦迪逊大道（Madison Avenue）上的魏斯伯里饭店（Westbury Hotel）喝杯下午茶，即更能感受到此地的优雅生活情趣。第5大道上的许多美术馆都设于百万富豪的宅邸内，因此走进馆内欣赏艺术珍藏的同时，也一并享受了奢华富裕的气氛。可以前往麦迪逊大道上和附近的美术馆，欣赏那儿的名流富豪极尽放纵他们的保守品味，其中较富盛名者为赫雪尔和艾德勒美术馆（Hirschl & Adler Galleries）及诺德勒美术馆（Knoedler Gallery），二者都设址于东70街、1836年专为20世纪初富有阶级所建的地标住宅区。

然而，并非所有的上东区都充满上层阶级的挥霍和华丽风格，靠近更东边的莱克辛顿大道、第3大道、第2大道或者更远一点，如今多半都居住着中产阶级，以及更年轻、更有弹性与活力的“雅痞”人士。此地的餐厅和酒馆显得生意盎然且时髦，甚至文学家和学者们也乐于享受在伊莲餐厅（Elaine's, 1703 2nd Ave.，介于88th St.和89th St.之间，电话212/534-8103）与其他人混杂一处的气息，即使引人侧目也毫不介意。

早年的上东区显示出移民群集的景象。1878年至1879年间，高铁路线沿着第2大道和第3大道兴建，阻挡了市区的阳光，也为附近居民制造了隆隆作响的火车噪音。德国人和爱尔兰人、波西米亚人最早移入此地；当时，德国约克维尔（German Yorkville）一地以莱克辛顿大道和第2大道之间的86街为核心，蓬勃地延续着德国文化。1956年第3大道的爱尔（El）铁道拆除后，德国文化也随之消失了。在这往日随处可拾德国餐馆的地区，如今却只剩下少数几家还在经营，海德堡餐厅（Heidelberg, 1648 2nd Ave.，介于85th St.和86th St.之间，电话212/6282332）便是其一。

西班牙哈莱姆区

上东区也是拉丁美洲文化的中心；或至少从96街以北地区可以得此称号。这儿的街道异常拥挤、活泼、而且贫瘠，几乎与南边优雅的大道和小巷截然不同。称作“拉丁文化区”（El Barrio）或西班牙哈莱姆区（Spanish Harlem）的这一带，最早聚集了大部分意大利移民，在二次大战后，开始有大量的波多黎各人（Puerto Ricans）与其他拉丁美洲人移民至此。位于博物馆区（Museum Row）最北边的拉丁文化区博物馆（El Museo Del Barrio，见160页），便保存有丰富的西班牙哈莱姆区的文化与历史纪录。

史迹保护区

上东区的历史性建筑多半为住宅形式，如今皆已规划为史迹保护区。在这些历史建筑中，最重要的即是公寓楼房，其中包括第5大道998号这栋建于1912年的公寓大楼，它的造型和功能都成为其他公寓建筑仿效的模范。另一处规模较小的汉德逊街史迹保护区（Henderson Place Historic District），则位于东端路（East End）和约克大道（York Avenue）间的86街外围一条死巷内，那儿包括一整区1881年为安女王（Queen Anne）所兴建的24栋楼房。

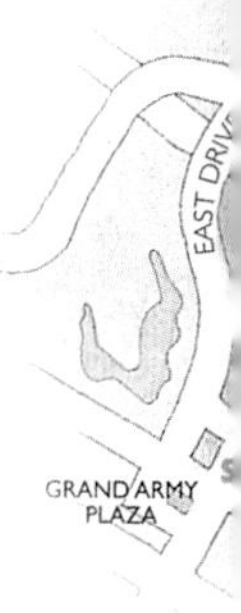

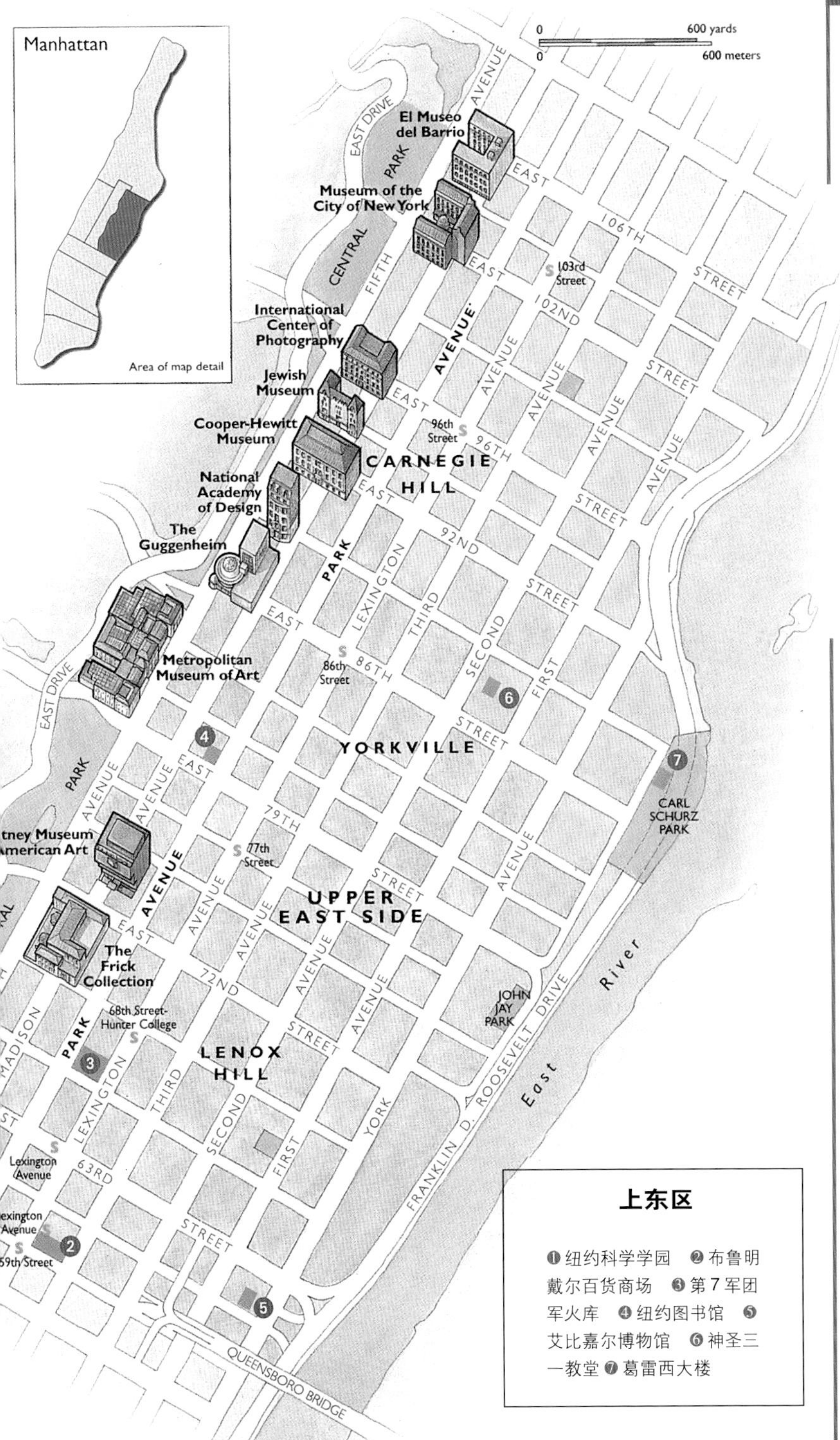
Manhattan
Area of map detail
0 600 yards
0 600 meters
El Museo del Barrio
Museum of the City of New York
International Center of Photography
Jewish Museum
Cooper-Hewitt Museum
National Academy of Design
The Guggenheim
Metropolitan Museum of Art
The Frick Collection
CARNEGIE HILL
YORKVILLE
UPPER EAST SIDE
LENOX HILL
CENTRAL PARK
EAST DRIVE
FIFTH AVENUE
MADISON AVENUE
PARK AVENUE
LEXINGTON AVENUE
THIRD AVENUE
SECOND AVENUE
FIRST AVENUE
YORK AVENUE
FRANKLIN D. ROOSEVELT DRIVE
EAST 106TH STREET
EAST 102ND STREET
EAST 96TH STREET
EAST 92ND STREET
EAST 86TH STREET
EAST 79TH STREET
EAST 72ND STREET
63RD STREET
103rd Street
96th Street
86th Street
77th Street
68th Street-Hunter College
Lexington Avenue
Lexington Avenue
59th Street
CARL SCHURZ PARK
JOHN JAY PARK
East River
QUEENSBORO BRIDGE
上东区
❶纽约科学学园 ❷布鲁明戴尔百货商场 ❸第7军团军火库 ❹纽约图书馆 ❺艾比嘉尔博物馆 ❻神圣三一教堂 ❼葛雷西大楼

弗里克美术收藏馆

弗里克美术收藏馆

见 133 页地图

1 E. 70th St.

212/288-0700

周一全天与周日上午闭馆

$$

搭 6 线至 68th St.站

注意：10 岁以下儿童禁止入内；16 岁以下者须由成人偕同参观。

弗里克美术收藏馆内采天窗设计的最大一间展览厅"西厢美术馆"(West Gallery)，结合了古代艺术大师和纽约古典风格大楼的特殊氛围。

走一趟弗里克美术收藏馆之旅，就像是回到那个金碧辉煌的时代：百万富豪们竞相在优雅的第 5 大道上建筑高楼，并在其中藏满艺术珍品。这所典藏馆设址于实业家弗里克(Henry Clay Frick, 1849—1919)的先前宅邸，从 1935 年隆重开幕以来，已吸引了无数来自世界各地的观赏者。

与纽约市其他雄伟庞大的博物馆相比，弗里克美术收藏馆的规模，正适合观赏者安静地沉浸于精致的展览之中。姑且不管年代和时序问题，馆内的家具陈设与艺术品陈列方式，都仿佛屋主弗里克仍居住其中。附有楼面说明的导游手册，可引导你依序欣赏一共 19 间的展览收藏。接待厅外头有一间艺品店，对面入口处则有通往地下楼的楼梯，可从那儿下去欣赏定期更换的专题展览。

一楼为主要展览馆。位于东厅(East Vestibule)外面的**布雪厅**(Boucher Room)所展示的作品教人过眼难忘，但对某些观者来说也许消受不起：这一系列以"艺术和科学"为题的装饰性木板画，是画家布雪(Francois Boucher, 1750—1752)为庞贝多尔夫人(Madame de Pompadour)所绘制的作品，内容描绘一群天真无邪的小孩从事着各种成年人活动。这些画作也曾装饰位于二楼的**弗里克夫人房间**(Mrs. Frick's Bedroom)；参观者可从门厅外的大型楼梯通往二楼。**餐厅**(Dining Room)的墙壁上布满了霍加斯(Hogarth)与雷诺斯(Renolds)等人的肖像画，以及一幅由根兹巴罗(Thomas Gainsborough)所绘的社会风景画《圣詹姆斯公园的商店》(Mall in St. James Park, 1783)。

法兰哥纳尔厅(Fragonard Room)的精采杰作，正是由18世纪画家法兰哥纳尔(Jean-Honore Fragonard)所绘的《爱的进行式》(The Progress of Love)系列画。

严肃的**主客厅**(Living Hall)里陈列着古代大师级作品包括：提香(Titian, 约 1488-1576)的《戴红帽的男人肖像》(Portrait of a Man in a Red Cap)、格列柯(El Greco, 1541—1614)的《圣杰洛米》(St. Jerome)，以及小霍尔班(Hans Holbein The Younger)的《摩尔男爵肖像》(Portrait of Sir

Thomas More, 1527），客厅内的家具则是由法国木屋建筑师布雷（Andre-Charles Boulle）所设计制作。客厅再过去就是原木材质的**图书馆**（Library），内部陈列了许多欧洲名画，其中惟一的美国画作是史都华（Gilbert Stuart）所绘的多幅华盛顿（George Washington）肖像之一。

记住一定要参观馆内各个大厅的展览品。**北大厅**（North Hall）里最受欢迎的一幅画，即是安格尔（Ingres）所绘的《豪森维尔女爵像》（Comtesse D'Haussonville, 1845）。荷兰画家维梅尔（Johannes Vermeer）的《军官与微笑的少女》（Officer And Laughing Girl, 约 1655—1660）则悬挂在**南大厅**（South Hall）。与大厅相邻的地方是一座**花园庭院**（Garden Court），可留至最后再参观。

走进**西厢美术馆**（West Gallery）之前最好先深呼吸一口气，因为这里和前面参观过的展览室完全不同，既长、又高，屋顶上并装有一扇天窗。像这样的宅邸画廊，是19世纪上层阶级的宅邸建筑常有的设计特色。此处画廊里有一系列不容忽略的作品，包括伦勃朗（Rembrandt）有名的自画像《一名年轻画家的肖像》（Portrait of a Young Artist, 1658），以及维梅尔、凡戴克（Van Dyck）、哈尔斯（Hals）、委拉斯盖兹（Velazquez）等艺术家的重要名作。

位于屋子尽头的**搪瓷厅**（Enamel Room）显得很隐秘，整个室内都布满了法国着名的里莫许（Limoges）一地所出产的搪瓷作品，其中包含一件精致的"圣母的七种哀伤"（The Seven Sorrows of the Virgin, 1500—1550）。弗里克拥有的这些艺术珍藏，都是得自摩根（J.P. Morgan）的遗赠。原先为弗里克办公室的**椭圆厅**（Oval Room）里藏有凡戴克与根兹巴罗的多幅大型肖像画，以及哈得孙（Hudson）所雕塑的真人尺寸《黛安娜》（Diana）女神像。**东厢美术馆**（East Gallery）的门口挂着一对框裱精致的惠斯勒（Whistlers）作品，里面则有德加（Degas）有名的芭蕾舞主题绘画"彩排"（The Rehearsal）。

维梅尔名作"军官和微笑的少女"。

最后，让我们前往**花园庭院**（Garden Court）欣赏那儿的池塘、绿地、凉椅、半身雕像，以及由巴贝特（Jean Barbet）塑制的一尊迷人的青铜天使像；天使左边翅膀上还隽刻着雕塑年代1475年。在这里你可以坐下来放松心情，回想是否仍有作品值得再回头观赏。

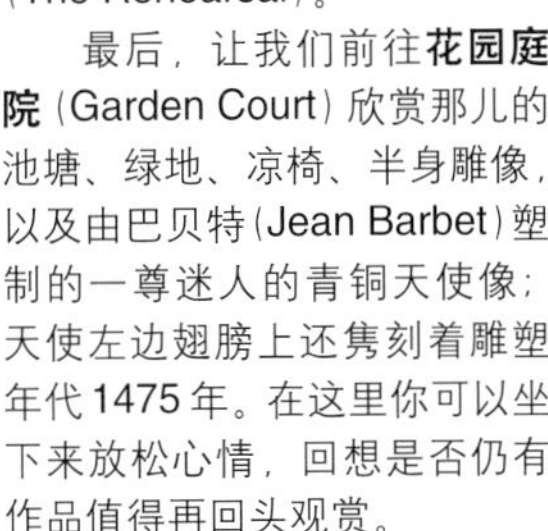

弗里克家族遗赠

自学出身的弗里克，早年时期曾被人批评为"有点太着迷于绘画了。"他从经营煤矿事业起家，30岁已是百万富翁，40岁时已成为卡耐基钢铁公司的董事长。他于1900年搬至纽约，其中有部分原因即是预防他的收藏品遭受匹兹堡（Pittsburgh）污浊空气的污染。而基于慈善的想法，他在建造自己宅邸时已设想将来要把这栋屋子改造为美术馆，并且将收藏作品公诸于世。1902年，弗里克的女儿另外成立一所**弗里克艺术资料图书馆**（Frick Art Reference Library, 10 E.71st St.），拥有75万张摄影图片，以及17.4万本藏书和目录，如今此处已成为研究中心暨摄影资料馆。

大 都 会 美 术 馆

大都会美术馆是整个西半球最大的一座美术馆，馆藏多达200万件左右，不仅包含全世界从远古到当代的各类美术作品，而且几乎每一种收藏类别都足以自成另一个美术馆，可说是深度与广袤兼具。因此，想要一探这座巨大的宝山，最好先概略了解馆内的陈列情形，并且设选好某几项特别感兴趣的主题，如此才不致被目不暇接的展览给淹没了。

美术馆本身即是一个极为复杂的结构，建议你在进入馆内之前即从第5大道上开始观察。巨大的旗帜上标示了重要的现时展出主题，你可以从中挑选一个项目；而若想再逗留久一点，不妨把重心转移至建筑物本身，看看周围的特征以便确认几处最受欢迎的展览地点。首先假设美术馆是一个长方形的空间，中央有一座楼梯走道将整个空间切分为左右两半，然后再把每一半各分为前后两区。接着，好好欣赏一下正门入口两边分别侧立着的双圆柱，面向圆柱的右前区正是埃及文物馆（Egyptian Collection）和丹都尔神殿（Temple of Dendur）；右后区则是美国馆（American Wing），馆内展览继续延伸至该处的二楼。在左前区你会看到希腊罗马艺术馆（Greek & Roman Art），以及一间自助简餐和一间正式餐厅；左后区是新建的华勒斯馆（Lila Atcheson Wallace Wing），里面所展示的为20世纪艺术；前后两区之间，则是非洲、大洋洲和美洲艺术馆。

当你买了门票进去之后，若直接就往眼前的巨型楼梯走上去，便可抵达多数人将之视为美术馆重头戏的二楼展场。这个展览馆内收藏了欧洲的杰出绘画、雕塑和装饰艺术，你会看到如波提切利（Botticelli）、布鲁格尔（Brueghel）、伦勃朗（Rembrandt）、维梅尔（Vermeer）、德加（Degas）、罗丹（Rodin）等人的作品，以及一座适合歇脚与安静沉思的巴特里雕塑庭园（Petrie Sculpture Court）。虽然实际抵达美术馆内时情况会显得复杂许多，但只要能谨记二楼的6个主要展览区（埃及、美国、希腊罗马、餐饮、非洲、大洋洲、南北美洲、20世纪），以及二楼的欧洲绘画，你至少能确认找到它们。而一旦进入该主题馆之后，记住退回原来位置再寻找下一个展区。当你往上走至户外的楼梯时，注意它们如何区分楼层，且至少在某一层时稍微停留片刻。所以，最好是每当挑选下一个主题时，都能中途停下来确认方位，若始终能依照既定的路线走访下去，便无需担心有迷路的问题。

预先计划观赏主题

进门时首先去拿一份楼层平面图，并且花一点时间仔细研究，写下你想要参观的主题和先后顺序。美术馆同时备有团体导游及语音导游，几乎可带你欣赏到馆内的每个角落。若想轻松地享受美术馆的建筑和气氛，则最好是选择周五和周六下午5点以后前来，如此便能避开平日庞大的参观人潮。然后你便可以坐在阳台上喝着茶，聆赏大厅（Great Hall）内的弦乐四重奏，顺便一睹馆藏古典乐器的风采。有许多人都是受到热门展览吸引而前来参观，譬如1978年"图坦哈蒙珍藏展"（Treasures of Tutankhamun），或者1963年形成疯狂热潮的《蒙娜丽莎》巡回展，都成为纽约生活的文化大事。而当某些作品首次呈现在众人面前，即如它为艺术界所带来的重要性一般，也势必会引起众人瞩目；当德加晚年

大都会美术馆

见133页地图

5th Ave.at 82nd St.

212/535-7710

周一闭馆

自由捐献：含参观修道院美术馆（见196—197页）

地铁：搭4、5、6线至86th St.站

注意：由于资金短缺，致使某些主题馆无法常态展出，参观者须预先电话洽询。

136页图：

大都会美术馆的大厅，正是投身倾泄而来的展览前的最佳坐标。

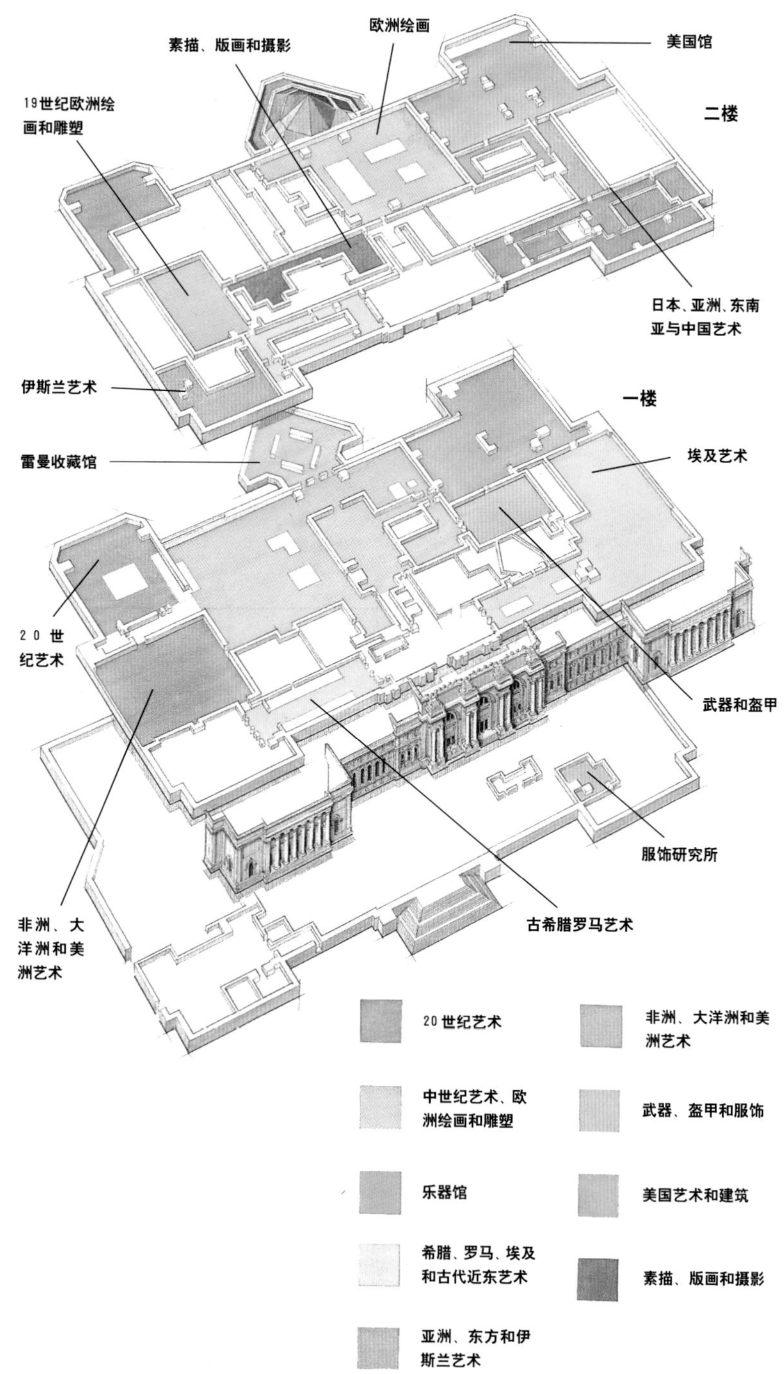
欧洲绘画
素描、版画和摄影
美国馆
19世纪欧洲绘画和雕塑
二楼
日本、亚洲、东南亚与中国艺术
伊斯兰艺术
一楼
雷曼收藏馆
埃及艺术
20世纪艺术
武器和盔甲
服饰研究所
古希腊罗马艺术
非洲、大洋洲和美洲艺术
20世纪艺术
非洲、大洋洲和美洲艺术
中世纪艺术、欧洲绘画和雕塑
武器、盔甲和服饰
乐器馆
美国艺术和建筑
希腊、罗马、埃及和古代近东艺术
素描、版画和摄影
亚洲、东方和伊斯兰艺术

所拍摄的照片于1998年在此公开展出时，情形便是如此。

有些参观者后来反复回到相同的主题馆一看再看；某些成年人再次回来的原因，多半是出于儿时的深刻记忆，尤其是对埃及馆的墓穴及中世纪的武器和盔甲难以忘怀。事实上，这里有所有人都深感兴趣的东西。

甚至还有其他因素会吸引人们游访此地。除了演讲、电影和音乐会之外，这里还有会议中心和印刷工作室。地面楼的**尤里斯中心**（Uris Center）不仅拥有自己的图书馆、教室，并自行出版教材书籍和影片。此外，美术馆还提供各式各样的商品选择：一楼的贩卖部设有一单独的精品店，除开丰富的美术书籍和包含整个艺术史的印刷复制品外，还有精致珠宝、领巾、儿童玩具、游戏软件、录音产品、3D复制品及其他更多类型商品，几乎就是一个可满足各种不同需求的独特礼品店。同时它还有邮购服务，店内提供完整的邮购产品目录，并包含市内其他附属商店的产品（其中一家即位于纽约公立图书馆42街分馆的对面）。餐饮部门则包括顶楼的咖啡馆，以及一楼的自助简餐和餐厅。但其实怎么也比不上向街边小贩购买小吃、坐在阶梯上享用的经验更贴近纽约的老时光气氛；甚至不用踏进美术馆一步即可拥有。

创馆历史

1886年时，兼具外交官、律师和美国首席法官孙儿身分的杰伊（John Jay）与一群正在巴黎访问的企业家们谈道：应该是"美国人建立一座国家级美术机构和美术馆的时候了。"他的话语深深打动了当时的听众。于是一行人在返回美国后，即邀请诗人兼报社编辑布莱恩特（William Cullen Bryant）出任大都会美术馆筹备委员会的会长。布莱恩特立即开始向其他纽约重要人物寻求援助，且多半是联盟俱乐部的成员（Union League Club）。然而在评论家李尼斯（Russell Lynes）的笔下，则认为布莱恩特"比任何其他纽约人士更积极地落实成立美术馆的信念。"

1870年，美术馆成立了临时总部，并于次年获得174件的欧洲绘画作品，同时委托建筑师瓦克斯（Calvert Vaux）和莫尔德（Jacob Wrey Mould）共同设计美术馆的第一栋楼。这栋以红砖建造、屋顶采用玻璃与钢材设计的纯哥特风格小型楼房，就坐落在与82街和第5大道交接处的中央公园里。这个地点正是瓦克斯与合作伙伴欧姆史德（Frederick Law Olmsted）在设计中央公园的"草地计划"中已预留下的博物馆建造用地，也因此不难了解为何美术馆最初会将大门朝向中央公园内侧。

绘画馆内的游客们站在离画作稍远处欣赏名画的全景。

美术馆逐渐扩充后，早先由瓦克斯和莫尔德设计的原始建筑已完全被周围附加的侧楼吞没了；如今得从雷曼馆和欧洲雕塑庭园始可看到楼房的局部。第5大道上新古典风格造型的正面以及大厅（Great Hall）为1902年所加建，由亨特（Richard Morris Hunt）设计，并由他的儿子执行建造工程；麦可金、米德和怀特（McKim, Mead & White）则于1911年和1913年分别设计了北侧楼和南侧楼；罗许和汀克鲁建筑工作室（Roche, Dinkeloo & Associates）承办近年来多项主要工程，其中包括1975年的雷曼馆（Lehman Wing）、1979年收藏远东艺术的史凯拉馆（Skaler Wing），以及1982年容纳非洲、大洋洲和美洲艺术的洛克菲勒馆（Rockefeller Wing）；1980年成立的美国馆（American Wing）位于旧大楼附近，为当时拥有全美数目最庞大的美国艺术作品提供了宽敞、崭新的展示空间；陈列20世纪艺术的华勒斯馆（Lila Atcheson Wallace Wing）则为1987年所增建。同时，整建和修复工作始终在持续进行中。

扩充馆藏艺术品

美术馆于1883年购买了大量的建筑铸模；这段时期，由于馆方误以为绝无可能购得重要的欧洲原作，因此铸模和复制品成了当时的收藏重点。根据1917年的导游目录显示，多年来美术馆的大厅曾展出多件按比例缩小为原作二十分之一的建筑模型，包括希腊帕特农神殿（Parthenon）、罗马万神殿（Pantheon）、巴黎圣母院（Notre Dame），以及卡耐克的海波风格厅（Hypostyle Hall Of Karnac）。

1887年，美术馆向铁路企业家马昆德（Henry Gurdon Marquand）租借37幅欧洲绘画，使它即刻成为美国最好的美术馆。这批作品包括：至今仍被视为此次收藏中最好作品之一的维梅尔杰作《提水瓶的女子》（Young Woman with a Water Jug），以及凡戴克、伦勃朗、哈尔斯、克里斯提斯（Petrus Christus）、泰纳（Turner）与根兹巴罗等画家作品。1913年，美术馆获得百货商奥特曼（Benjamin Altman）的遗赠，约含500件的中国瓷器和多幅伦勃朗画作；捐赠者希望每幅画

都能单独悬挂在墙上，因此作品送抵时都各自附着一条细绳，这与当时由上往下串起悬挂画作的习惯截然不同。

1913年，资本家摩根（J.P. Morgan）过世后，儿子以父亲摩根的名义捐赠了大约40%的收藏品给大都会美术馆。接着，海夫梅约（Louisine Havemeyer）于1929年捐赠了一批法国印象派绘画。然而，却是经过了数十年的时间，美术馆才开始对美国艺术作品产生兴趣。当1930年惠特尼（Gertrude Vanderbilt Whitney）女士主动提供500件作品给馆方时，立即遭到拒绝，以至她的代理人连提出增设美国艺术馆的建议也无法传达。从此之后，美术馆即开始接获来自各地的大量捐款和美术捐赠。

底楼作品综览

服饰艺术馆（The Costume Institute）的地点较为孤立，因此常常为游客所忽略，但如果你的兴趣在服装的话，这里显然是不得不看的重要一站。素来以创意著称的服饰艺术馆（Museum of Costume Art）最初为一独立机构，1946年时始附属于大都会美术馆。馆藏内容从15世纪到当代共6万件作品，包括世界各地最先进流行的时尚服装或特殊性质的服饰，可谓搜备齐全。最近才举办的一次杰出展览，则是向20世纪70年代的馆长、当今"时尚"（Vogue）杂志主编的芙瑞兰（Diana Vreeland）女士致敬。

一楼作品综览

在美术馆的草创者们眼中，如美国绘画、装饰艺术和家具这类作品，绝无可能在严肃的美术馆里找到容身之地。如此的坚定态度，直到1909年首次

美国馆的花园庭院不仅呈现美国艺术的视野，也提供对面中央公园的景致，甚为游客喜爱。

举办美国家具和银器展、且获得极大回响之后才有所改变。从1922年开始，美国艺术和工艺品形成单独的部门，到1924年时**美国馆**（American Wing）才正式成立。1980年时，馆方决定将美国馆整修并予扩充，如今美国艺术已扩散至3个楼层，馆藏丰富得足以让人浏览整天仍意犹未尽。展品项目几乎无所不包，从藏量无人能及的美国绘画集成，到稀有的华格纳（Honus Wagner）棒球卡，甚至建筑师莱特在明尼苏达（Minnesota）设计的"草原之屋"（Prairie House）其中一个房间都陈列在此。各展览室依照历史时序排列，从三楼的早期殖民地时代依次展开。

美国馆的展览焦点包括一楼以玻璃环绕的**花园庭院**（Garden Court），里面有喷泉、中央公园的美景、1824年华尔街一座银行建筑正面，以及蒂芙妮（Louis Comfort Tiffany）所设计的镶嵌玻璃。庭院区洒满了阳光，其中包含知名雕塑家波冈（Gutzon Borgum）塑制的雕塑品都以旋转方式陈列。这区还有许多美国绘画名作，如哈得孙河画派（Hudson River School），以及荷马（Winslow Homer）、海珊（Childe Hassam）和卡莎特（Mary Cassatt）等画家作品。不妨试着找找全馆最大的一幅画：凡德林（John Vanderlyn）所绘的《瓦萨雷斯宫殿与花园全景》（Panorama of The Palace And Gardens of Versailles, 1818—1819），它单独陈列在一座椭圆形展览室内。位于二楼的新馆，内容则有皮尔（Charles Wilson Peale）和斯图尔特（Gilbert Stuart）所绘的一系列华盛顿肖像；路特兹（Emanuel Leutze）一幅为人钟爱的《穿越特拉华的华盛顿》（Washington Crossing The Delaware）也收藏在此。

在美术馆的诸多绘画作品中，斯图尔特所绘的华盛顿像依然无人能比。

从一楼大梯的右方往前走，穿过欧洲艺术和装饰艺术区，便是**武器和盔甲**（Arms and Armor）展览部门。这儿首次展示人们深为着迷的亚瑟王（King Arthur）卡莫拉特宫殿（Camelot）相关收藏，其中又以骑师宫（Equestrian Court）最受访客喜爱；跨骑于马背、佩带盔甲的骑士造型，不禁教人回想起属于亚瑟王和圆桌武士（Knights of The Round Table）的古老国度。

位于一楼侧翼的**非洲、大洋洲和美洲艺术馆**（Arts of Africa, Oceania, and the Americas）则是得自洛克菲勒的捐赠，乃是为纪念他远征新几内亚（New Guinea）而不幸逝世的儿子麦可（Michael）。洛克菲勒原先于曼哈顿中城创立

的原始艺术博物馆(Museum of Primitive Art)馆藏,如今也一并结合在此展览。来到此区,千万不要错过布里大师(Buli Master)的雕塑,他是目前公认第一位独立创作的非洲艺术家。

埃及文物馆的收藏精采广博,即使不包含位于隔室对面的**丹都尔神殿**(Temple of Dendur,约公元前23年至前10年),所有的导游团体仍会将它视为参观焦点。从1978年起,丹都尔神殿即单独坐落在拥有高耸顶篷、造型宏伟的**沙克勒馆**(Sackler Wing)。这座神殿是由古罗马帝国第一位皇帝奥古斯都(Augustus)所建造,并将它献给尼罗河之神欧西里斯(Osiris)。通往神殿的大门上描绘奥古斯都大帝崇拜当地诸神的浮雕极为精细,但最令人感到不可思议的则是它如何能安全运抵纽约:先前的阿斯旺高坝(Aswan High Dam)乃是被拆解成不同的区块后才运达美国,最后以重组的方式恢复原貌。

以数个相连展区结合成的**埃及文物馆**(Egyptian Collection),收藏作品跨越了3500多年历史,大约从公元前3000年至公元641年为止。全部展区皆以时序标注,分别陈列。原先埋葬古王国(Old Kingdom)某位官员的波纳比

陈列现代艺术和雕塑的展览室。

(Perneb,约前2440)墓穴重新在馆内建构完成，内部描绘仆人准备和搬运食物情景的浮雕栩栩如生，令人叹为观止。

另外值得注意的是出自海西苏特皇后（Queen Hatshepsut，前1502—前1482）葬仪神殿的雕塑作品，其中包括一尊皇后穿着男人军服的造型。最后，仔细欣赏埃及第11王朝（Dynasty VI，约前2009—前1998）的模型，它巨细靡遗地呈现了当时埃及人的日常生活。

从20世纪初美术馆获赠第一批武器和盔甲开始，这个展项始终最受人们欢迎。

在楼梯附近，你会看到环绕中世纪艺术区外的**欧洲雕塑与装饰艺术**（European Sculpture and Decorative Arts）展区，展出内容涵盖从文艺复兴至20世纪初期范围。务必要参观**欧洲雕塑庭园**（European Sculpture Court），最著名者包括罗丹的《加莱市民》（The Burghers of Calais，1885—1895）群像，描绘一群市民从英国人的报复行动中拯救加莱市的情景。**林斯基馆**（Jack and Belle Linsky Galleries）展示家具、青铜器、精致器皿，以及包括巴托罗密欧修士（Fra Bartolomeo）的《男子肖像》（Portrait of a Man，晚于1497）一画在内的诸多绘画作品。

此区的**雷曼收藏中心**（Robert Lehman Collection）现场建构出完全相同于谢尔曼家中作品陈列的场景，而这正是当时所以能获得此项捐赠的先决条件；因此美国最精采的一项私人收藏，整个移到了具有玻璃金字塔造型的现代建筑里，也就是今日位于美术馆一楼后区的**雷曼馆**（Robert Lehman Wing）。在重建的7间展览室中，**大画廊**（Grand Gallery）虽包含柯罗（Corot）凡·高和莫奈（Monet）等人画作，但整间的收藏却遍及古代大师与20世纪作品，其中名作包括：高更（Gauguin）的《塔希提浴女》（Tahitian Woman Bathing，1891）与格列柯的《圣杰洛米主教》（St. Jerome As A Cardinal，约1600—1610）等。精致的红丝绒厅（Red Velvet Room）里则陈列有15世纪的意大利名画，例如：波洛（Giovanni de Paolo）的《逐出游行队伍》（Expulsion from Parade，约1445）与波提切利的《天使报喜》（Annunciation，约1490）。

20世纪初期，美术馆取得许多重要的**希腊和罗马艺术**（Greek and Roman art）作品，其中包括德塞斯诺拉（Louis Palma Di Cesnola）这位任职于1879年至1904年间的前馆长所捐赠的塞浦路斯（Cypriot）雕塑和艺术品，以及马昆德所赠予的罗马和伊特鲁里亚（Etruscan）玻璃制品。参观此区千万不要错过波斯卡利里（Boscoreale）的湿壁画，它们是在公元79年维苏威火山（Vesuvius）爆发后从倾毁的宫殿废墟中出土的作品。此外，馆内所保存的希腊最早一尊雕像柯罗斯（Kouros，前700）也值得留意：描绘特洛伊战争细节的尤浮洛尼亚斯花瓶（Euphronios，约515）亦是名品之一。

以摩根私人收藏为基础的**中世纪艺术**（Medieval art）展览馆位于一楼大厅的后方，作品年代从公元300年开始至1500年为止，总共跨越了12个世纪。内容除包含金器和其他贵金属的**中世纪珍宝**（Medieval Treasury）之外，还有早期的基督教艺术、罗马礼拜堂、中世纪织锦画、绘画及雕塑等。其中特别重要的包括：公元6世纪的安提阿圣餐杯（Antioch Chalice）、15世纪法国阿莱斯（Arras）的《天使报喜》织锦画，以及洛比亚（Andrea Della Robbia）所绘的圣母升天（Assumption）景象的釉彩赤陶祭坛画。对这段时期感兴趣者，可以另外抽空拜访附属于大都会美术馆的修道院美术馆（The Cloisters Museum，见196—197页），将充分体会置身中世纪情境、欣赏中世纪艺术品的独特感受。

一楼以《读者文摘》创办人命名的**华勒斯馆**（Lila Acheson Wallace Wing，1987）具有玻璃帷幕楼墙及迷人的屋顶花园，仅就建筑角度而言，本身即是一件值得参观的艺术品。馆内收藏**20世纪艺术**精采名作，这与美术馆早年曾排拒门外的美国现代艺术正属于同一范围。馆方接受的第一批捐赠，为1949年由史提格列兹的遗孀欧姬芙代为捐赠的私人收藏，内容包括现代绘画、素描与雕塑；其中马谛斯（Henri Matisse）的《旱金莲》（Nasturtiums，1912）一画曾对美国艺术发展影响至大，它于1913年军火库艺展（见82—83页）中首次面对美国群众时，立即获得极大反响。此外，别错过纽约的创新画派"八人"团体及抽象表现主义作品。

二楼作品综览

这个楼层所展示的作品为一楼**美国馆**（American Wing）的延续。

一位学生坐在坚硬的大理石地板上，正在描摹17世纪艺术家贝尔尼尼（Gianlorenzo Bernini）的雕像。

从公元前6000年至公元7世纪的**古代和近东艺术**（Ancient and Near Eastern art）展区，包含了亚述（Assyrian）艺术、美索布达米亚（Mesopotamian）艺术、来自伊朗和阿凯亚曼宁德（Achaemenid）的前伊斯兰时期古物、帕西亚（Parthian）和沙沙尼亚（Sasanian）艺术。记得去看一尊蓄有胡须的闪族朝拜者（Sumerian Worshiper，约公元前2750—前2600）石膏像，或者确认一下Ur-Ningirse雕像是否陈列在现场；由于雕像的头部属于大都会美术馆，身体却属于罗浮宫，因此整座雕像轮流于纽约和巴黎两地美术馆展出。**中国美术**（Chinese art）展览区最近才整修完成，其中一项主要展品是位于楼梯上方的一幅10世纪卷轴画：董源所绘的《溪岸图轴》。接着可以去拜访一处适合沉思的场所，即是位于三楼1979年所建

的**阿斯特宫廷花园**（Astor Court Garden），它是由一群中国工匠采用古代建筑法为美术馆建造的16世纪中国古风庭园。

此处并收藏有绝佳的**素描、绘画和摄影作品**，例如：米开朗琪罗和马谛斯的素描、伦勃朗的版画，以及史提格列兹所收藏的照片。同时记住参观1997年启用的**吉尔曼展览馆**（Howard Gilman Gallery），全年分三次轮流展出吉尔曼私人收藏的5000张摄影作品。

有30间展览室完全用来展示**欧洲绘画**（European Paintings）作品，年代纵跨5个世纪之久，使它成为美术馆最丰富的收藏领域。其中两间展出意大利文艺复兴时期包括波提切利、洛比亚（Della Robbia）、曼帖那（Mantgna）等人的绘画作品，以及荷兰画家如伦勃朗、哈尔斯、维梅尔和罗伊斯达尔（Ruisdael）等人的绘画作品；这些作品原先为奥特曼典藏馆（Benjamin Altman Collection）所有，后来于1913年始由一百货公司富豪捐赠予馆方；正由于这批艺术史上的名作，使得大都会美术馆成为全世界的重要美术馆之一。展览室依照风格画派而区分为：18世纪威尼斯画派，代表人物如提也波洛（Tiepolo）；15世纪意大利绘画，代表者如利比（Filippo Lippi）、吉兰达约（Ghirlandaio）、西纽雷利（Signorelli），佩鲁吉诺（Perugino）；17世纪荷兰肖像画，代表画家如伦勃朗、哈尔斯；英格兰肖像画，如雷诺兹、根兹巴罗和劳伦斯（Lawrence）等；以及更多。这区的主要焦点作品为伦勃朗的《具有荷马上身的亚里斯多德像》（Aristotle With a Bust of Homer, 1653）一画，它是美术馆于1961年以230万美元的天价所购得。

涵括范围极广的**远东艺术**（Far Eastern art）展项遍及整个二楼，共区分为三个主要类别：中国艺术、日本艺术，以及南亚和东南亚艺术；其中的东南亚艺术占据了18个展区，作品涵盖印度、尼泊尔、泰国、印尼、柬埔寨、缅甸和越南等国。可欣赏中国远从商朝（公元前17—前11世纪）时代开始的陶瓷艺术、大型的中国佛像、一尊公元5世纪的印度北方立佛（Standing Buddha），以及以柬埔寨、越南和泰国的安卡时期（Angkor，公元9—13世纪）艺术为主的的**卡马庭院**（Khmer Courtyard）。

希腊和罗马艺术（Greek and Roman art）展区为一楼展览的延续，以希腊的瓶器为主。

美术馆的珠宝收藏之一即

是在**伊斯兰艺术**（Islamic art）展区；展览品年代由公元632年的第四任哈里发（Caliph）王国开始直至19世纪，地理区域则从西班牙东部扩展至东南亚。另一展览项目，则是由美术馆赞助伊朗古城尼许波尔（Nishapur）的考古挖掘工作所获之出土文物，以及一间复制18世纪住于大马士革（Damascus）的土耳其人（Ottoman）家中的豪华接待室。重点项目为印度穆加尔时期（Mughal, 1526—1858）艺术，包括地毯、纤细画、珠宝和玉雕等。

总共有10个展览室，采用日本式的场景大幅陈列**日本艺术**（Japanese art）。按时序和主题来分隔展览作品，包括描绘细致的织锦画和传统仪式服装等。

携小孩同行或是热爱音乐的人，都可以右转至阶梯顶层欣赏稀奇的**乐器收藏**。那儿的乐器种类来自欧、美、亚和非洲等地，时期上则包含了史前时期至当代的长远历史。在所有奇特的乐器中，包括1720年由乐器发明者克里斯多福里（Bartolomeo Cristofori）所制造的最古老的钢琴、塞加维亚（Andres Segovia）制作的吉他，以及美国原住民的风笛。同时，参观者还可从录音设备中听到各种乐器的声响。1889年由布朗（Mary Crosby Brown）女士所捐赠的270件来自世界各地的乐器，成为此展区收藏品的主要核心。正如其他的捐赠者一样，布朗女士持续收藏，并将收藏品继续赠予美术馆；截至1906年，馆内已藏有她所捐赠的3500件乐器。

本区所展示的**19世纪欧洲绘画和雕塑**（19th-Century European Painting & Sculpture）为全世界最精采的收藏之一，同时也是馆内极受欢迎的展项。作品陈列在恰能反映出此一时代精神的展览室里，其中有两间以主要赞助者黑梅尔夫妇（Louisine & H.O. Havemeyer）命名；黑梅尔夫人和女画家卡莎特之间的情谊，使她对印象派和后印象派绘画产生极大的兴趣。馆内的收藏包括：库尔贝（Courbet）、柯罗、德加、马奈（Manet）、莫奈（Monet）、塞尚（Cezanne）、秀拉（Seurat）、凡·高和罗丹等知名艺术家的作品。此外，也有专门陈列新古典主义、浪漫主义、巴比松画派、法国静物画、粉彩及沙龙绘画的展览区。此区的绘画在历史时序安排上较宽松，大约起自大卫（David）和安格尔等新古典主义时期代表作品，结束于20世纪初毕沙罗（Pissarro）的《图勒利斯花园》（Garden of the Tuileries, 1899），以及卢梭的《狮子的飨宴》（The Repast of the Lion, 1907）。

埃及赠予美国的丹都尔神殿坐落于单独的展览区中，犹如栖息于尼罗河畔。

古根海姆美术馆

古根海姆美术馆

见133页地图

1071 5th Ave.

212/423-3500

周四闭馆

$$

地铁：搭4、5、6线至第86 St.站

光临古根海姆美术馆（Solomon R. Guggenheim Museum），首先记住这是美国最杰出的一位建筑师莱特（Frank Lloyd Wright）在纽约市的惟一作品。对建筑师而言，它是在直线的空间里所形成的圆形；对观者来说，则是夹杂在众多方形建筑物中的一栋圆形建筑。但无论以何种角度去看，都已是既成的事实。如今距莱特建造这座位于第5大道的圆形大楼已40年之久，每当在参观或谈及美术馆时，我们很难不去想到它的建筑结构。20世纪90年代美术馆正当维修之际，事前已将馆内艺术品全部撤离，然而仍有参观者不辞千里而来，只为了一睹大楼建筑的风采。

古根海姆美术馆最初只是百万富豪古根海姆（Solomon R. Guggenheim）的私人收藏。刚开始，古根海姆仅收藏古代大师的作品，之后在艺术家娥伦威森（Hilla Rebay Von Ehrenwiesen）女爵的影响下，于1939年开设了非具象绘画美术馆（Museum of Non-Objective Painting）。同样地，1943年时也是她特别邀请莱特作为新馆的设计师。娥伦威森女爵在给莱特的信函上写道："我要一个战斗者、一个热爱空间的人、一个创造者、实验家，以及一个有智慧的人……我期待一座精神的殿堂，一座不朽的纪念碑！相信这样的言语必然打动了莱特的心。娥伦威森女士认为：非具象绘画所传达的"完全不属于我们尘世中所认知的任何事物或主题；仅是节奏性的色彩和造型所构成的美感，纯粹为了艺术而艺术。"

莱特回复道："十分渴望建造一栋吻合非具象观点的建筑实体。"此时正是1943年。在往后的16年里，他总共提出6套建筑计划，以及749张设计草图。莱特告诉他的雇主：他正致力于"设计一个由下往上攀伸、比例完美无暇的楼层空间受到

一股来自上方的神圣力量所牵引。”古根海姆在1949年去世前，预留了200万美元作为建造美术馆之用。美术馆从1956年开始动工，直到1959年始落成启用，莱特却早在6个月前的4月9日与世长辞了。

今日的馆藏

馆内收藏涵盖整个现代艺术史，包括20世纪头50年的欧洲艺术，以及19世纪末和二次大战后的欧洲与美国艺术。目前正进行的收藏工作，则有近来取得的电影、摄影、复合媒材及高科技艺术作品。20世纪80年代，古根海姆美术馆逐渐成长为与欧陆相连的生命共同体除了纽约第5大道和苏活区两地之外，同时在威尼斯、柏林和毕尔堡（Bilbao）也都有分馆设立。这些地点的扩张，都有助于美术馆扮演推动20世纪艺术往全世界迈进的独特角色。

圆形建筑与斜坡道

站在第5大道上面对着美术馆，左手边是美术馆的附属商店，右手边是询问台，正前方则是这栋巨大的圆形建筑（Great Rotunda），足足往上攀升了92英尺高才到达圆拱顶。通常这栋圆形大楼里都是举办如“毕加索和铁器时代”这类的专题，展出毕加索的铸铁雕塑，以及科尔德（Calder）、吉亚柯梅蒂（Giacometti）和史密斯（David Smith）等雕塑家的铁雕作品。1998年，一项名为摩托车艺术（The Art of the Motorcycle）的展览集合了一大堆闪亮机器驻扎在这个空间里。

感谢大楼附有电梯设备，你无须一路从底层走到顶楼（内部环绕5层楼展区的斜坡道全长为1/4英里）。依照莱特原

上图和下图：从一楼盘旋升起约90英尺高的螺旋状斜坡道，提供简易的欣赏方式。

先的设计想法，是希望参观者由最上层开始往下走至地面大厅。但许多人对这趟步行经验感到有些气馁；1992年的更新计划加盖了一栋10层楼的**西格尔大楼**（Gwathmey Siegel Tower）与原建筑相连结，使观赏者在下坡时可以选择在中途离开斜坡道、进入大楼内的回廊，接着再从下一层入口回到展览区，因而减轻了不少下坡之苦。斜坡道与回廊走道的交替使用，相对减少了原始设计中因斜坡道下滑所带来的困窘效果。

于俄罗斯前卫艺术展的现场，一位参观者站在极限主义风格作品前驻足沉思。

认识馆藏作品

虽然展览经常更换，永久典藏作品也非常态性展出，但你总可以发掘一些艺术史上重要的艺术家在此呈现。馆内拥有超过200件康丁斯基（Kandinsky）作品；同时还包括布朗库西（Brancusi）、科尔德、德洛内（Delaunay）、克利（Klee）、米罗（Miro）、奈佛逊（Nevelson）和蒙德里安（Piet Mondrian）等名家的不少大作。其中最受欢迎者有夏卡尔的《窗外的巴黎》（Paris through the Window,1913）、雷捷（Leger）的《大游行》（Great Parade, 1954）、莫迪里亚尼（Modigliani）的《裸体》（Nude, 1917），以及毕加索的《熨衣女子》（Woman Ironing, 1904）。

谭豪泽大楼馆（Thannhauser Tower Galleries）是以曾捐赠75幅印象派和后印象派绘画的画商兼收藏家谭豪泽命名，馆内同时展出永久馆藏与当代更换性展览。整个展区的二、五和七楼以大型作品为主，四楼的天花板较矮，因此多以小型的素描和绘画为主要展品；另外还有以摄影展题为主的**梅波索普馆**（Robert Mapplethorpe Gallery）。此外还有四间录影带放映室，以及位于五楼的雕塑楼台。

斜坡道上的展览时常更换，且通常都会包含一个热门展题。例如1998年的罗逊伯格（Rauschenburg）个展吸引了无数人潮，甚至涌入隔壁的大楼内。位于斜坡道第三层处是古根海姆家族馆（Guggenheim, Family Galleries）；1963年时，古根海姆的侄女、也是美术馆老板兼收藏家的佩姬（Peggy Guggenheim，她与超现实画家恩斯特有过短暂姻缘）赠予美术馆一批超现实主义、立体派和抽象表象主义的代表作品。

许多专题特展为美术馆制造了庞大人潮，也因此铸成新的艺术领域和收藏方向。装置艺术家侯泽（Jenny Holzer）就曾在此展出她的《不喻自明》（Truisms）系列中一件《无题》（Untitled, 1989）作品，将整个斜坡道以一整条灯光明亮、如霓虹般的警语标示板盘旋装置起来，其中有许多格言式的讯息，如："当可怕事情发生时，人们便苏醒过来。"1998年时，馆方向巴黎的蓬皮杜中心（Pompidou Center）商借了一些作品，并同时搭配馆方类似或相关收藏一起展出。

国家设计学院

犹如弗里克美术收藏馆，国家设计学院也令参观者体会到20世纪初期的气派堂皇。从20世纪40年代开始，学院暨美术馆就坐落在这栋美术风格的楼房里：大楼为铁路继承人亨廷顿（Archer Huntington）于1914年所建，之后他于1940年将大楼捐赠出来。亨廷顿夫人也是设计学院的成员之一，其余知名者尚包括荷马（Winslo Homer）、圣高登斯（Augustus Saint-Gaudens）和莱特。近年来则有画家比夏普（Isabel Bishop）、戴恩（Jim Dine）、罗逊伯格、德库宁（Willem de Kooning）、雕塑家诺古奇（Isamu Noguchi），以及建筑师贝聿铭和约翰森（Philip Johnson）等人继续为学院投注心力。

国家设计学院

见133页地图

1083 5th Ave., between 89th and 90th Sts .

212/369-4880

周一至周二休馆

$$

地铁：搭4、5、6线至86th St.站

当设计学院于1825年创立时，仅由一群艺术家自我管理和统辖，他们的宗旨乃是要强化美国艺术的地位与认同感。然而，这所机构的名称其实无法代表学院同时具有的双重视野和广度：它既是一所学校，也是一所美术馆。它吸引了美国各地已有相当成就的建筑师、画家、雕塑家和平面设计师，认同并加入这个组织。

美术馆的一楼显得温暖而隐秘，设有接待处，以及一个礼品部门专门销售会员的原创作品。艺术陈列区共涵盖9个展览室，其中4间在二楼、5间在四楼，三楼则为办公地点。入口处竖立着由亨廷顿所雕塑的戴安娜女神像。

学院馆藏共有2000幅绘画、200件雕塑，以及1000件平面作品，多数皆是由内部成员所赠，以履行基本的会员义务。四楼部分所展出者为学院的永久收藏，定期更换内容。此外，也有某些展览作品是由租借而来：例如《时代的脸》（Faces of Time）专题所呈现的，即是《时代》（Time）杂志在近75年来的每期人物封面，借此探讨当代肖像所传达的文化符号和意涵。

位于四楼的院长肖像馆（Presidential Portrait Gallery）陈列主题则以学院的创办人肖像为主，其中包括都兰德（Asher B. Durand）、摩尔斯（Samuel F.B. Morse），以及其他于创校期间曾共同抗议商人掌权的美国艺术学院（American Academy of Fine Arts）的相关人士。正由于他们的创建和努力，使纽约得以继续成为美国的艺术首都，并且留下丰富的艺术遗产得以继续茁壮成长。

位于第5大道的国家设计学院。

库珀—惠特国家设计馆

库珀—惠特国家设计馆

见132—133页地图

2 E. 91st St.

212/849-8400

周一全天、周日上午闭馆

$$

地铁：搭4、5、6线至96th St.站

这是美国惟一的设计博物馆，它收藏近25万件来自世界各地的杰作，呈现出从公元前6世纪发展至今的设计史风貌。设计馆原先为卡耐基（Andrew Carnegie）的居所，参观时不妨趁此一窥历史的浮光掠影。当1899年至1903年间宅邸兴建时，仍只有拓荒移民住在曼哈顿区。如今拥有64个房间的宅邸最引人者即是它广阔的花园和草坪，不难想见，在卡耐基造屋之初，第5大道的沿路都还是空地呢。

最初以库珀装饰艺术馆（Cooper Union Museum for the Arts of Decoration）之名成立于1897年，从1976年起，库珀—惠特国家设计馆（Cooper-Hewitt National Design Museum）才设址于现在的地点。昔日的装饰艺术馆，主要为室内装潢师、建筑师及其他专业人士提供各类的资源，今日设计馆的诉求范围更广，馆内多元的收藏更是惊人。都市建筑与平面设计的主题展持续更换，此外有应用美术、工业设计、素描与版画、织品、壁饰等主要项目。底楼有个小型展览区，主要展览区位于一二楼，三楼为图书馆与档案室，须预约才能使用。新成立的设计资料中心(Design Resource Center)也同样得事先预约；这间豪华的研究室于1998年正式开放，为设计馆费时四年，耗资2000万美元的整建工程之一。

屋宇本身即相当特别，所以参观展览之外，别忘了花些时间浏览屋内的设计和装潢。走进一楼**大厅**（Great Hall），首先映入眼帘的是整室的镶板；卡耐基借由苏格兰橡木反映了他的乡愁。由于始终是新技术和设计的热爱者，卡耐基因此

库珀—惠特国家设计馆周围环绕着广阔绿地。

成为头一位在家中安装电梯的人，并且安置新式的冷、暖气设备。大厅西侧的展览室，是以卡耐基的书房改装而成，低矮的门廊隐约透露出主人矮小的身形，据称他身高仅五英尺二英寸左右。

一楼其他房间目前只用于展览，包括有练琴室、前厅花园、餐厅及早餐间。**练琴室**（Music Room）的天花板饰有苏格兰风笛图案；前厅花园(Garden Vestibule)有铅制的蒂芙妮窗户；**主餐厅**（Dining Room）昔日曾有名人访客云集，莅临者包括布克·华盛顿（Booker T. Washington）、马克·吐温，以及居里夫人（Madame Curie）等名人；**早餐间**（Breakfast Room）可俯瞰花园，并通往饰有天窗的植物温室。1999 年时，一楼曾展出极受欢迎的展题"坚稳的建筑：迪斯尼主题乐园设计"(The Architecture of Reassurance: Design the Disney theme Parks)。

欣赏馆内的日常用品展项，最能感受到愉悦的气息。钮扣、手表、刮胡刀、壁纸、相机、电脑等，几乎任何想象得到的物品都收藏于此。这儿曾举办一次狗屋设计专题，展出者包括多位世界知名建筑师；另有一次厨具大展。1997 年设计馆百年纪念时盛大推出"今生设计展"(Design for Life)，展出各式各样的收藏约三百种，其中包括30年代的壁纸、1936 年状似企鹅的鸡尾酒调酒器、30 年代与卡迪拉克(Cadillac)匹敌的小型马蒙 16（Marmon 16）模型汽车，以及1907 年卡耐基订制的蒂芙妮高脚杯。

室内设计的序曲

莎拉与艾琳娜·惠特（Sarah & Eleanor Hewitt）两位创办人，就如当时的年轻富家女子一般得以四处旅行。当她们游访至巴黎装饰艺术博物馆（Musee des Arts Decoratifs）、伦敦维多利亚博物馆（Victoria Museum）和亚伯特博物馆（Albert Museum）时，不觉为之着迷，因此决定在纽约成立类似的机构。

纽约之所以能位居美国室内设计界的龙头宝座，不得不归功于惠特姐妹，以及在 20 世纪初致力发展室内设计领域的伙伴们。惠特姐妹相信，借由对富豪与他们的设计师施以教育，不仅有助于提升艺术品味，更可影响至一般大众。作家华顿（Edith Wharton）在她有名的《房屋装潢》(The Decoration of Houses, 1897）一书中也回应了类似的看法："一旦有钱人想要建造好的房子时，邻人们也会开始有同样的想法……所有因为奢华而恣意雕琢的室内细节，终究有一天会临到木匠建造的小木屋里。"

沃尔夫(Elsie de Wolfe)这位美国首位专业室内装潢师，1905 年时开始应富豪人士要求从事设计工作。同年，帕森斯（Frank Alvah Parsons）在他所创办的、今日的帕森斯设计学院(Parsons School of Design）开设室内装潢课程。1931 年，华内制造公司（Wanamaker's）首先于店内成立室内装潢部门。三年后，建筑师温顿（Augustus Sherrill Winton）创办纽约室内装潢学院（New York School of Interior Decoration），亦即目前位于东 56 街 155 号、依然兴盛蓬勃的纽约室内设计学院（New York School of Interior Design）。从 1970 年起，"室内设计"一词便逐渐取代原先惯用的"室内装潢"。

犹太博物馆

犹太博物馆

见133页地图

1109 5th Ave.at 92nd St.

212/423-3200

周五、周末闭馆

$$

地铁：搭4、5、6线至9th St.站

右图：靠近博物馆区（Museum Row）北端的犹太博物馆，坐落于前资本家华伯格（Felix Warburg）的宅邸内。

下图：一本出自意大利的1803年犹太人奥玛（Omer）历书上，描绘大力士海克力斯神（Hercules）正在摧毁非利士人（Philistine）的神庙。

坐落在这栋哥特式法国城堡大楼里的机构，正是储藏犹太文化和艺术的重要宝库。馆内的展出范围极广，既包含当代的犹太创作艺术，同时也触及罕有的民族志研究文献，以及为所有年龄层的犹太人或非犹太人所设计的各种展览主题；借由犹太文化的启发，反映出多元的世界性视野。博物馆的收藏多达27 000件，从铜币、徽章，到仪式器皿、绘画和考古文物等，总共涵括了4000年的悠久历史。

博物馆的一二楼专门展出当代的主题特展，内容通常以历史性或当代议题为主，往往吸引庞大的参观人潮。最近的特展则有"拉宾之后的以色列新艺术"（After Rabin: New Art from Israel）专题，目的为纪念以色列建国59周年。现场展出表现主义艺术家苏汀（Chaim Soutine, 1893—1943）的56幅绘画作品，他曾被喻为美国抽象表现主义的先驱。

初次参观者不可错过馆内的永久典藏展"文化与延续"（Culture and Continuity），展览从四楼开始延伸至整个三楼。四楼的焦点为占据17间展览室的装置特展，重新再现了经过复制的犹太教堂景象，其中一间以录音装置手法来传达犹太人安息日的主题和氛围；另一间则为银光闪烁的犹太仪式烛台。在三楼更惊人的工艺品中，则有18世纪的巴伐利亚（Bavarian）方舟和乌比诺方舟（Urbino Ark，约1500）。此外同样位于三楼，你还可以收看博物馆精选的电视和广播节目，或者参观愉快的互动式**儿童馆**（Children's Gallery）。

创建于1904年的犹太博物馆最初由犹太神学院（Jewish Theological Seminary）所掌管，40年来的收藏品都储存在学院的图书馆内。1947年向**本杰明和铭兹收藏馆**（Benjamin and Rose Mintze Collection）购藏的500件作品是一次重要的馆藏扩增，其中包括来自波兰的杯、冠、幕罩和灯饰等。博物馆于1947年正式迁至目前的现址，一栋于1908年由吉尔伯特（约H.P. Gilbert）所设计建造的屋楼。原先的屋主华伯格为生于波兰的银行家兼慈善家，也是犹太裔美国人社团的会长。

左图：俄罗斯裔画家韦伯（Max Weber, 1881 — 1961）的作品。

国际摄影中心

国际摄影中心

见133页地图

1130 5th Ave.at 94 st.

212/860-1778

周一闭馆

$$

地铁：搭6线至第96街站

纽约惟一的摄影美术馆，即是简称为I.约P.的国际摄影中心。它位于第5大道上，一栋由德拉诺（Delano）和阿德里奇（Aldrich）于1914年所设计的联邦风格楼房里。正如名称所显示的，它企图呈现和保存摄影的所有方面：从新闻摄影到前卫摄影，从摄影大师到有潜力的新人。馆内收藏的摄影艺术家范围广阔，包括阿伯特（Berenice Abbott）、雷柏薇兹（Annie Leibowitz）、霍克尼（David Hockney）和理察斯（Eugene Richards）等多元创作类型。总共4000张的摄影作品，完整地遍及150年来的摄影史。

国际摄影中心兼容知名大师和新生代创作者的作品。

走进国际摄影中心（International Center of Photography），就像是来到20世纪初的荣华时代。在6层楼的建筑物里，两层用于展览，其他楼层则作为教学和办公之用。一进门正中央是接待柜台，右手边一间小型展览室轮流展出馆内的永久收藏，左手边则是美术馆的零售部门，除了海报、卡片、展览目录和杂志外，同时也陈列上千种摄影类书籍，已形同一处收藏彻底且全面的摄影资料馆。

在I.C.P.接待柜台右方的**1馆**（Gallery Ⅰ）全年大约有20项展览活动，专门举办小型展览或新生代摄影家个展。一项大型展览则多半同时占据1馆，以及楼上较大的**2馆**（Gallery Ⅱ）。曾在此举办过的大型回顾展，包括康宁汉（Imogen Cunningham）、伊凡斯（Walker Evans）和雷（Man Ray）等摄影名家。另一些则为联展或主题展，例如：以"生活"（Life）杂志摄影师为主题的联展，即曾囊括柏克—怀特（Margaret Bourke-White）、海斯曼（Philippe Halsman）和艾森史塔德（Alfred Eisenstaedt）等人在内。

前"生活"杂志的专任摄影师柯乃尔·卡帕（Cornell Capa）于1974年创办了I.C.P；此时正好距离他的兄长罗伯·卡帕（Robert Capa）于中南半岛遭地雷击毙有20年之久，他曾被公认为全世界最好的战地摄影家。卡帕的创馆目标，乃是为了保存罗伯的摄影作品，以及布列松（Henri Cartier Bresson）、塞摩（David Seymour）和其他于1947年共同成立"大型总集"（Magnum）摄影机构的同事们的摄影作品。

此外，I.C.P.也不定期举办摄影研习会、演讲、课程和专题研讨会等活动。

第 5 大道上区沿路展览馆

法国大使馆文化办事处

这栋于1904年由怀特所设计的“最杰出的意大利文艺复兴盛期形式”弓形楼邸，正是法国大使馆文化办事处的现址；办事处将二楼的接待室装潢为小型的展览室。此地正是惠特尼夫妇（Harry Payne & Gertrude Vanderbilt Whitney）的旧居地，夫人即是有名的惠特尼美国艺术馆创办人。

972 5th Ave. at 79th St. 212/439-1400 周末、周日闭馆 地铁：搭6线至第77th St.站

歌德纪念馆

歌德纪念馆成立于1957年，由德国慕尼黑（Munich）的歌德学院（Goethe Institute）在此负责德语推广和文化交流工作，并提供有关德国文化的各式展出。1907年的美术风格宅邸曾于1991年扩大整修，重新开幕时，即举办了“迁徙与交流：德国当代雕塑展”。

1014 5th Ave., between 82nd St. & 83rd Sts. 212/439-8700 周日闭馆 地铁：搭4、5、6线至86th St.站

纽约科学学院

成立于1817年的科学学院，设址于一栋建于1919年至1920年间的文艺复兴风格宅邸；前屋主为经营发酵粉生意的齐格勒（William Ziegler, Jr.）。学院内的展出以科学结合艺术为重点，例如，阿伯特一项名为“物理之美”（The Beauty of Physics）的摄影展即甚吻合此机构的宗旨。

2 East 63rd St. 212/838-0230 周日闭馆 地铁：搭N,R线至59th St.站

美国乌克兰中心

此机构的所在地，曾为史都维森（Peter Stuyvesant）总督直属后裔所拥有，1948年时则由乌克兰移民克鲁斯（William Kzus）将楼房捐赠出来，并成立乌克兰中心。馆内的永久收藏品包括当代绘画和雕塑、宗教仪式器皿、织品、服饰，以及复活节的彩绘鸡蛋。

1 East 72nd St. 212/288-8660 周末&周日全天、周二至周五上午闭馆 地铁：搭6线至77th St.站

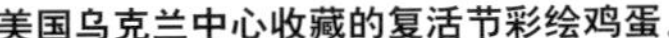

美国乌克兰中心收藏的复活节彩绘鸡蛋。

纽约市博物馆

纽约博物馆

见133页地图

5th Ave.at.103rd St.

212/534-1672

周一、周二闭馆

自由捐献

地铁：搭6线至103rd St.站

1923年时，纽约决定要像巴黎、伦敦等大城市一样，拥有一座记录自己城市历史的博物馆。于是，纽约市博物馆（Museum of the City of New York）诞生了；馆内收藏从荷兰殖民地时代至今约三百万件文物，包括消防、玩具、家具、银器、剧院、版画、油画等各种类别，无论是想略知纽约历史，或者有特殊兴趣的人，都可以在此发掘无穷的乐趣。

在这儿，你将会发现一些看来似乎毫不相干的陈列品，例如：1613年布拉克船长（Capt. Adraien Block）停泊曼哈顿时起火燃烧（见19页）的"老虎号"（The Tiger）焦黑船体；1661年卡斯泰罗（Castello）计划的惟一复本，以及第一份新阿姆斯特丹地图，图中显示华尔街名称起源的那道墙、目前为海关局所在地的堡垒；纽约家具商人费斐（Duncan Phyfe）生产的家具；吉普赛女郎罗丝（Gypsy Rose Lee）以蓝丝线亲手绣上名字的脱衣舞巾。此外，另有卡利尔和艾维斯（Currier & Ives）所收藏的版画作品，以及包括**利斯**（Jacob Riis）收藏品在内的影像资料馆。

馆内收藏的戏服和历史纪录娓娓道出百老汇剧场的故事。

博物馆原先设址于葛雷西宅邸，1932年1月时迁至目前的新乔治亚风格大楼。展览遍及5个楼层，且不时更换展出内容。一楼入口处为礼品区及三间主要的主题更换区。此处的展览通常宣传最广，因此往往吸引大批的人潮；1998年时，曾展出"纽约地平线：海斯勒镜头下的视野"（New York Horizontal: Cirkut Camera Views by William Hassler），以及"小苹果：一流建筑师纪念大楼展"（The Little Apple: Souvenir Buildings from the Collection of Ace Architects）。

游客可搭乘电梯至底楼，观赏纪录纽约的"大苹果"（The Big Apple）短片，片长22分钟，每小时放映一次，同时从二楼处也可观赏到。底楼还包括一间**火展览室**（Fire Gallery），展出版画、油画、工艺品及其他有关火的纪念品，以及古董消防车。其中一辆1851年的"大6号"（Big Six）为当年义消团体送给政客特威德（William Marcy Tweed）步入纽约政坛的贺礼；象征着坦慕尼厅（Tammany Hall）张牙舞爪的老虎图案，即绘制在前车身的金属板上。

楼上展览室

二楼两侧皆有持续更换主题的展览室，以及一间以成功的房地产开发者命名的**戴维斯馆**（Davies Gallery）；纽约市于1934年获得戴维斯遗赠共15 000件作品，其中包括一幅哈特格斯（Joost Hartgers）绘于1651年的荷兰殖民时代曼哈顿景致版画。戴维斯馆轮流

展出永久典藏，其中包括版画、油画、时代性家具和银器等。越过戴维斯馆，即是**时代展览室**（Period Alcoves），总共6个房间分别模仿17世纪末至20世纪初的纽约房屋样式陈设，每一间都既独特、又能掌握精准的细节。模拟1906年帕克大道民宅的弗莱格勒素描室（Flagler Drawing Room），原始构想则是得自曼杜亚（Mantua）一地公爵宫邸（Ducal Palae）中的若迪雅歌室（Sala Della Zodiaco），呈现出18世纪殖民地、墙上贴有中国式手绘壁纸的会客室风格。位于二楼大厅另一头的海洋馆（Marine Gallery），展出内容包括与纽约航海时期历史有关西洋镜、工艺品、绘画和模型。

三楼的**玩具馆**（Toy Gallery）展区始终相当受欢迎，重头戏便是从1769年至今的娃娃屋和娃娃家具。而其中最令人心醉的，则是1920年代史戴德摩（Carrie Stettheimer）所设计制作的娃娃屋；屋子里的一间艺术馆还展示着杜尚（Marcel Duchamp）的迷你绘画作品。此外，"百老汇！美国剧场史"主题展也位于三楼，

另外一间展区1999年的展题为"为你而唱：乔治和艾拉·葛西文"（Of Thee We Sing: George and Ira Gershwin）。

到五楼可去参观**洛克菲勒展览室**（Rockefeller Rooms），完全仿自老洛克菲勒（John D. Rockefeller, Sr.）位于东54街的屋宅内1880年代奢华的主卧室和更衣室，室内充满像纤细的花纹木雕、红花缎坐椅和躺椅等精致家具，甚至房间里还有一个"土耳其风格角落"；如今这些房间呈现在这儿，人们再也不用揣测美国最富有的艺术赞助人之一的宅邸究竟有多奢侈豪华了。

洛克菲勒宅邸19世纪末类型的奢华房间，于纽约博物馆中再次重现。

拉丁文化区博物馆

位于博物馆区（Museum Row）北端的拉丁文化区博物馆（El Museo del Barrio）是为了保存与推广拉丁美洲文化和艺术而创立，而尤以波多黎各为主要对象；东区和西班牙哈莱姆区的附近居民几乎都来自该地。博物馆的主要目标，不仅仅在保存传统的民间艺术，同时也纪录、收藏邻近西班牙语系社区当代艺术家的作品。

拉丁文化区博物馆

见133页地图

1230 5th Ave.at. 104th St.

212/831-7272

周一、周二闭馆

自由捐献

地铁：搭6线至103rd St.站

上图和下图：永久典藏的木刻圣徒雕像。

在骚动的60年代期间，波多黎各（Puerto Rico）裔的社区艺术家群起抗议无法获得在市中心美术馆展出的机会，因此促成于1969年创立拉丁文化区博物馆。如今馆内的永久收藏，包括8000件来自拉丁美洲（Latin America）各地和加勒比海（Caribbean）沿岸的艺术和文物：哥伦布发现美洲前期（Pre-Columbian）出土于波多黎各和多米尼加共和国（Dominican Republic）达伊诺（Taino）文化的陶器和容器、墨西哥面具、插画、雕刻圣徒、绘画、雕塑、平面作品，以及拉丁美洲后裔艺术家的摄影作品。

这座空间广阔、白色墙面的博物馆位于海克斯特大楼（Heckscher Building）的底楼，整栋大楼为市府所有，容纳不同的单位和机构，其中包含一间可供美术馆放映电影和录影带的戏院。进入大楼后，左转至礼品部门，经由那儿即可通往博物馆。作品分别陈列于多个展览空间，首先从**当代馆**（Contemporanea Gallery）开始，此馆最主要的目标即是要宣传拉丁社区艺术，以及“工作室”（El Taller）艺术家成员的作品。

波多黎各馆（Borinquen Gallery）是以达伊诺印第安文命名，此馆所展出者为永久典藏作品，其中最有名的作品为《木刻圣徒》（Santos de Palo）雕像群，总共有240尊施以彩绘和雕刻的圣徒木雕像（多半用于家中膜拜仪式），雕刻者遍及波多黎各、西班牙、墨西哥、危地马拉和菲律宾等地，时间则大约为19世纪至20世纪初期。

主要展览区位于**东馆**（East Gallery）和**喜乐馆**（Alegria Gallery）。其中包括1998年所举办的“德拉诺回顾展”（The Art of Jack Delano），首次将德拉诺在波多黎各50年创作生涯中的摄影、电影、海报和书籍插画等全部作品联合起来在此展出；另一次则为萨尔瓦多（El Salvador）20世纪艺术展“神灵与传奇”专题。

悠游上东区

上东区林立着丰富的地标建筑物，因此，你可以随意漫游于街道巷弄之间，尽情欣赏建筑之美，细细品察其中隐含的优美历史。

你可以漫步至60年代风格的麦迪逊大道，沿路欣赏设计师品牌的高雅服饰和购物的人，或者前往占据整条街区的**布鲁明戴尔百货商场**（Bloomingdale's, 1000 3rd Ave.，电话212/705-2000）逐层地闲逛。若是想浏览市景，东河附近的一些地点，如位于57街和萨东街（Sutton Place）交会口低凹的迷你公园便值得一游；此刻，身处纽约最独特的社区之一，你不妨坐在凉椅上远眺东河，享受恬适的河岸美景。

若有兴趣俯瞰纽约景致，只要走到59街和第2大道路口搭乘前往罗斯福岛（Roosevelt Island）的空中缆车（往返费用2.8美元），整个纽约尽收眼底。同样位于东河附近，还有一所**洛克菲勒大学**（Rockefeller University, 1230 York Ave.）。此校向来以医学和物理学研究闻名于世，1901年由洛克菲勒所创办，1906年时迁校至此。

弗农山旅店博物馆及花园

这个安静的地方似乎与周围环境格格不入，然而从1826至1833年，这所优雅的乡间别墅曾接待过纽约市许多飞黄腾达的中上层人物。这座博物馆代表着19世纪的旅馆生活。1795年史蒂芬·史密斯上校与夫人艾比嘉尔·亚当斯（约翰·亚当斯总统之女）购得这块土地，并用华盛顿故乡的名字把它称为"弗农山"。他俩由于手头拮据未造房屋就把土地转卖给别人，但这个名称却沿用了下来。1808年一位富商首先在这里建造了弗农山旅店，1826年毁于大火。后来有人在残存房舍的基础上建造了一座更华丽的度假村。1833年出售后成为私人住宅。

1930年代美国殖民地女性协会买下了这座建筑，修缮工作于2000年结束，使其再现昔日的辉煌。男客们在其茶室中欢谈畅饮，女宾们则在富丽堂皇的的女宾室里一起唱歌或编织毛衣。这是一座珍稀的古典建筑，其中的精美陈设和怀旧气氛使人流连忘返。

弗农山旅店博物馆

见133页地图

421 E. 61st St., between 1st Ave. & York Aves.

212/838-6878

周一和八月份闭馆

$

地铁：搭4、5、6线至59th St.站

采用曼哈顿片岩建造的弗农山旅店博物馆，给你提供一个难得的机会欣赏19世纪的度假胜地。

世界俱乐部为纽约职业女性精英的聚会场所。

精英贵族区

对一般人而言，10 021 只是美国某个地区的邮递区号；然而对人口学家来说，他们却很清楚这代表着美国最富裕的社区：介于第5大道和东河之间、从东61街到东80街的这片区域。位于此地的核心地带，则是上东区有所谓“贵族区”之称的名流王国。这里蟠踞着拥有财富、权力和社会地位的机构团体，包括纽约最时髦的俱乐部、最好的私立学校，以及建筑宏伟的教堂和犹太教会。这些建筑物通常不开放参观，但许多已设定为历史古迹的地点仍值得前往游访。

在贵族区的核心（地理位置上为中央偏南处）是一栋宛如城堡般的1880年第7军团军火库（643 Park Ave. E. 66th和E. 67th Sts. 之间）。声势显赫的纽约人于1847年组成这个单位，当时称之为“贵族军团”（Silk Stocking Regiment）；团员们自行设计制服，并且以此为军团赚取收入。军团的内部房间由蒂芙妮（Louis Comfort Tiffany）和其他设计师们共同设计；训练室有100英尺高，面积约200英尺宽、300英尺长，为纽约最大的无隔间室内空间，今日军团已不再驻扎军人，却成了贵族们打网球的场所。虽然仍为纽约州后备部队所在地，它也是纽约最好的古董展览市集，以及“第7军团餐厅”（Seventh Regiment Mess）的营业地点。

与军火库仅隔几步之远，即是菁英分子们流连、聚集的地方；但并非全为男士特享区。位于军火库后方的世界俱乐部（Cosmopolitan Club, 122 E. 66th St., 不对外开放）便是为职业女性设立的联谊中心。在它的对面，则是成立于1903年、名流仕女专属的殖民地俱乐部（Colony Club, 564 Park Ave.at. E. 62nd St. 不对外开放），坐落于由德拉诺和阿德里奇（Delano & Aldrich）于1916年所设计建造的大楼。纽约最古老的文学协会“忘忧树俱乐部”（The Lotos Club, 5 E. 66th St.，不对外开放）也设址于这儿一幢1900年的老房子里；当年是由出生名门的政治改革者谢弗林（William Schiefflin）委托建筑师亨特（Richard Howland

Hunt）所设计。

成立于1836年的联合俱乐部（Union Club, 101 E. 69th St., 不对外开放），与1933年由德拉诺和阿德里奇设计的总部地点相隔两条街。附近的大都会俱乐部（Metropolitan Club, 1 E. 60th St., 不对外开放），则是因当年联合俱乐部的某些会员不满自己亲友被排拒在外，而自行创立了另一所俱乐部，地点就位于1893年由麦可金、米德和怀特所设计的大楼；三位建筑师同样也于1906年设计了另一所由德国犹太人在1852年成立的哈莫尼俱乐部（Harmonie Club, 4 E. 60th St., 不对外开放）大楼。

贵族区的精神需求，从此地多元性的教堂和犹太教会即可满足。在军火库视线可及之处，矗立着建于1920至1922年间的新哥特式中央长老会教堂（Central Presbyterian Church, Park Ave.and E. 64th St.）；也就是过去洛克菲勒来此做礼拜的浸礼会教堂（Baptist Church）。如今，具有显赫地位的圣公会会众仍然可继续在圣詹姆斯圣公会教堂（St. James Episcopal Church, 861—863 Madison Ave.at E. 71st St.）受洗、行坚信礼、结婚，以及赞美上帝。这所也呈现新哥特风格的教堂于1924年由建筑师克兰姆（Ralph Adams Cram）予以重建。

当罗马天主教徒和犹太教徒失去特权宝座之后，今日都居留在贵族区里。融合了西方和拜占庭建筑形式的1929年以马内利圣堂（Temple Emanuel, 5th Ave. and E. 65th St.），为纽约市第一所改革犹太教会，同时也是全世界最大的一所犹太教会，总共可容纳2500名会众，甚至远超过圣巴特里克大教堂。

由奶妈或家庭老师相伴、穿着洁净雪亮的学童，照例要进入有名且学风严谨的如达尔顿（Dalton）、查品（Chapin）和布莱尔里（Brearley）等私立学校就读；当年小约翰·肯尼迪（John Kennedy, Jr.）的母校圣大卫中学（St. David's, 12—16 E. 89th St.）就位在德拉诺和阿德里奇建于1919年的一排新乔治亚式住宅区中。

这一切仿佛田园诗般地安静甜美：有教养的邻居、美好的人们、优雅的建筑，它就如同在整个狂乱城市里的一个完美小城。但先别急着投以羡慕眼光，注意那栋位于东93街56号、建于1931年如宫殿般宏伟的石灰岩楼邸，在1955至1966年间为演员比利·罗斯（Billy Rose）所有，如今则是一处专为此特权社区服务的烟酒/毒品勒戒所；事实证明，这儿并不是真正的天堂。

上东区的典雅风貌。

惠特尼美国艺术馆

惠特尼美国艺术馆(Whitney Museum of American Art)在某几处显得极不寻常。首先，它是由出身纽约两大名门望族成员兼支持前卫风格的雕塑家惠特尼（Gertrude Vanderbilt Whitney）女士独自创立，为少数仅由单独一位艺术家成立的美术馆之一；再则，它更是少数专属美国20世纪艺术的美术馆，且积极发掘其他美术馆不认同的独立艺术家创作类型，例如实验电影和录影艺术等。从1932年第一届惠特尼双年展（Biennial）开始，它便持续引发诸多的艺术争议。

惠特尼美国艺术馆

见133页地图

945 Madison Ave. at 75th St.

212/570-3676

周一、周二闭馆

$$

地铁：搭6线至77th St.站

惠特尼美国艺术馆的建筑本身即是一件20世纪艺术品；这座严整的矩形块状花岗石大楼为包浩斯建筑师布鲁尔于1966年所设计完成。

惠特尼艺术馆的现代大楼是由包豪斯（Bauhaus）成员布鲁尔（Marcel Breuer）于1966年所设计。这栋厚重的3层楼石材建筑物，看起来就像是倒转的金字塔阶梯，还有一个位于"壕沟"上方的入口斜坡。此区有一处热门的早/午餐地点莎拉贝斯餐馆（Sarabeth's，电话212/570-3670），须经由艺术馆进入餐厅内部。一楼为书店和礼品店，通过一扇十字形转门，即是小型的展览室。此处和其他三层楼展出更新近作品的展览区，到处都散布着当今的创作类型。某些展览有明确的主题，如"疲沓派"（The Beats）；另外则是以当代艺术家为主，例如表演/录影艺术家魏格曼（William Wegman）、非裔美籍艺术家汤普逊（Bob Thompson, 1937—1966）等。有一整间展览室完全展出摄影作品，为馆内近来较新的尝试，至今已曾展过阿柏丝（Diane Arbus）、维基（Weegee）和梅波索普（Robert Mapplethorpe）等重要摄影家个展。位于帕克大道的**惠特尼艺术馆市区分馆**（Whitney Downtown, 120 Park Ave.，电话212/878-2550）展出内容也是出自总馆的收藏和主题。

永久收藏馆：劳德馆

五楼于1998年才扩增的新展览馆，以捐赠人劳德夫妇命名（Evelyn and Leonard Lauder），其中陈列了馆内的永久收藏，且使展出空间扩大了三分之二左右。整个展区共展出293件作品，大约为馆藏1万件的2%，内容包括有雕塑、绘画、摄影、素描和录影作品，这些作品正反映出从20世纪初到40、50年代抽象表现主义出现后这段时期的美国艺术现象。

劳德馆按年代时序来陈列作品，分别从两个方向来探讨，一为从艺术史范畴来呈现20世纪美国艺术大师，另外则为美国现代艺术的整体发展。

惠特尼艺术馆的焦点作品有：科尔德的《圆环》（Circus, 1926—1931）雕塑、欧基芙的《花之抽象》（Flower Abstraction, 1926）、哈波的《星期天清晨》（Early Sunday Morning, 1930）、史戴拉（Joseph Stella）的《布鲁克林桥》（The Brooklyn Bridge, 1939）、帕洛克的《27号作品》（Number 27, 1950）、奈佛逊的《黑色的庄严》（Black Majesty, 1955）、琼斯的《三面旗》（Three Flags, 1958）、罗斯科的《红色中的4点黑色》（Four Darks in Red, 1958）、沃荷的《绿色可口可乐瓶》（Green Coca-Cola Bottles, 1962）、法兰肯德勒（Helen Frankenthaler）的《洪水》（Flood, 1967），以及席格尔的《走，别走》（Walk Don't Walk, 1976）石膏雕塑。

持续改变的动力

惠特尼艺术馆成立时，美国仍不视自己的艺术为严肃作品，同时套一句史龙的话，将美国艺术家看作"厨房里的蟑螂……不想要，也不赞成……"惠特尼艺术馆很大的一项责任即是改变此种态度，最明显的即是每次双年展时所引发的激烈辩论，而这也正代表着艺术环境仍有改变的需要。艺术馆将自身定位为"20世纪美国艺术的倡导者"，借由新增永久收藏馆的大型场地，惠特尼将继续推出强烈感人的展览类型。

汉森（Duane Hanson）的拟真雕塑作品《和狗一起的女人》（Woman with Dog, 1977）。

其 他 游 访 景 点

亚洲协会

以保存亚洲艺术和文化为宗旨的展览馆，设址于一栋由巴尼斯（Edward Larrabee Barnes）于1981年所建的红色花岗岩大楼。馆内永久收藏的亚洲艺术和工艺品，其中一部分为1956年的创办人洛克菲勒三世（John D. Rockefeller, Ⅲ）所捐赠，他希望借此机构使美国人更能了解亚洲艺术和文化。

502 Park Ave. at 59th St. 212/288-6400 周日闭馆 $ 地铁：搭6线至68th St站

葛雷西宅邸

这栋保存良好的联邦风格式房屋，为航运商人葛雷西（Archibald Gracie）于1799年时在一处革命堡垒地点所兴建的。1924年，市政府将这栋宅邸改为纽约市博物馆（Museum of the City of New York），且持续使用至1932年；1942年时它则成为当时市长的官邸。每周三有团体导游，但仅限预约服务。参观内容尚包括市长模拟海珊（Childe Hassam）所绘的纽约街景石版画，以及关于此栋宅邸历史的永久展出。葛雷西宅邸的地点位于史华慈公园（Carl Schwartz Park），此地人潮不多、10英亩大，可从河岸欣赏东河与罗斯福岛（Roosevelt Island）的景致。

88th St. and E. End Ave. 212/570-4751 11月中旬至3月不开放 自由捐献 地铁：搭4、5、6线至86th St.站

葛雷西宅邸，曾经是一座产业小镇，现已发展成为具有市政办公及展览功能的City Hall上部城镇。

纽约协会图书馆

纽约市最古老的图书馆，设址在一栋建于1916至1917年的地标宅邸内。如今仍对外开放，但仅限会员能外借书籍。

53 E. 79th St. 212/288-6900 周六和周日闭馆 地铁：搭6线至77th St.站

插画家协会：美国插画艺术馆

这个独特机构所展示的商业插画，为一般美术馆甚少收藏与展出的创作类型。插画艺术馆设于1875年的屋宅内，1901年时以推广商业插化为目的而创立，早期协会成员包括吉伯逊（Charles Dana Gibson）、葛莱肯斯（William Glackens）、罗克威尔（Norman Rockwell）和雷明顿（Frederic Remington）等知名插画家。馆内收藏共含1500件原版插画作品，时期则涵括1838年起到现在。同时，馆内并附有一收藏丰富的书店。

128 E. 63rd St., between Park Ave. & Lexington Ave.s 212/838-2560 周日、周一闭馆 地铁：搭N,R线至60th St.站

约克城三一圣公会教堂

为了满足约克城移民的精神需求，1896—1999年间造了这栋法国文艺复兴风格的综合建构。这片介于东河与莱克辛顿大道之间、从东77街到96街的区域曾为德国匈牙利人的移民社区，由于和种族味浓厚的东区有小部分重叠，沿着第2大道上，80年代时曾布满了德国商店和熟食店。

316-322 E. 88th St. 212/289-4100 地铁：搭4、5、6线至86th St.站

中央公园的名字取得堪称名符其实，这片占地约800英亩的绿地，差不多就位于曼哈顿的中央地区。这里几乎已成为纽约人生活的一部分，人们总会来公园运动、散步，或者偶尔亲近一下大自然。

中央公园
Central Park

在中央公园挥棒一击。

中 央 公 园

大概很少人知道，中央公园的每个入口其实都有名字。总共大约18个通入口中，只有3个标示出名称，分别是发明家之门（Inventors' Gate）、水手之门（Mariners' Gate），以及工程师之门（Engineers' Gate）。往往，你可能不知不觉便走进了位于中央公园南街（Central Park South）和第6大道（Sixth Avenue）交会口艺术家之门（Artists' Gate），或是公园最北端的战士之门（Warriors' Gate），也可能是任何其他名称的入

中央公园

❶ 旋转木马
❷ 儿童之门
❸ 弓桥
❹ 瑞典小筑

口。然而，在这众多名称里，却忘了把那些将近2000万的公园常客包括进去，如散步的人、溜滑板的人、赏鸟者、自行车骑士、垒球手、做日光浴的人、下棋者、情人、直排轮迷、模型船水手、放风筝的人、游客和写生画家等。

中央公园号称美国第一个对外开放的大型公园，乃是经由不断的尝试、协调，而终于使理想与现实渐趋于一致的工程；它的出现并且带动了伦敦和巴黎的大型公园建设。起初，纽约的富人们只不过想有个地方驾驶马车，顺便也提供劳工阶级一处有益健康的休闲场所。而经历这许多年之后，中央公园虽已因疏忽遭致损坏（最近的修复工程使公园大有改善），但是在纽约人的心目中，它的地位却不仅仅是一片绿地而已。评论家戈伯格（Paul Goldberger）即曾如此比喻中央公园"虽不是一栋建筑物，却是纽约最伟大的建筑。"

此刻造访中央公园，将会看到它最完好的状态，而幕后功臣则是长期捐款支持公园美化改造计划的中央公园保育协会（Central Park Conservancy）。这个私人基金会，已经推行并促成公园内许多的维修工程，最近完工的工程包括重新栽植大草坪（Great Lawn），以及整修公园内一栋仿瑞典校舍的瑞典小筑（Swedish Cottage）；这是最初于1876年费城世纪博览会（Philadelphia Centennial Exposition）漂洋过海运至美国的复制品。公园内其他新近附加的主要景点还包括贝尔维德城堡（Belvedere Castle）里的大自然中心。

绿地计划：都市的未来前景

中央公园的自然景致，巧妙地掩饰了它最为人工雕琢的痕迹。当1853年纽约州通过立法，欲将此处规划为公园时，这片843公亩的土地还布满着茅屋与农田。四年后，中央公园委员会（Central Park Commission）举行公园设计竞赛，一项以当时英国流行的庭园设计为原型的"绿地计划"（Greensward Plan）脱颖而出，计划的设计者欧姆斯德（Frederick Law Olmsted）和瓦克斯（Calvert Vaux）也负责监督工程执行。这项计划强调多元和对比性，包括：开放式的草坪、浓密的树木和林荫广场。欧姆斯德写道：中央公园的"重要功能之一，即是提供那些在夏季无法至乡村旅游的辛勤劳工们一个机会，得以稍微亲近上帝巧思设计的自然美景……"

这项浩大的公园兴建工程动用了2万名工人，耗费20年时间，才于1859年正式开放。其间还清除掉约300万立方码的泥土，炸平一些岩丘，并且栽种约四五百万棵树，以及共816种的其他类型植物，才创造出设计师心目中如画美景的感觉。将原先一处沼泽地开辟成的蓄水池，今日乃是以杰奎琳·欧纳西斯（Jacqueline Kennedy Onassis）命名，并于周围开辟了长达1.6码的慢跑跑道。

早期时，公园仅开放给富人与他们的马车进出，并严格规定禁止野餐等活动。经年累月之后，限令逐渐宽松，最后终至完全废除。各种设施也因此同时进驻公园广大的空地：大都会美术馆的两栋翼楼、绿屋餐厅（Green Restaurant）的草坪、滑轮鞋场、游乐场和网球场等等。有心维护公园原始风貌的人士，极力反对这些加盖工程（像是赛马场、地下停车场的计划便因此而遭到否决）。公园委员摩西斯（Robert Moses）提出在游乐场周边扩建停车场的建议，便在经常推婴儿车散步的妈妈们强烈抗议之下取消了。

就在这般加减计较的争议里，造就了中央公园今日的风貌：一大片宽广的绿地，置身于全世界最有身价的曼哈顿土地上。

中央公园附近

中央公园游客服务中心

✉ The Dairy

☎ 212/794-6564

中央公园野生动物中心

✉ Children'S Gate, 5th Ave. At E. 64th St.

☎ 212/861-6030 212/439-6500

🕒 上午11:30、下午2点和4点喂食海狮

$ $

🚌 公车：搭M1—4线
地铁：搭N、R线至5th Ave.站；6线至68th St.站

旋转木马

☎ 212/879-0244

🕒 周一、周二，及1月至4月不开放

$ $

不知从何处开始游览？在86街南端的儿童之门（Children's Gate, 64th St. and 5th Ave.）附近有一群密集的景点，可从那儿出发，接着再往北走。顺着第5大道的阶梯而下，即会遇到建于1848年用以屯放军械的兵工厂（Arsenal），也就是现在公园管理处（Parks Department）总部大楼。

可沿着大楼外墙的步道，走到**中央公园野生动物中心**（Central Park Wildlife Center），这儿不设任何栅栏铁笼，让450头野生动物自由自在地生活。此地有小朋友们最期待的喂食海狮景象，以及与此相邻的**提许儿童动物园**（Tisch Children's Zoo）。位于动物园西侧、由瓦克斯设计的奶酪场（Dairy）建于1870年，现在为公园游客服务中心。再走下去是国际象棋大厦（Chess And Checkers Building），以及玩一次90分美元的**旋转木马**（Carousel，由柯尼岛移植来此），颇受游客的喜爱。公园的小径迂回曲折，万一迷路了也不要太担心，循着路标或是向当地人询问，自然会找到方向。其实只要天色未暗，玩玩捉迷藏的游戏倒也挺有意思。

奶酪场西北边为一大片的**牧羊草地**（Sheep Meadow）。隔壁便是沿路栽满榆树的林荫**广场**（Mall，介于66th St. & 72 St.之间），包含南端塑像林立的文学步道（Literary Walk），以及北端的**贝塔斯达喷泉台**（Bethesda Fountain Terrace, at 72nd St.）；分为两层的建筑区域中间则是史代宾斯（Emma Stebbins）设计的雕像喷泉"水中天使"（Angels in the Water）。它正好可俯瞰下方宛如蛇体弯曲、占地18英亩的**湖池**（Lake）。湖池东边、靠近74街的**里奥布船屋**（Leob Boathouse），提供出租小船和自行车，并附设一家气氛优美的露天酒吧/咖啡馆。靠近第5大

中央公园初建之时并不处于正中央位置，但自此纽约却是以它为中心逐渐向外扩展。

道处为一**温室池**（Conservatory Pond, at 74th St.），那儿会举行遥控模型船竞赛，并开有一家冰淇淋咖啡屋。

贝塔斯达喷泉台的西侧有几处景点，是为纪念已故摇滚乐手约翰·列侬（John Lennon）而建。列侬于1980年在自己的住所附近遇刺身亡，他的遗孀小野洋子（Yoko Ono）在中央公园西街（Central Park West）和72街交会的入口处造了一座2.5英亩、泪珠外形的花园，并且命名为**草莓园**（Strawberry Fields，取自列侬的一首歌《永远的草莓园》）。周围的人行道上，嵌有尼泊尔和意大利所捐赠的马赛克磁砖，中央处则标示了列侬的另一首歌曲的名称《想象》（Imagine）。

位于朗姆西游乐场（Rumsey Playfield）的**中央公园夏季舞台**（Central Park Summerstage），每到夏季便有许多免费活动和表演，从演唱会到歌剧、文学朗读，皆具专业水准。外向好动者可以到72街的两处入口参加免费滑轮课程，开放时间为每年的4月到10月之间。

过了湖区那座铸铁的弓桥（Bow Bridge，公园中区 74th St. 附近），即可通至迂回**小径**（Ramble）。一如其名，这片37英亩的丘陵地到处遍布着小路和落叶，有大群鸟儿栖息，成了赏鸟的好去处。公园西大道（West Drive）靠近79街处，有一栋刚整修完毕、仿19世纪瑞典校舍的**瑞典小筑**（Swedish Cottage），内部并有木偶戏的演出。隔壁则是1916年为纪念大文豪逝世300周年而建的**莎士比亚庭园**（Shakespeare Garden），园内种植了许多曾出现于莎翁剧作中的植物。每年夏天的纽约莎士比亚戏剧节（New York Shakespeare Festival），即在这里的**德拉寇特露天剧场**（Delacorte Theater）演出莎翁的名作。

以前称作乌龟池（Turtle Pond）的贝尔维德湖（Belvedere Lake）畔，坐落着梦幻般的贝尔维德城堡（Belvedere Castle），里面设有**露斯自然观测所**（Henry Luce Nature Observatory）。观测所的水观察室和树木观察室（Wood And Water Discovery Room），是专为儿童自然教育课程而设计。最近才重新翻种的**大草坪**（The Great Lawn）上，便是每年夏天大都会歌剧院

里奥布船屋

☎ 212/517-3623

🕒 周一闭馆

$ $$$$（外加押金）

中央公园夏季舞台

✉ Rumsey Playfields

☎ 212/360-2777 或 212/360-2756

🕒 夏季开放

瑞典小筑

✉ Near West Drive

☎ 212/988-9093

🕒 仅夏季开放，时间请电话洽谈

$ $$，需电话预约

公园里的莎士比亚戏剧

✉ Delacorte Theater

☎ 212/861-7277

🕒 夏季开放

$ 免费索取入场券

露斯自然观测所

✉ Belvedere Castle

☎ 212/772-0210

🕒 周一不开放

对孩子们而言，爱丽丝梦游仙境的主角们正是公园中最杰出的雕像。

公园里的雕像

中央公园的第一座雕像，是德国剧作家兼哲学家席勒（Johann Christoph Friedrich Von Schiller）的青铜半身像，于1859年时放置在迂回小径上。其他的文学家塑像，则有林荫广场南边文学步道沿路上的彭斯（Robert Burns）和史各特（Walter Scott）。诸多人物里面，只有一位美国诗人海列克（Fitz-Greene Halleck），他曾是纽约尼可巴克笔会（Knickerbocker Group）的一员。

美国雕塑家华德（John Quincy Adams Ward）在1886年造了莎士比亚像和写实铜像《印第安猎者》（Indian Hunter），目前置于林荫广场的西南方；另外他于1884年塑的《朝圣者》（The Pilgrim），则放在72街温室湖（Conservatory Lake）的南边。孩子最爱在雕塑家克里夫特（Jose De Creeft）塑的爱丽丝梦游仙境群像（Alice In Wonderland, 1959）爬上爬下，或是坐在罗伯（Georg John Lober）的安徒生像（Hans Christian Anderson, 1956）腿上，铜像的腿上有一本摊开的书，脚下则是一群小鸭。

（Metropolitan Opera）和纽约爱乐交响乐团（New York Philharmonic）提供免费演出的场所。位于前方的大都会博物馆附近，设有一座**“克丽欧佩特拉的针”**（Cleopatra's Needle）。这座约公元前1475年的古迹高65英尺，为埃及在1885年献给纽约的厚礼，也是全中央公园最显著的地标。

中央公园的北边，除了贾桂琳·欧纳西斯水池周围的慢跑步道外，游客较为罕至，因此自然景观也相对较多。**温室庭园**（Conservatory Garden）位于第5大道和105街交会口，参观者可以从凡德比尔特之门（Vanderbilt Gate）进入；此入口的名字取自第5大道上的凡德比尔特宅邸（Vanderbilt Mansion）。温室庭园的设计十分对称，园中的两个雕像喷泉周围常随着季节变化，而栽种各色不同的花草。

公园最北边是占地11英亩的哈莱姆米尔（Harlem Meer），它的北侧则是**德纳自然探奇中心**（Charles A. Dana Discovery Center）。中心提供亲子自然课程，四周的野生林地就是最好的教材。想找好的冬季户外场所，可以到园内著名的**沃尔门溜冰场**（Wollman Rink），天气暖一点的时候，这里还有溜冰教学。

德纳自然探奇中心

Northern Shore, Harlem Mear

212/860-1370

周一闭馆

沃尔门溜冰场

Near 59th St. at 6th Are

212/396-1010

$$ 请打电话咨询租费及培训费。

由于居民的热心投入，使得这个介于两座公园之间的社区显得活力十足。随着林肯中心的成立，表演艺术更在此地逐渐蓬勃成长。

上 西 区
Upper West Side

美国自然史博物馆里陈列的霸王龙。

上 西 区

西边以哈得孙河（Hudson River）及河滨公园（Riverside Park）为界、往东抵达中央公园，从59街延伸到110街之间一带，便是纽约甚受欢迎的住宅区。在这个社区里，艺术、商业和居家三种不同的生态完全和谐共存。往往，在繁忙大道上的商店旁便矗立着百年古迹，而距离闹区对面不远处，或许即是充满宁静优雅气氛的石砌街道。由于居民们以开放、包容的想法来讨论各种社会或政治性议题，使得社区形成一股紧密的连结性，并让邻人之间有着如家庭般的亲密感。而对于社区古迹的保存维护，也是不遗余力。

上西区虽然景致迷人，但尚未构成发展为观光区的充足条件。实际上，第5大道将本区一分为东、西两半，中央公园在地理位置虽属于上西区范围，但这个宝贵资产其实是由全纽约市共同分享。西区的居民妥为利用邻近之便，因此周末时往往人满为患。

美国自然史博物馆（American Museum of Natural History，见184—186页）是全球同类型博物馆中最具规模者之一。位于中央公园西街（Central Park West）的纽约历史协会（New York Historical Society，见182-183页）也十分精采，但常常由于游客却在为数众多的博物馆中无从选择，因而与它失之交臂。林肯中心（Lincoln Center）为美国顶尖的表演艺术中心，热爱交响乐、室内乐、芭蕾舞和歌剧演出的朋友，千万不可错过这个艺术圣地。

上西区内有许多咖啡馆、餐馆和精致小店，其实来到上西区，最重要的即是观察典型的纽约人生活形态。大部分的住宅区很稠密且自给自足，商店、学校等各种设施样样俱全。

达科他公寓带动社区发展

造成上西区发展的主要因素在于交通便利。在高架道路于1879年完工以前，沿着哥伦布大道（Columbus Avenue，当时的第9大道）一带充斥着农地和茅舍，后来有大部分都被移为中央公园用地。1884年，在如此偏远、荒置的土地上建造达科他公寓（Dakota Apartments）的计划，在当时即因被视为草率、大胆而广受批评。

然而与此同时，却有人纷纷跟进。1884年，后来接管梅西百货的经营者史特劳斯（Isidor Straus）为了想在河滨公园比邻而居，搬到了105街和西端大道（West End Avenue）交会口处；南北战争中的著名大将谢尔曼（William Tecumseh Sherman）于1886年时也迁入西71街（West 71st St.）的寓所。同年，纽约时报写道："一年前这儿仍只见空旷的土地和农市，今日却有数以千计的木匠和石匠投入此地的建筑工程。"

1904年地下铁通过此处，更推动了社区繁荣的脚步。这股兴盛脉络并一直延续至1920年代末和1930年代初，中央公园西街上双塔式的高耸公寓饭店如雨后春笋般地冒出。

土地开发者原本意图吸引企业家及社会菁英往上西区发展，万万没想到这里却演变成艺术、出版和广告相关领域人士的聚集点。高雅的安桑尼亚饭店（Ansonia Hotel）即曾住过各类的名人，如棒球明星鲁斯（Babe Ruth）、小说家德莱塞（Theodore Dreiser）、音乐家史特拉文斯基（Igor Stravinsky）、经纪人查菲尔德（Florenz Ziegfeld）和男高音卡罗素（Enrico Caruso）。

上西区的吸引人之处，正由于它紧邻中央公园的地点、整体的历史建筑，以及过往的知名旅人和居民，也因此至今仍受到不少名人的青睐。

Manhattan
Area of map detail
Hudson
UPPER
WEST SIDE
HENRY HUDSON PARKWAY
RIVERSIDE PARK
RIVERSIDE DRIVE
MILLER HIGHWAY
WEST END AVENUE
BROADWAY
AMSTERDAM AVENUE
COLUMBUS AVENUE
CENTRAL PARK WEST
WEST 100TH STREET
WEST 96TH STREET
WEST 92ND STREET
WEST 86TH STREET
WEST 79TH STREET
WEST 72ND STREET
WEST 66TH ST.
96th Street
86th Street
79th Street
72nd Street
66th Street-Lincoln Center
81st Street-Museum of Natural History
59th Street-Columbus Circle
VERDI SQUARE
SHERMAN SQUARE
COLUMBUS CIRCLE
American Museum of Natural History
New-York Historical Society
Lincoln Center
Museum of American Folk Art
0 600 yards
0 600 meters
上西区
❶ 士兵与水手纪念碑
❷ 西端学院
❸ 安桑尼亚饭店
❹ 美国圣经学会
❺ 世纪公寓
❻ 艺术家饭店
❼ 雪儿里斯犹太教会
❽ 达科他公寓
❾ 圣雷莫公寓
❿ 海顿天文馆

林 肯 中 心

林肯表演艺术中心

见175页地图

65th St. At Broadway

212/875-5400
开放时间洽询：212/546-2656
导览专线：212/875-5350
大都会歌剧院（Metropolitan Opera House）后台导览：212/796-7020（须事先预约）

地铁：搭1,9至66th st.Lincoln Center

成立至今逾30多年的林肯表演艺术中心（Lincoln Center for the Performing Arts，简称林肯中心），它的卓然成就已勿庸置疑。此地不仅是全美最大的表演艺术中心，甚至深受许多从未入座观赏表演的纽约人和游客们所喜爱。终年约有500万名观众欣赏演出，但却有难以计数的群众乐于到宽阔的广场游逛、倘佯在仲夏夜的喷泉池畔、欣赏露天舞蹈表演，或是到西南角的丹罗许公园（Damrosch Park）享受在古根海姆露天舞台（Guggenheim Bandshell）免费演出的精采节目。

除了大都会歌剧院（Metropolitan Opera House）和纽约市歌剧院（New York City Opera House）提供的固定演出之外，纽约爱乐交响乐团和美国芭蕾剧场（American Ballet Theater）也在这里表演。此外，特利厅（Alice Tully Hall）的音乐会、夏季的爵士乐盛会，以及莫扎特音乐节（Mostly Mozart Festival），均是林肯中心的重量级节目。

1987年，适逢莫扎特逝世两百周年，林肯中心里各式不同的厅院舞台全都用来表演这位伟大音乐家的作品，总共约举行了500多场音乐会。即使坐在家中，也可以从公共电视频道收看到林肯中心现场直播（Live at Lincoln Center）的音乐和歌剧系列。薇薇安剧院（Vivian Theater）专门上演舞台剧和音乐剧。此外，林肯中心并提供约1小时的各种导游行程。

纽约表演艺术公共图书馆

纽约市立图书馆（New York Public Library）最精采的

收藏之一于1965年在林肯中心正式开放（Tel 212/870-1630）。这座租借的图书馆内容包含音乐、舞蹈和戏剧等项目，囊括共20多万件的书籍、唱片、录音带、CD、录影带、乐谱和儿童类教材。三楼的资料可供研究之用，四楼是展览馆。

舞蹈馆（Dance Collections）是全世界最丰富的舞蹈资料馆，里面共有3万多件的书籍、手稿、戏服、舞台布景和舞蹈界精英的访谈录音。其中包括罗宾斯动态影像资料馆（Jerome Robbins Archive of Recorded Moving Image），收藏有关舞蹈表演的影片和录影带。

音乐部分则有**罗杰斯和汉默斯坦录音资料馆**（Rodgers & Hammerstein Archives of Recorded Sound），馆藏的录音带和录影带数量将近50万盘；还有美国爵士乐、流行音乐和殖民时期的乐谱收藏。**比利·罗斯戏剧馆**（Billy Rose Theater Collection）里包含有戏剧、电影、广播、电视、杂耍、马戏和魔术等各类主题的剪报、剧码、海报和照片。**影片和影带戏剧馆**（Theater of Film and Tape Archives）则有1600多卷的演出影片和录影带。

雕塑

林肯中心的数件现代雕塑作品中，最有名的是摩尔（Henry Moore）1965年的作品《倾斜的肖像》（Reclining Figure）。这件30英尺高的抽象派铜雕，分别为两个部分矗立在大厅水池中。摩尔在完成雕像后表示："希望它能与建筑物规矩的几何造型形成一种对比的感觉。"科尔德（Alexander Calder）于1965年雕塑的14英尺高作品《窗口》（Le Guichet），为一面大型钢板附着于四条腿上，仿佛蜘蛛般地盘踞于表演艺术图书馆前。中心对面百老汇大道和哥伦布大道交叉口处，竖立了一座由希波德（Milton Hebald）塑制的塔克(Richard Tucker）胸像；塔克自1945年起至1975年逝世为止，始终担任大都会歌剧院的首席男高音。

暮色中，点燃灯火的林肯中心散发出柔和的光芒。下图：中国舞者。

建筑

摩西斯（Robert Moses）这位颇有魄力的纽约都市计划兼建造师，将兴建林肯中心视为一项都会重建工程。这项工程的主要赞助者为洛克菲勒家族（Rockefeller Family）。为了工程的进行，西区（West Side）的好几处建筑地标皆被夷为平地，附近多年的居民也遭到遣散的命运。沿着西端大道的地区，盖起了可容纳10 000人左右的高楼。林肯中心的启建，则将这个原属于蓝领阶级的住宅区，彻底改变成中产阶级住宅区。而想不到的是，就在即将拆除之前，旧社区竟因为音乐剧《西区故事》（West Side Story）电影版的拍摄工作而享受到片刻的光彩。

林肯中心上演的《胡桃夹子》（The Nutcrackers）已成为纽约圣诞节的传统节目之一。

首先兴建完工的是耗资1970万美元、阿布拉莫维兹（Max Abramovitz）所设计的爱乐厅（Philharmonic Hall）。1962年9月23日开幕以来，便因为音响问题而令人煞费苦心，经过多番修改之后，终于在1976年将问题彻底解决。这座可容纳超过2700名观众的爱乐厅，于1973年更名为**费雪厅**（Avery Fisher Hall）；费雪这位制造商对于硬体设备能否原音重现十分在意，他曾捐款1000万美元予林肯中心，其中部分金额即用于改善爱乐厅的音响效果。

由林肯中心的总建筑师哈里森（Wallace K. Harrison）设计的**大都会歌剧院**，是整个建筑结构中最大的一个厅院（近4000个座位），所花费的金额也最高（4690万美金）。中心内第三大厅，是由约翰森（Philip Johnson）在1964年设计的**纽约州剧院**（New York State Theater）。剧院的建造由纽约州和纽约市赞助，初期同样有音响方面的问题，到1982年才完全改善过来。建筑评论家哈克斯特堡（Ada Louise Huxtable）曾批评这三个主厅："装潢过于繁复，设计保守、了无新意，虽能取悦一般大众，但对专业人士而言，设计创意和水准皆属失败。"

林肯中心剧院（Lincoln Center Theater）内含两个剧场，分别是波蒙特剧场（Vivian Beaumont Theater）和纽豪斯剧场（Mitzi E. Newhouse Theater）。林肯中心剧院和纽约表演艺术市立图书馆都是在1965年完成，而它们的各自建筑师当时也被视为不寻常的组合：萨里南建筑工作室（Eero Saarinen &Associates）负责设计剧院，而建于剧院之上的图书馆则是由史基摩尔（Skidmore）、欧文斯（Owings）和梅利尔（Merrill）联手设计。**茱莉亚音乐学院**（The Julliard School of Music, 144 W. 66th St.）建于1968年，内含可容纳1000人的特利厅（Alice Tully Hall），也是林肯中心室内乐团（The Chamber Music Society of Lincoln Center）的团址。1991年时完成的罗斯大楼（Samuel B. and David Rose Building）高达28层，里面设有办公室、彩排室、宿舍、图书馆分部和消防站。

美国民间艺术馆

美国民间艺术馆的成立，乃是向美国传统民艺致上最高的敬意。馆内展出那些无师自通、才华洋溢的艺术家之杰作，无论是用旧瓶子堆砌的城堡，或是运用想象力削出的木马、拐杖，全是他们花费毕生心血完成的艺术结晶。

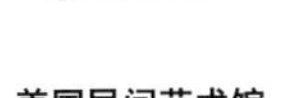

当艺术馆在1963年完工时，民间艺术（Folk Art）仍被视为大众通俗艺术。当讨论到所谓民间艺术的定义与形式，艺术馆决定采用广义的诠释，馆内展出的作品种类也遵循这个原则。于是在这里，人们可以看到实用性的装饰品，如拼布百衲被、商店门牌、墓碑、风向标、狩猎用具等；另有宗教性器皿，以及饼干盒、彩绘锡罐等日常用品。此外还有艺术家个展，如摩西婆婆（Grandma Moses）的作品展出。

艺术馆呈现出十字的造型，它的单纯设计、中性色调和挑高屋梁，都是为了衬托艺术品之美。耸立在中庭、高达12英尺的巨大圣塔莫尼风向标（St. Tammany Weather Vane）位于仿制的农舍顶端，造型为铜制的印第安人像。事实上，艺术馆的空间根本不敷使用，较大的新馆目前正于西53街（West 53rd St.）处施工中，预计将于2001年1月完工；现址将会改为一座卫星博物馆。

民间艺术馆目前有两个不定期更换主题的展览室，入口处的右侧置放永久馆藏的精彩作品。菲利普（Ammi Philips）的《携着猫狗的红衣女子》（Girl in Red Dress with Cat and Dog, 1834—1836）一画，为19世纪旅行艺术家的代表作品。馆中最知名的作品，即是于1962年得到的第一件馆藏作品《旗门》（Falggate, 约1876, 作者不详），画中描绘的是一扇像美国国旗的门，其玄妙之处在于星条旗的方向倒反，使星星呈现于右上角。

美国民间艺术馆

见175页地图

2 Lincoln Sq. & Columbus Ave. between 65th St. & 66th Sts.

212/595-9533

周一闭馆

地铁：搭1、9线至66th St.-Lincoln Center站

上图：圣塔莫尼原为一政治团体的名称，风向标也以此命名。

左图：馆中展示的拼布百衲被。

穿梭于公园之间

上西区一度是纽约市最好的旅馆和住宅区。这趟充满怀旧之情的徒步游览，从中央公园西街和西70街一带的老房子逛起，终点站则是绿意盎然的河滨公园，由此可远眺哈得孙河与河岸区（Palisades），还有慢跑道、棒球场、滑雪和休闲区。沿路有好些截然对比的景致将让你不由得便停驻下来：上一刻你可能还在街边书店，以折扣价买一本绝版书，下一秒也许便已看到高耸雄伟的建筑矗立在眼前。途中会经过各式各样的餐馆和商店，不妨外带一份可口的餐食，到终点处的河滨公园野餐。

徒步游览的第一站为**雪儿里斯犹太教堂**（Shearith Isarael Synagogue, W. 70th St. Central Park West，电话212/873-0300）❶，纽约市犹太教会于1897年建造了这座西班牙和葡萄牙式的复古教堂；西葡后裔犹太人（The Sephardic Jews）在1654年由巴西迁徙至纽约。往北走一条街到中央公园西街115号，即会看到钱宁（Irwin S. Chanin）在1930到1931年间建造的**庄严公寓**（Majestic Apartments），它是4座面朝公园的双塔式建筑之一。接着左转西71街（West 71st St.）。

介于中央公园西街和哥伦布大道之间，有几栋建于1890年左右、有着挑高门廊和围篱的褐色石砖建筑，可仔细观察24号住户屋檐上的邱比特像。哥伦布大道和百老汇大道之间，则是罗马天主教的**万福圣餐会教堂**（Church of Blessed Sacrament）❷。这个新哥特式的建筑，是由知名的教堂建筑师史坦贝克（Gustave Steinback）于1917年所建。位于百老汇大道西北角的171号，是古典装饰风格（Beaux-Arts）的**多利尔顿公寓**（Dorilton），九层楼高的公寓上面盖了两层半楼高的双斜坡屋顶，是现今城里的地标建筑。它在1902年正式开放时，曾被当时的评论家讥讽为奇丑无比，但种种缺点如今皆成了优点。

附近阿姆斯特丹大道（Amsterdam Avenue）和百老汇大道于西73街交会处，有一个**威尔第广场**（Verdi Square）❸，是以广场中一座威尔第（Giuseppe Verdi）雕像命名。意大利的爱国音乐家威尔第逝世于1901年，5年后的1906年这座雕像随即落成。雕像的圆柱形底座周围环绕着他曲中的4个角色——法斯达夫（Falstaff）、阿依达（Aida）、奥特罗（Otello）和里奥诺拉（Leonora）。装饰华丽的**地铁站凉亭**（Subway kiosk）是1904年的设计，将阿姆斯特丹大道和百老汇大道交会地点衬托得极为雅致：这个忙碌的交岔口也是购物中心和地铁站所在。百老汇大道2100号为先前的中央储蓄银行（Central Savings Bank, 1928），堂皇的大楼正好成为威尔第雕像的背景。

沿着百老汇大道继续向北（上城）行，介于西73街和西74街之间的2109号，便是古典装饰风格的**安桑尼亚饭店**（Ansonia Hotel），也是纽约最受欢迎的饭店公寓大厦之一。建筑师杜柏瓦（Paul E. M. Duboy）将巴黎的味道，带进装饰华丽的大楼设计。厚实的结构兼具防火和隔音的功能，因此吸引了不少旅客和租户。

左转到西77街250号，则是建于1901年古典装饰风格的**贝尔克莱饭店**（Hotel Belleclair），此为公寓建筑师罗斯爵士（Emery Roth, Sir）的第一件设计作品。

从77街继续走到西端大道（West End Ave.），两旁尽是造型突出的公寓。**西端学院教堂**（West End Collegiate Church, 245 W. 77th St.）❹是1893年荷兰文艺复兴风格的建筑，最引人注目的地方是它阶梯式的墙；同时，它也是新阿姆斯特丹第一座建于1628年的荷兰改革会教堂（Dutch Reformed Church）直属后裔。312号为爵士乐大师戴维斯（Miles Davis）的旧宅。向西走到蜿蜒的河滨大道（Riverside Drive），再向右转，道路两旁民房、豪宅林立，西80和81街之间为19世纪90年代的历史排屋区，其中103、104、105和107—109号是建筑师楚（Clarence F. True）的设计。

河滨大道140号（位于西86街东北角）的19层楼高的诺曼底公寓（Normandy Apartments）出自罗斯之手，

他在设计上的许多灵感如圆角设计等，皆来自于意大利文艺复兴风格建筑。河滨大道上尚存两栋独立的宅邸之一莱斯之屋（Issac L. Rice House）❺，坐落在89街的东南角，是由两位剧院建筑师赫兹（Herts）和泰伦特（Tallent）所设计。宅邸的对面，河滨公园（Riverside Park）❻内有一座高达100英尺的士兵与水手纪念碑(S olders' and Sailors' Monument)，杜柏瓦也曾参与纪念碑的设计。

河滨大道与河滨公园都是地标式的景观建筑。1865年时，这儿的土地被保留起来以提高日后的地价。欧姆斯德（Frederick Law Olmsted）于1873年设计了这座往下延伸至哈得孙河的河滨公园，此地也正是让你稍微歇息一下的好地方。

见封面内页地图

▶ Shearith Israel

Synagogue 近2英里

约1小时

▶ Riverside Park

不可错过的景点

- 万福圣餐会教堂 (Church of the Blessed)
- 威尔第广场 (Verdi Square)
- 西区大圣堂 (West End Collegiate Church)
- 士兵与水手纪念碑 (Soldiers´ and Sailors´ Monument)

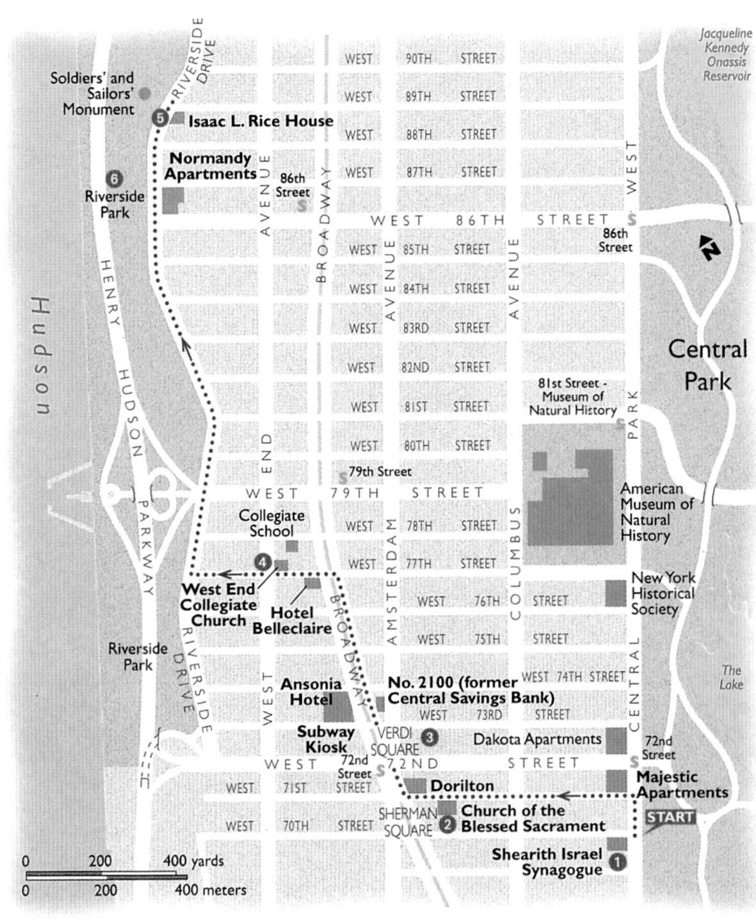

纽约历史协会

纽约历史协会

见175页地图

170 Central Park West, between W. 76th St. And 77th St.

212/873-3400

周一闭馆

$$

地铁：搭B,C线至81st St.站

成立于1804年的纽约历史协会（New-York Historical Society）是纽约最古老的一座博物馆，在全美国则位居第二。成立之初，原文名字采用〝New-York〞连体字的写法，依然保留至今。协会以广大而多样化的收藏闻名，有全美最齐全的蒂芙尼灯饰、奥都朋（John James Audubon）的〝美洲鸟类〞（Birds of America）水彩画真迹，以及数百万册的书籍和手稿。

1908年，协会迁到了它目前所在的新古典造型大楼。从西77街的入口进入典雅大厅，里面包括几个展览室和一家纪念品店。（别忘了在购票处拿一本导游手册，可了解最新的展览事项）。度过90年代初期的经济危机之后，协会以活泼的展览重新出发。1998年和1999年的展出包括〝从餐车到餐厅〞（From Pushcarts to Restaurants）特展，以及庆祝纽约市立芭蕾舞团（New York City Ballet）建成50周年的〝城市之舞〞（Dance in the City）主题。

花岗岩外墙、新古典式庄严风格的纽约历史协会。

楼上三层楼有更多的展示空间，地下室则有儿童可动手参与的永久典藏馆**儿童之城**（Kid City）。在这里小朋友可以穿上戏服，手持古董玩偶大过戏瘾。三楼是**版画和摄影部门**（Department of Prints and Photographs），稀有作品如奥都朋的水彩真迹等皆可经由预约而亲眼得见。四楼的展览室自1999年开始整修，图书馆则维持开放。

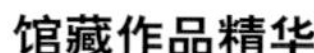

馆藏作品精华

以19世纪一位收藏家兼艺术赞助人命名的**瑞德馆**（Luman Reed Gallery），重现了瑞德于1830年在自己住处（13 Greenwich St.）开设的摄影艺廊风貌。瑞德坚信艺术对于国家的发展十分重要，他聘请哈得孙河画派（Hudson River School of Landscape Painting）的创始人柯尔（Thomas Cole）创作一幅5段式的寓言作品《帝国进程》（The Course of Empire），正是展览室的焦点之一。但除此之外，此处并收藏荷兰、法兰德斯、德国和意大利的绘画和版画，以及其他珍贵收藏。

微光馆（Lowlight Gallery）内的灯光永远保持微暗状态，以保护展示的稀有文件书信。例如，英国伯戈内将军（Gen. John Burgoyne）所写的那封终止美国独立战争的投降书、英王查理二世1674年指示英军从荷兰人手中接管新荷兰（New Netherland）的授权书，以及股市崩盘当天的一封电报，皆在保护展示之列。馆内并时常轮

替更换展项。

协会的图书馆也十分值得一游，且无须事先预约。图书馆的收藏极为可观，约有60万册书籍和逾百万份的手稿，其中包括林肯的第二次就职演说稿（Lincoln's Second Inaugural Address）首印版本，以及精采的18世纪报纸收藏，如1725年到1744年间的纽约新闻报（New-York Gazette）、冉格（John Peter Zenger）的纽约周刊评论（New-York Weekly Journal）。

特别典藏

从殖民地时代到维多利亚时代的银器，包括纽约当时的银匠麦尔斯（Myer Myers）的作品，和名人家族如罗斯福（Roosevelt）、舒勒斯（Shuylers）的家中陈设。**纽斯达收藏馆**（Neustadt Collection）中的蒂芙尼灯饰，是得自20世纪晚期一位物理学家的收藏。**蓝道尔商业和广告艺术馆**（Bella 约 Landauer Collection of Business and Advertising Art）则展出多达百万件的项目。

历史

协会创办人之一的平塔德（John Pintard）在1791年时，将他从各地收藏的所有东西公开于市政府短期展出，此项展览成为日后的纽约历史协会的收藏基础。同时，在大都会美术馆尚未于1870年开幕之前，历史协会社是纽约最早、也是惟一的美术馆。1858年，协会获得富商瑞德（Luman Reed）丰富的私人收藏遗赠；在1836年瑞德逝世后，朋友和同事们即于市府公园（City Hall Park）的圆厅（Rotunda）内设立一所纽约美术馆（New York Gallery of Fine Arts），并将瑞德的收藏品公开收费展示。当圆厅关闭后，整个收藏便捐给了历史协会。

1863年协会添购了一项珍贵的收藏，那就是奥都朋的美洲鸟类（Birds of America, 1827—1838）水彩作品，其他还包括一些建筑草图及迷人的玩具收藏。

柯尔绘于1826年的油画作品，内容描绘古柏（James Fenimore Cooper）笔下《最后的莫希干人》（Last of the Mohicans）中的一景。

美国自然历史博物馆

在美国自然史博物馆（American Museum of Natural History）里，有着巨大的恐龙骨骼和穴居人标本，正是带小朋友们一起游访的好地方。但别误以为此地只是为儿童而设的小型博物馆，其实它不仅是全世界最大的博物馆之一，还是重要的科学教育机构。含跨4个方形街区的博物馆中，共收藏有将近4000万种标本，其中包括96%的鸟类种属。

每年约有300多万的造访者来到这座巨大的博物馆，同时得决定自己最想参观的项目为何。一些展示有导游服务，不过许多人宁可随个人兴趣挑选。最受欢迎的展项非恐龙标本莫属，在一楼的圆厅中置有一个高达55英尺的巴洛龙（Barosaurus）复制品，整个四楼也同样为史前动物展览。有人也许会对矿石厅（Hall of Minerals and Gems）、北美印第安人（North American Indian）展览感兴趣，或者想参观最新成立、以非洲雨林为主题的生物多样性厅(Hall of Biodiversity)。馆内还包括更多的其他种类展览，可善加考虑。

美国自然历史博物馆

- 见175页地图
- Central Park West At 79th St.
- 212/769-5000
- $$（自由捐献）
- 地铁：搭C线至81st St.站；1、9线至79th St.站

185页图：美国自然历史博物馆入口处展示的庞大恐龙。

一楼所展示者主要为鸟类、脊椎动物，以及北美地区的哺乳动物、鱼、森林和纽约州环境生态等主题。**西北岸印第安人厅**(Hall of the Northwest Coast Indians）的中央，有两列壮观的图腾高柱。在**软体动物和世界厅**（Hall of Mollusks and Our World）中，有博物馆于1874年收藏的5万多种壳类动物。而探险家皮尔里（Robert Peary）1897年在格林兰（Greenland）发现的一块重达34吨的陨石，则是馆中**陨石厅**（Hall of Meteorites）的焦点所在。**矿石厅**（Hall of Gems）里有一颗563克拉的"印度之星"(Star of India）蓝宝石，是得自1901年摩根（J. P. Morgan）的捐赠。

二楼的**惠特尼海洋鸟类厅**(Whitney Hall of Oceanic Birds）是惠特尼（Gertrude Vanderbilt Whitney）为纪念亡夫哈里（Harry Payne Whitney）所设立的。惠特尼在20世纪20年代到30年代间，协助博物馆对鸟类学的研究和标本采集工作。这里还有**世界鸟类厅**（Hall of Birds of the World），专门展出亚洲、非洲、中美洲、南美洲和墨西哥的史前生物。

三楼设有**太平洋人种厅**(Hall of Pacific People)，以及其他如爬虫类和两栖类、东方印度林地（Woodland）和平原(Plains)、灵长类和北美洲鸟类等多项展览。

四楼全部都是恐龙。在这里可以看到500年来的发展，从

原始的脊椎动物到庞大的哺乳类如长毛象和乳齿象等。**索瑞席恩龙厅**（Hall of Saurishian Dinosaurs）内展示的是可直立行走的物种，如霸王龙（Tyrannosaurus Rex）骨骼，和最近重组后尾部加长的阿帕塔龙（Apatosaurus）等。**飞鸟龙厅**（Hall of Ornithischian Dinosaurs）里有在怀俄明州（Wyoming）发现的有甲衣的史特古龙（Stegosaurus），以及具有钉状颈项和鼻子的史帝拉寇龙（Styracosaurus）。**哺乳类和相关濒临灭绝物种厅**（Hall of Mammals and Their Extinct Relatives）是全世界最大的化石收藏馆，陈列有犰狳、猫、狗、熊、海豹、鲸、骆驼及其他现存动物的祖先化石。

博物馆为迎合潮流，也规划了购物区、餐饮区和娱乐场所，例如恐龙商店（Dino Store）、青少年商店（Junior Store）、总店（Main Shop）、放映立体电影（IMAX）的自然电影院（Naturemax Theater）、恐龙餐厅（Diner Saurus Cafeteria）和庭园咖啡馆（Garden Cafe）等。

博物馆于1874年迁至目前的馆址，馆长葛兰特（Ulysses S. Grant）并为第一座大楼的兴建仪式奠基；这栋维多利亚哥特式建筑是由瓦克斯和莫德（Mould）所共同设计，在不断加建的大楼环伺之下，如今几乎已难以窥见。

博物馆正门口的骑马塑像是福来泽（James Earle Fraser）的作品，展现出罗斯福的勃发英姿，两旁各由一名非洲人和美洲印第安人护卫着。罗许和汀克罗工作室（Roche, Dinkeloo and Associates）于1992年负责承建博物馆的图书室。

起初，博物馆内大部分皆是鸟类和鱼类的标本。如今标本种类已扩增许多，馆员时常创新各种方法使展览兼具教育性及趣味性。**人类生物和进化厅**（Hall of Human Biology and Evolution）的原始人类展，就用了生动的方式来呈现老祖先的生活。同样地，二楼**非洲亚克里哺乳动物纪念厅**（Akeley Memorial Hall of African Mammals）内栩栩如生的图景，也有助于观者详细了解动物。此厅是以杰出的科学家和标本制作者亚克里（Carl Akeley）命名，他曾研究出可使标本动物显得自然、生动的方法；自1909年起即与博物馆长期合作，截至1926年于非洲探险途中丧生为止。

由于参观博物馆的人数日益增多，馆内人员因此致力于推陈出新，期待将珍贵馆藏以最吸引人的方式呈现给大众。

海顿天文馆

Central Park West At 81st St.

212/769-5900

2000年以前闭馆修复

电话洽询

地铁：搭C线至81st St.站

罗斯地球与太空中心

作为纽约最新的建筑杰作，该中心可说是一项壮举，它为观众打开了一道大门，进门之后观众即可用各种感觉来体验宇宙。

中心的主体部分是一个方形玻璃罩，覆盖着重达400万磅的海顿球。在经过改建的海顿天文馆里，观众可通过世界上最大的视觉模拟装置观察外层空间。中心的其余部分包括“地球行星馆”，“宇宙馆”，“宇宙比例馆”，以及非凡的“宇宙通道”。“宇宙通道”是一个螺旋形斜坡，可引导观众穿越130亿年间宇宙进化的历程。

中央公园西街

中央公园西街（Central Park West）和上东区的市街风格迥然不同。东区拥有许多百万富豪的宅邸，西区则是以4栋双塔式大楼、1栋三塔式大楼所构成的特殊轮廓为特色。5栋具有历史价值的世纪公寓、庄严公寓（Majestic）、圣雷莫公寓、三塔式的柏瑞斯福特公寓及艾尔多拉多公寓，都是于1929年至1931年间兴建完成，地区范围则介于西62街和西91街之间。

其中的几栋公寓，都是由钱宁建筑工作室（Irwin Chanin Company）所承建或出资委建完成。钱宁于1925年首次在巴黎博览会（Paris Exposition）接触到装饰艺术，返国后即将所学应用在纽约的大楼设计，1931年建造的**世纪公寓**（Century Apartments，25Central Park W. at 62nd St. to 63rd St.）便是一例。建于1910年的**纽约伦理文化协会**（New York Society for Ethical Culture, 2 W. 64th St.，电话212/874-5210）则是一栋庄严的新艺术风格建筑；这个人文宗教性机构，乃是为筹备成立ACLU和NAACP的临时单位。位于中央公园西街55号（靠近66街的街角），则曾是80年代电影《魔鬼克星》（Ghostbuster）的拍摄场景。

西67街（W. 67th St.）1号的**艺术家饭店**（Hotel des Artistes）开幕于1918年，由于当时只提供无炊的雅房，房客因此多半至一楼的**艺术家咖啡馆**（Café des Artistes）用餐。现在每一户皆已增设厨房设备，咖啡馆却仍是城里最受欢迎的餐厅之一（电话 212/870-3500）。哈登堡（Henry J. Hardenbergh）于1884年建的**达科他公寓**（Dakota Apartments）位于西72街1号。这栋德国文艺复兴造型的公寓乃是借用达科他领地（Dakota Territory）之名，正好呼应兴建之初的荒凉景象。此地曾住过不少名人，包括女演员罗伦·芭可（Lauren Bacall）、弗来克（Roberta Flack）、约翰·列侬和妻子小野洋子等；列侬于1980年在此公寓前遭到暗杀。1930年建的**圣雷莫公寓**（San Remo）位于74街和75街之间，新古典风格的装饰和罗马式圆塔为主要特色。越过美术风格的纽约历史协会（见182—183页）和美国自然史博物馆（见184-186页），将会看到罗斯（Emery Roth）的另一件设计柏**瑞斯福特公寓**（Beresford, 211 Central Park W. At 81st St.），呈现出巴洛克三塔式的建筑造型。1950年代，居住此地的勒纳（Alan Jay Lerner）便是在公寓中写成《窈窕淑女》（My Fair Lady）一剧的歌词。1931年的**艾尔多拉多公寓**（Eldorado, 300 Central Park W. Between 90th And 91st St.）也具有同样的装饰艺术风格，1940年代暂居于此的小说家刘易士（Sinclair Lewis）即曾批评这栋公寓：“俗不可耐，就像是雅登美容院和马戏团马房的综合。”

建于1884年的达科他公寓。

上西区小型博物馆

曼哈顿儿童博物馆

这栋四层楼的建筑里提供许多教育性的活动，以及儿童动手参与的展览。同时，馆内还设有儿童图书室与电视摄影棚。

212 W. 83rd St. 212/721-1234
周一、周二闭馆 $$
地铁：搭1、9线至86th St.站

美国圣经协会博物馆

美国圣经协会成立于1816年，其宗旨在于以不牵涉教义、学说的方式来传播圣经的真义。二楼展览馆的展出内容包括：比照原来尺寸复制的古腾堡印刷机（Gutenberg Printing Press）及海伦·凯勒（Helen Keller）的盲文圣经（Braille Bibles）。馆里包含一间颇大的图书馆和资料室。

1865 Broadway At 61st St.
212/408-1200 周末闭馆
地铁：搭1、9号线至86th St.站

罗瑞奇博物馆

这座博物馆馆藏作品，皆为集神秘家、通灵者、哲学家、舞台设计师、画家和作家于一身的俄裔人士罗瑞奇之作品。他曾是诺贝尔和平奖的提名人之一，在他1935年的和平计划中提出：在战争时期，所有珍贵的文化、科学和宗教性地区仍应受到如和平时期一般的保护。馆内保存了大约200件罗瑞奇的画作、著作范本和艺术作品。

319 W. 107th St., at Riverside Drive
212/864-7752
周一全天、每日上午闭馆
地铁：搭1、9号线至86th St.站

上图：儿童博物馆一角。
下图：罗瑞奇博物馆。

这儿高低起伏的地形，为纽约最好的古迹带来奇妙的变化；其中包括中世纪修道院、著名大学以及巍峨的教堂。同时，此地也是多元族群聚集的大熔炉。

高地和哈莱姆区
Heights & Harlem

修道院窗外景致。

高地和哈莱姆区

曼哈顿北端的陆地渐趋狭窄，地面也开始崎岖不平，四处可见高低起伏的斜坡、丘陵、山脊、台地，最高点达海拔267.75英尺处，附近曾矗立着华盛顿堡垒（Fort Washington）。独立战争时期，在英军尚未撤退之前，美军即是在此坚守住最后的据点。

曾经仅属于上层阶级拥有的曼哈顿北部地区，是由许多历史性社区所构成。最北端是多元种族混融的因伍德区（Inwood），有些人认为，当初米努伊特（Peter Minuit）即是向此地的印第安人购得了曼哈顿岛。

南边为华盛顿高地（Washington Heights），从20世纪60年代中期开始，即有越来越多的多米尼加共和国（Dominican Republic）移民在此定居。社区里的街头显得活力充沛，居民以西班牙语波德加斯（Bodegas）称呼商店，想当然尔，西班牙文正是这里的通用语言。

再往南一点的汉密尔顿高地（Hamilton Heights），为主要以厄瓜多尔人（Ecuadoreans）、中国人、多米尼加人、非裔美人所组成的移民社区。位于高地中的糖丘区（Sugar Hill,，W. 141st St. to W. 145th St.），自本世纪初起便是一处富裕的非洲裔移民社区。

110街和125街之间的晨边高地（Morningside Heights），即是拥有16所学院、总数约2万名学生的哥伦比亚大学（Columbia University）校区所在地，它的女子分校伯纳学院（Barnard College）也位于这个活泼的大学城里。

曼哈顿北部的东区是哈莱姆区（Harlem），在20世纪20年代，以成为非裔美人的文化重镇而引起全球瞩目。在1905年之前，这里仍主要以犹太人、德国和爱尔兰移民为主，直到一位来自非洲的房屋中介商佩顿（Philip A. Payton），将他位于西113街（West 133rd St.）的一栋公寓租给非洲移民居住为止。数年后，哈莱姆区的非裔美人已多到引起社区的反应，当时的“哈莱姆社区报”（Harlem Home News）就写道：“迟早有一天，这些黑人会把白人在哈莱姆区建设的家园和事业毁坏殆尽。”到了30年代，哈莱姆区已成为非裔美人的集中地。如今的社区重画和企业投资方案，即试图将哈莱姆区再次改头换面。

当曼哈顿北部仍属荒僻地区时，这儿的土地多为汉密尔顿（Alexander Hamilton）、奥都朋（John James Audubon）这些大地主所有。而现在好些地方仍以他们命名，如汉密尔顿高地、奥都朋宴会厅（Audubon Ballroom）；后者更因黑人运动领袖马尔科姆·艾克斯（Malcolm X）1965年在此遇刺而声名大噪。哈莱姆区北部边缘脊带曾称作古根断崖区（Coogan's Bluff），为20世纪初在此地155街至160街之间的哈莱姆河（Harlem River）畔所形成的社区。这里的贵族马球场（Polo Grounds），1890年至1957年间为纽约巨人队（New York Giants）的棒球总部，球队后来则迁往旧金山。

位于特莱恩堡垒公园（Fort Tryon Park）内的修道院博物馆（The Cloister Museum），为大都会美术馆的分馆，呈现出中世纪艺术及建筑的完美结合。哥伦比亚大学附近的圣约翰大教堂（Cathedral Church of St. John the Divine），则是全世界最大的哥特式教堂。河滨公园里的格兰特将军国家纪念馆（General Grant National Memorial），也曾是纽约市热门的观光景点之一。

奥都朋台地（Audubon Terrace）聚集了许多文化性机构，例如具有百年历史的美国文学和艺术学园（American Academy & Institute of Arts and Letters）等。位于112街和百老汇大道路口的高达太空研究中心（Goddard Institute for Space Studies），为国家航空和太空总属（National Aeronautics and Space Administration，电话212/567-5500）的分部。哥伦比亚大学北边的一栋哥特式中院建筑，则是成立于1836年的联合神学院（Union Theological Seminary，电话212/280-1558）所在地，许多杰出的神学家皆曾在此任教。

由于距离市中心稍远，很少人会专程来曼哈顿北部认识此地的社区和陌生的街道。虽然某些区域不太安全，但相对地，这里却有一些极为珍贵的地方值得探访，不妨试试许多导游团所提供的各式行程。

高地和哈莱姆区

❶ 戴克门农庄博物馆 ❷ 摩里斯 - 朱梅尔宅邸
❸ 非洲锡安圣公会 ❹ 哈莱姆摄影博物馆

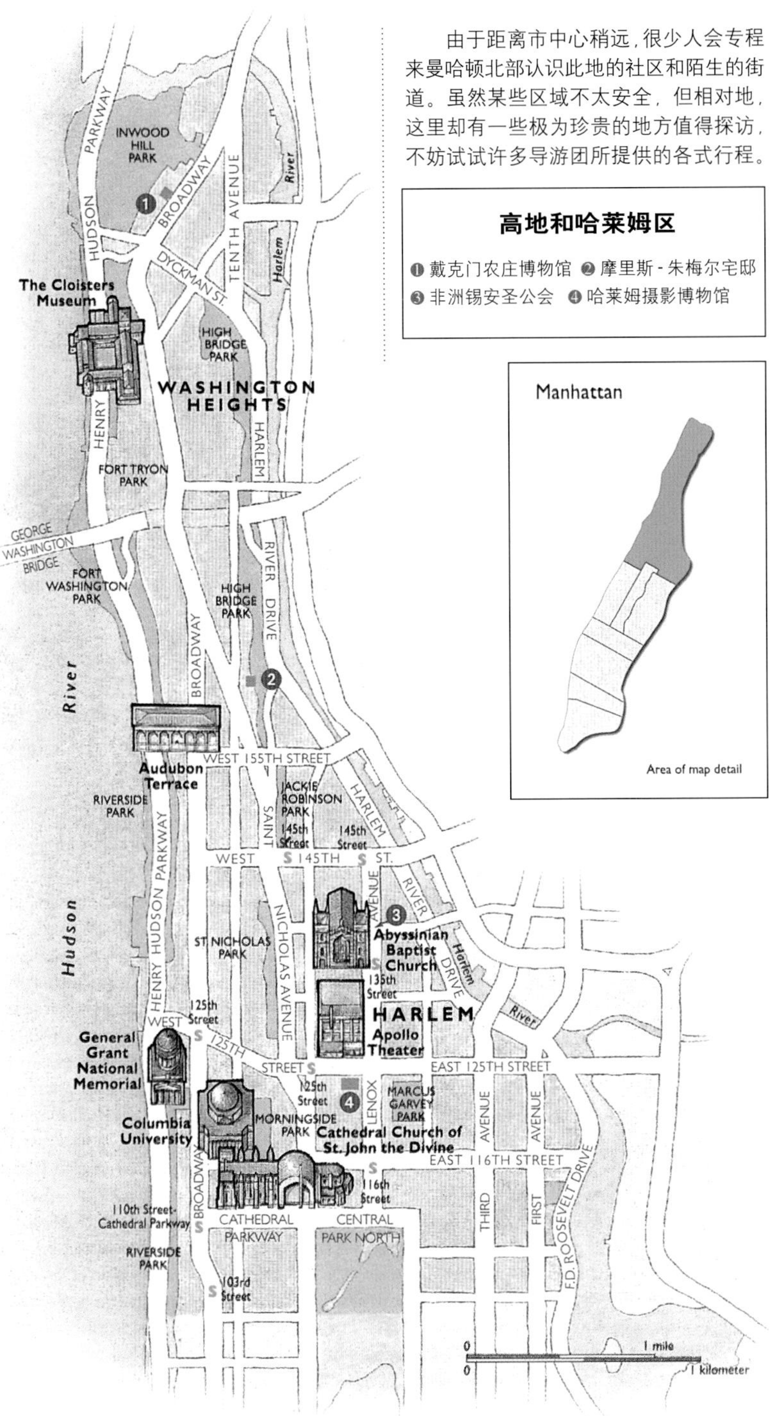

自1892年开始动工的圣约翰大教堂，迄今仍未完工。

圣约翰大教堂

整整耗时超过一世纪之久来建造的圣约翰大教堂，至今仍尚未完工。这栋位于晨边高地的历史建筑，由于多年来皆处于施工状态，而无法正式认定为纽约市的史迹之一。

圣约翰大教堂（圣公会）

见191页地图

Amsterdam Ave. at W. 112th St.

212/361-7540

自由捐献

地铁：搭1、9线至Cathedral Parkway（110th St.）站

破土仪式在1892年12月27日的圣约翰日（St. John's Day）举行。最早动工的唱诗席和十字建筑都是采自罗马拜占庭式的设计。1911年由建筑师克拉姆斯（Ralph Adams Crams）接手，他设计的正厅和西侧前门则是采用法国哥特式风格。第二次世界大战期间工程曾一度停歇，直到1979年才重新动工。

群众的教堂

教堂最初动工时的主教是有〝人民的主教〞之称的帕特（Henry Codman Potter），他认为教会服务的对象应不分宗教、国籍和社会阶层。今日的圣约翰大教堂仍奉行着这项原则，甚至将社区服务和救济贫户视为比教堂完工更重要的职责。同时，教会也通过音乐会、艺术展、演讲、戏剧和节日庆祝等活动来与大众交流。当然，最吸引人的还是它教人叹为观止的建筑。可仔细观察长248英尺、高124英尺的正厅，以及直径达40英尺，由一万多片玻璃组成的大玫瑰窗（Great Rose Window），并可到它的书店和纪念品店浏览一番。一座教堂模型显示出大教堂完工后的全貌，只是完工之日仍然遥遥无期。

哥伦比亚大学

位于曼哈顿晨边高地上端的哥伦比亚大学，是美国东岸著名的常春藤联盟（Ivy League）首要会员；它既是纽约历史的重要一环，却又与市中心显得有些疏离。

然而，哥伦比亚大学并非与社会脱节的象牙塔，这偌大的方形校园，含跨了7条街区，介于阿姆斯特丹大道和百老汇大道之间，校园和市街并无真正的界线。由艺术史和视觉艺术系师生共同负责的**瓦拉奇美术馆**（Wallach Art Gallery），经常举办不同的画展。许多游客非常喜欢这儿紧密相连的街区，尤其是百老汇大道和阿姆斯特丹大道沿路的二手书店、咖啡馆，西端咖啡馆（West End Cafe, 2909-2911 Broadway）即是其一。

从市中心到上城

大学于1754年成立时称为国王学院（King's College），最初是借用位于曼哈顿下城的三一会教堂（Trinity Church）作为校舍。殖民地时代的毕业生包括汉密尔顿（Alexander Hamilton）、杰伊（John Jay）和柯林顿（De Witt Clinton）等人。美国独立战争后，则更名为哥伦比亚大学，并于1814年获立法院赠地建校，这片位于麦迪逊大道和49街交会口（确实位置在47街和51街间与第5大道交会处）的土地，原本是艾尔金植物园（Elgin Botanical Gardens）园址，1857年至1985年间成为哥伦比亚大学的校园，最后则移作洛克菲勒中心（Rockefeller Center）用地。1897年，大学即搬到现在位于晨边高地的校址。

大学的中心点是圆拱造型的**罗伍图书馆**（Low Library），罗马神殿式的建筑前有一长排阶梯。图书馆的捐赠者罗伍（Seth Low）曾任1890年至1901年的哥大校长，也是推动大学发展的灵魂人物。罗伍将校园迁入晨边高地，扩增护理和师范学院，并加强与分校伯纳女子学院的互动关系。1934年，罗伍图书馆改成学校的行政大楼，但它仍然是这所高等学府的象征，一如图书馆阶梯前由法兰奇（Daniel Chester French）塑制的巨大雕像《母校》（Alma Mater, 1903）。

在校园的众多建筑物中，位于主校区的圣保罗礼拜堂（St. Paul Chapel），以及阿姆斯特丹大道上由麦可金、米德和怀特（Mckim, Mead & White）设计的**意大利厅**（Casa Italiana）最为醒目。

法兰区的雕塑作品“母校”，坐落于哥伦比亚大学校园内的罗伍图书馆阶梯前。

哥伦比亚大学

见191页地图
Broadway & W. 116th St.
212/854-1754，观众中心：212/854-4902
周六、周日不开放
地铁：搭1、9线至116th St.站

瓦拉奇艺廊

Schemerhorn Hall
212/854-7288
周日至周二全天、每日上午闭馆

格兰特将军国家纪念馆

格兰特将军国家纪念馆

见191页地图

Riverside Drive at W. 122nd St.

212/666-1640

地铁：搭1、9线至116th St.-Broadway站

惟一葬于纽约市的已故美国总统格兰特的陵墓眺望着哈得孙河。

格兰特将军的陵寝为全美最大的陵墓，一次大战前仍是纽约最受欢迎的景点之一。这位出身中西部的前美国总统，是南北战争时联合军队的英勇统帅。他于去世前的1884年迁往纽约定居。

受到人民爱戴的格兰特（Ulysses S. Grant, 1822—1885），1885年的丧礼哀荣备至，当时有百万人到场观礼。纽约市市长格雷斯（William R. Grace）捐赠墓地，并由格兰特纪念协会（Grant Memorial Association）向9万多名捐款人募得60万美金，建造了这座纪念馆。前总统哈里逊（Benjamin Harrison）于1892年为此举行破土典礼，另一前总统麦金利（William Mckinley）则在1897年4月27日参与了捐赠仪式。

设计布鲁克林区士兵与水手纪念碑拱门（Brooklyn Soldiers and Sailors Memorial Arch）的建筑师邓肯（John H. Duncan），在比赛中赢得承建陵墓工程的资格。他采用海利卡纳塞斯（Halicarna-ssus）的古典陵墓形式，在方形的地基上，以希腊陶立克式（Doric）圆柱围绕而成的花岗石圆形建筑物，高达150

英尺。入口处上方有象征胜利与和平的肖像，旁边则镌刻了格兰特的名言"让我们拥有和平"。

陵墓的内部以卡拉拉大理石（Carrara Marble）为材质，十字造型是仿拿破仑的巴黎陵寝。当年格兰特将军接受李将军（Robert E. Lee）在阿伯马塔克斯（Appomattox）投降的事迹，成为窗户上方马赛克镶嵌磁砖所描绘的主题。沿着双排楼梯往下走到地下密室，这里便是格兰特与妻子茱莉亚（Julia Dent Grant）的长眠之处。靠墙排列着格兰特麾下大将的半身雕像，如谢尔曼（William Tecumseh Sherman）和谢里丹（Philip Sheriden）等。1959年国家公园服务处（National Park Service）接管了陵墓，并在1997年进行整修。格兰特是惟一葬在纽约市的美国总统。

格兰特陵墓内的马赛克镶嵌磁砖上，描述了格兰特军队接受李将军在阿伯马塔克斯投降，并因此终结南北战争的史实。

奥都朋台地

从1908年建造之初，这处美术风格文化中心便显得距离稍远，至今仍是无法改变的事实。这片曾一度属于奥都朋的土地，从1904年即开始陆续开发。这里除了可以看到如亨廷顿（Anne Hyatt Huntington）塑制的雕塑作品《艾尔·西德》（El Cid）之外，还有一些知名的文化机构如美国文学和艺术学园，以及美国古钱币协会。

美国文学和艺术学院（American Academy and Institute of Arts and Letters）的会员们皆是作家和艺术家，并限定保持250位名额。它的两栋建筑物分别是由麦可金、米德和怀特，以及吉尔伯特（Cass Gilbert）所设计。创会元老包括亚当斯（Henry Adams）、威廉和亨利·詹姆士（William and Henry James）、罗斯福（Theodore Roosevelt）、圣高登斯（Augustus Saint-Gaudens）、拉法吉（John La Farge）和马克·吐温，厄普戴克（John Updike）则是现任会员。协会所展出的内容，主要是来自申请入会者和新旧会员的作品，以及新近收藏品等。

成立于1858年的**美国古钱币协会**（American Numismatic Society）拥有一座钱币博物馆，其中包含美国钱币展览室。这里陈列了多达75万枚钱币和7万册藏书。馆内永久收藏包括西班牙古钱币，和饰有林肯肖像的一分钱铸模。东馆（East Gallery）的展出内容，则通常配合协会的各项学术活动来进行。

美国西班牙协会（Hispanic Society of America）的图书馆里藏有超过20万册的书籍及手稿。永久典藏包括哥雅（Goya）和葛雷科（El Greco）的画作、古董家具、马赛克镶嵌磁砖和西班牙陶器等。协会内部并采用西班牙庭院式的设计。

奥都朋台地

见191页地图

Broadway, between155th St.和 156th St.

地铁：搭1线至157th St.站；8线至Washington Heights站

美国文学和艺术学院

212/368-5900

春、夏、秋季举办展览；图书馆须预约

美国古钱币协会

212/234-3130

周一不开放

自由捐献

美国西班牙协会

212/926-2234

周一不开放

自由捐献

修道院花园栽种的植物，是从博物馆内著名的独角兽锦织画得来的灵感。

修道院博物馆及邻近地区

在人烟稀少、树林满布的高丘上建造中世纪修道院，可说是再合适不过了。在纽约曼哈顿的最北端，即有这样一座修道院，院中收藏了许多中世纪的艺术品。看来几乎可乱真的建筑实为20世纪的产物，整个设计仿自中世纪的建筑形式，同时再加上法式的回廊石柱。修道院于1938年对外开放，成为大都会美术馆的分馆。当游客造访此地，往往能感受到一股独特的沉静气氛。

修道院博物馆

见191页地图

Fort Tryon Park, W. 190th St. at Fort Washington Ave.

212/923-3700

周一闭馆

$$（自由捐献）

地铁：搭A线至190th St.-Overlook Terrace站

分别得自中世纪4座修道院的拱廊，在此与现代兴建的修道院博物馆紧密结合。馆内展出内容，包括各类雕塑、锦织画、彩色镶嵌玻璃、金工、绘画和手稿等。修道院的结构为一个大中庭，四面围绕着回廊，连接通往各个小修道院；此地，拱廊则是通往中庭和各个展览室。

修道院的收藏核心，是美国雕塑家伯纳德（George Grey Barnard, 1863—1938）旅居法国期间的收集品，其中包括4座中世纪拱廊。1925年，洛克菲勒（John D. Rockefeller, Jr.）买下这批收藏，并捐赠给大都会美术馆。他同时也是博物馆大楼和特莱恩堡垒（Fort Tryon）的赞助人，不仅如此，他还将私人收藏的艺术品捐献出来。

四座修道院回廊

入口处的主楼层包含一些展览室和二座修道院回廊。12世纪的**库克萨修道院回廊**（Cuxa Cloister）柱头上，罗马式（Romanesque）单头双身动物雕饰妥切地盘踞一角。公元804年的**圣吉尔汉修道院回廊**（St. Guilhem Cloister），是由查理曼（Charlemagne）帝国一位贵族所建，柱头以蜂巢形图案作为点

缀。位置较低上的**三重修道院回廊**（Tri Cloister）原本为16世纪末某修女院的一部分；修女院后来遭到胡格诺人（Huguenots）的毁坏。建于13世纪末、14世纪初的**波尼方特修道院回廊**（Bonnefont Cloister），环绕着一座药草园，它那自然主义的雕饰风格，与其他回廊怪诞的罗马式雕饰恰成对比。

博物馆内的展示以概略的时序来划分，从中世纪初期罗马风格艺术开始，接着为哥特时期，最后结束于1520年左右的中世纪艺术。每一间展览室的展出内容都很精彩，主楼层**波帕尔厅**（Boppard Room）里的15世纪彩色镶嵌玻璃却最受欢迎；**哥特礼拜堂**（Gothic Chapel）里一幅年轻武士双手合十、开眼祈祷的画像也是馆中经典之作；**独角兽锦织厅**（Unicorn Tapestries Room）里的6幅锦织画（约作于16世纪的布鲁塞尔），则是以基督复活的事迹为主题。楼下的**珍宝馆**（Treasury）展示的是一些较小的物件，如12世纪的海象牙十字架；**玻璃馆**（Glass Gallery）内则陈列了琉璃、雕塑和锦织等项目。

除了展览之外，也可顺便参观此处的书店和礼品部，或是好好欣赏一下哈得孙河的远眺全景。另外值得提醒的是，某些游览巴士只停在山脚下，因此得有步行的准备。

邻近景点

英国军官摩里斯（Roger Morris）于1765年建了**摩里斯-朱梅尔宅邸**（Morris-Jumel Mansion）。在1776年由英军接管以前，这里曾有一个月作为华盛顿的临时总部。1810年，法国商人朱梅尔（Stephen Jumel）和他的美籍妻子（Eliza Bowen）重新整修这栋宅邸。朱梅尔去世后，他的妻子改嫁前副总统巴尔（Aaron Burr）。1904年改为博物馆的宅邸建筑，最受瞩目的是意大利帕拉迪欧式（Palladian）的门廊、八角形的房间，以及乔治亚风格的室内装潢。

戴克门农庄博物馆（Dyckman Farmhouse Museum）为一栋荷兰殖民地时代的房舍，有着复折式屋顶和骑楼式屋檐，1871年以前为曼哈顿的望族地主戴克门所有。农庄周围占地约300英亩，在战火中遭到英军毁坏之后，1783年获得重建。20世纪初时，两位戴克门家族的后裔将农庄买回，重新装潢后捐赠给纽约市。这座曼哈顿仅存的农庄建筑，1916年时改设为博物馆并对外开放。农庄的后面还有一座花园。

摩里斯－朱梅尔宅邸

见191页地图

65 Jumel Terrace

212/923-8008

周一、周二闭馆

$

地铁：搭C线至63rd St.站

戴克门农庄博物馆

见191页地图

4881 Broadway at W. 204th St.

212/304-9422

周一、周二不开放

地铁：搭A线至104th St.站

访客在回廊走道上小憩。

哈莱姆区附近

阿比西尼亚浸信会

见191页地图

132 W. 138th St.

212/862-7474

地铁：搭2、3线至135th St.站

阿波罗剧院

见191页地图

253 W. 125th St.

导游：212/531-5300
门票：212/749-5838

地铁：搭A,B,C线至125th St.站

摩里斯山庄导游

212/369-4241

自110街延伸至168街的哈莱姆区，与纽约的沿革历史有着密不可分的关系。此地最初为荷兰属地，曾有一段时期居民全是上层的白人，后来南方黑人大量迁入，这里最终成为非裔美人的文化重镇。近年来，人们只注意到哈莱姆区的贫穷和日益增高的犯罪率，却忽略了它丰富的历史资产、活跃的街头文化，以及卓越的建筑。有兴趣到此一游的人，可参加公共汽车或徒步等多种旅游团（见236页）。

19世纪末的**圣尼古拉斯史迹保护区**（St. Nicholas Historic District），包括从西138街到西139街的4栋建筑物，是出自3位杰出建筑师的合作结晶，分别为罗德（James Brown Lord）、普莱斯（Bruce Price）和怀特（Stanford White）。20世纪20年代，许多杰出的黑人如外科医生莱特（Louis T. Wright）、建筑师坦迪（Vertner Tandy）和乐团团长韩德森（Fletcher Henderson）等人皆住在斗士区（Striver's Row）。目前的斗士区南边（134街和136街之间），正待发展为商店、餐厅和爵士俱乐部的新兴区。

邻近的**阿比尼西亚浸礼会教堂**（Abyssinian Baptist Church）曾有一位著名的包威尔（Adam Clayton Powell, Jr., 1908—1972）牧师，他是第一位来自纽约市的黑人国会议员。浸礼会成立于1808年，建筑则是1923年所新建。位于西137街140号的**非洲锡安圣公会教堂**（Mother African Methodist Episcopal Zion Church），是纽约市最古老的黑人教堂，设计者佛斯特（George W. Foster, Jr.）为美国最早的黑人建筑师之一。教堂是新哥特式的建筑，于1925年完工。1911年，佛斯特和坦迪合作设计了另一栋新哥特式教堂，坐落于西134街214号的**圣菲利普圣公会**（St. Philip Episcopal Church）。

在西125街的商业区，沿路可见重生后的哈莱姆区市街招牌。

汉密尔顿高地史迹保护区（Hamilton Heights Historic District）位于哈莱姆区的最西边，其中糖丘区（Sugar Hill）的房舍是1886年至1906年间的建筑，且一度为汉密尔顿所有。

往南走是**市立学院北区分部**（North Campus of City College, Convent Ave. between W. 138th St. and W. 140th St.），校舍多是建于20世纪初的哥特式建筑，1998年更耗资4百万美元整建学校的大厅（Great Hall）。

摩里斯山公园史迹保护区（Mount Morris Park Historic District）内包括几座列为古迹的教堂，以及全市最美的赤褐砂岩建筑，此地90年代末的重建工程资金皆来自政府和私人赞助者。这区的名称得自位于中心的公园（1973年改以黑人运动领袖Marcus Garvey命名），公园内有一座全市仅存的防火监看塔台。1888年建的**圣马丁圣公会教堂**（St. Martin's Episcopal Church & Rectory），曾被誉为纽约最卓越的罗马复兴式宗教建筑。它的钟楼（含42个钟）是纽约仅有的两座中较小的一座（另一座位于晨边高地的Riverside Church）。位于西123街147号的**大都会浸礼会教堂**（Greater Metropolitan Baptist Church）建于19世纪末期。

哈莱姆区东西向的主要商业大街：125街（又名Martin Luther King Boulevard），曾经是哈莱姆区的繁华闹区，没落了一段时间之后，近日又再度活跃起来。**阿波罗剧院**（Apollo Theater）的整修是该区重建的重点工程，剧院建于1914年，但直到1930年才开始有黑人表演者在此演出，舞者罗宾森（Bill "Bojangles" Robinson）即是其一。从那时开始，剧院每周三的业余表演之夜发掘了无数顶尖的黑人表演家，如布朗（James Brown）、爵士女歌手费兹杰罗（Ella Fitzgerald）和瓦涵（Sarah Vaughan）等人。

著名的哈莱姆区阿波罗剧院孕育了无数黑人明星。

位于125街与包威尔大道（Adam Clayton Powell, Jr. Boulevard）路口的**德蕾莎饭店**（Hotel Theresa），在它的全盛时期有"哈莱姆的华多夫-艾斯特利亚饭店"之称。德蕾莎饭店建于1913年，当时125街尽是白人的天下，饭店也谢绝黑人住客，直到1940年才有所改变。1946年时，饭店俨然已成了"美国黑人的社交总部"，重量级拳王路易斯（Joe Louis）、爵士音乐家暨歌手艾灵顿（Duke Ellington）、洪恩（Lena Horne）和罗布逊（Paul Robeson）都曾是屋中贵宾。1948年到1953年间，已故的经济部长（Secretary of Commerce）布朗（Ron Brown）曾因父亲工作的关系，在饭店内度过一段童年时光。1950年代中饭店开始逐渐没落，1960年代初，黑人民运领袖马尔孔则在此地成立了非裔美人联盟（Organization of Afro-American Unity）。

圣马汀圣公会教堂

见191页地图

230 Lenox Ave.

212/534-4531

周日及婚礼等特殊场合仍举行敲钟仪式

地铁：搭2、3线至135th St.站

哈 莱 姆 文 艺 复 兴

纽约黑人文化蓬勃于开放的20年代，故此时有哈莱姆文艺复兴时期（Harlem Renaissance）之称。聚集在哈莱姆区的黑人作家、艺术家和音乐家们深信，黑人文化将是改善黑人社会地位的有力基础。同时，也就在这群黑人知识分子审视过往的故居非洲、民间文化和黑人英雄之际，初次感觉到一股与己关连的民族骄傲。

女作家赫斯顿（Zora Neale Hurston）。

哈莱姆文艺复兴的萌芽，得追溯至1903年由作家兼民权运动领袖杜波伊斯（W.E.B. Du Bois）出版的评论集《黑人同胞的灵魂》（The Souls of Black Folks），书中一段文字写道："20世纪的问题，正是在于黑白种族的隔离。"杜波伊斯同时也是《危机：黑色人种纪实》（Crisis: A Record of The Darker Races）杂志的编辑，此杂志于1910年由国家有色人种促进协会（National Association for the Advancement of Colored People，简称NAACP）出版。在杂志内文中，他提倡一种"泛非洲主义"（Pan-Africanism）的哲学，强调黑人应追本溯源，承续非洲的文化遗产。杜波伊斯还力倡精英主义，将黑人的希望寄托在这些被称为"新黑人"（New Negro）、"才华洋溢的第十代"（Talented Tenth）身上，盼他们能"提拔有出息的黑人，并提高他们的社会地位。"

1921年，黑人音乐剧《举步维艰》（Shuffle Along）于百老汇上演，套用非裔美籍诗人休斯（Langston Hughes，1902—1967）的句子，这出戏"揭开了曼哈顿黑人时代的精采序幕。"音乐剧由布雷克（Eubie Blake）和西斯里（Noble Sissle）共同创作、米尔斯（Florence Mills）担纲主演，虽然情节简单，且经常只有诗歌吟诵哼唱，却为日后的百老汇黑人音乐剧奠定了基础；即如哈莱姆文艺复兴初期的景况一般。从此以后，许多白人观众也陆续光临棉花俱乐部（Cotton Club）等表演场所，争相一睹黑人明星韩德森、凯洛威（Cab Calloway）和艾灵顿的风采。

哈莱姆文艺复兴时期的精神，在文学作品中得到最佳的诠释。早期作品如1919年麦凯伊（Claude Mckay）的《如果我们必得死亡》（If We Must Die）便是一例，这位牙买加移民作家，被封为哈莱姆文艺复兴时期的首位名人。有感于黑人长期所受的暴力侵害，他以如下诗句作为诗篇的结尾："我们将面对严酷的考验，懦弱地群聚，并被迫至墙角、垂死挣扎，但最后终将奋力反击！"其他杰出作品，尚包括库伦（Countee Cullen）和休斯由主流出版社发行的诗集。

由非裔美籍社会学者约翰逊（Charles Johnson）主编的《机会：黑人生活期刊》（Opportunity, a Journal of Negro Life）杂志，1925年时刊登了一篇赫斯顿（Zora Neale Hurston）的短篇小说。身为非裔美籍青年文学启蒙老师的约翰逊，他在1924年曾主办的一场晚宴上，将杰出的哈莱姆区作家引荐给白人出版界。结果哈佛大学哲学系（Phi Beta Kappa）毕业生、也是首位罗德奖（Rhodes）得主的非裔美籍学者洛克（Alain Locke）受到白人杂志《平面艺术评论》（Graphic Survey）编辑群邀约，希望他为杂志规划一期特刊，以"当代黑人生活的革新精神"为主题；特刊内容后来并集结成著名的《新黑人》（The New Negro）一书。

1926年，"亲黑人倾向"（Negrotarian，以此称呼对哈莱姆区文化感兴趣的白种人）的白人作家凡维奇登（Carl Van Vechten）出版一本有关哈莱姆区的畅销小说，在黑人团体间虽引起

全盛时期的哈莱姆区棉花俱乐部。

不少争议，却促使白人对哈莱姆文化产生更浓厚的兴趣。

在这繁盛的十年里，艺术方面几乎没有太大的成就，摄影家凡德兹（James Van Der Zee）为这段时期的风潮运动所作的报道摄影则是少数的例外之一，目前这些摄影作品仍保存于哈莱姆区摄影博物馆（见202页）中。此外，插画家道格拉斯（Aaron Douglas）为《机会：黑人生活期刊》设计封面；画家约翰逊（William H. Johnson）以原始画风呈现宗教性主题；沙瓦奇（Augusta Savage）则是哈莱姆文艺复兴时期最知名的雕塑家，他所经营的沙瓦奇艺术工作室（Savage Studio of Arts and Crafts）发掘出许多当时的年轻艺术家。

1929年的经济大萧条彻底终结了哈莱姆文艺复兴的生命。1930年期间，哈莱姆区的失业率高达纽约其他地区的5倍之多。回顾当时那段年代，多数的参与者已意识到文化复苏其实无法造福全体的黑人。

休斯更一针见血地指出："黑人老百姓根本从未听说过黑人文艺复兴这件事，就算有，也未因此而获得较好的待遇。"

休斯（Langston Hughes, 1902—1967）

艾灵顿（Duke Ellington, 1899—1974）

荀堡黑人文化研究中心

见191页地图

515 Lenox Ave.

212/491-2200

周日闭馆

地铁：搭2、3线至135th St.站

哈莱姆摄影博物馆

144 W. 125th St.

212/864-4500

周一、周二闭馆

$

地铁：搭2、3线至125th St.站

荀堡中心展出的海顿（Palma Hayden, 1883—1973）画作《哈莱姆区仲夏之夜》（Midsummer Night in Harlem）。

荀堡黑人文化研究中心

以波多黎各裔美籍藏书家、学者兼收藏家荀堡命名的荀堡黑人文化研究中心（Schomburg Center for Research in Black Culture），为全世界设备最完善的黑人研究机构之一。在500多万件馆藏项目中，有12.5万册藏书、400种黑人报纸，以及和1000种期刊。珍版书籍包括美国黑奴身分的惠特利（Phyllis Wheatley）诗集，以及莱特（Richard Wright）著作《原住民之子》（Native Son）的原始手稿。馆内并设有剧院、艺廊、种类齐全的书店和礼品店。

1891年，荀堡（Arthur A. Shomburg, 1874—1938）从波多黎各移民到纽约，荀堡黑人文化研究中心（Schomburg Center for Research in Black Culture）的建馆基础便是得自他搬至纽约后这些年来的收藏成果；他并于1911年协助成立黑人历史研究协会（Negro Society for Historical Research）。荀堡的私人收藏曾被誉为"美国国内关于非裔美人历史和文化最丰富的收藏"，总共有5000本书、3000份手稿、2000幅蚀刻版画和数千本手册。1926年，卡耐基基金会（Carnegie Foundation）以10 000美元购得这批收藏，并将它们捐赠给纽约市立图书馆。不久，图书馆随即将这些资料迁入哈莱姆区135街黑人文学分馆（135th Street Branch Division of Negro Literature），荀堡自1932年起即出任该馆馆长，直到1938年他去世为止。1905年，分馆迁至哈莱姆文艺复兴时期经常有文人聚会的一栋大楼，1980年再度迁往隔邻的新大楼内，原址则改作展览之用。

哈莱姆摄影博物馆

哈莱姆摄影博物馆（Studio Museum in Harlem）成立于1967年，起初只是想为哈莱姆区艺术家提供一个展览场地，很快地却发展成举足轻重的黑人文化中心。1982年博物馆迁至现址，主要的常态展览包括毕尔登（Romare Bearden）、劳伦斯（Jacob Lawrence）和林戈（Faith Ringgold）的画作，以及凡德兹和帕克斯（Gordon Parks）的摄影作品。1970年代晚期，博物馆与凡德兹中心（James VanDerZee Institute）合并；以哈莱姆区著名摄影家命名的凡德兹中心，除了展出大师的作品外，也致力发掘黑人摄影新秀。合并后的博物馆时常主办演讲、研讨会、驻地艺术家展览和影片放映活动，馆内并附设书籍和非洲艺品专卖店。

纽约外围的四个地区腹地相当广阔，包括：布鲁克林区、斯塔滕岛、布朗克斯区和昆斯区，不仅富含各类种族社区、全纽约最古老的建筑，同时还具备博物馆、公园和开放式空间。

纽约外围地区 The Outer Boroughs

布鲁克林桥细部。

纽 约 外 围 地 区

“布朗克斯区？哦不，谢谢。”幽默讽刺作家纳什（Ogden Nash）写的这首四言诗，可说是一语道破某些人士对布朗克斯区的轻谑态度；而且，看待布鲁克林区、昆斯区和斯塔滕岛也是一样。事实上，他们所知道的微乎其微，从不踏出曼哈顿一步，更不知让他们错失多少真实的体验。千万不要忽略纽约外围地区，那儿有不少迷人景点其实和曼哈顿甚为相符。

最适合全家出游的地方，当首推今日更名为国际野生动物保护公园（International Wildlife Conservation Park）的布朗克斯动物园（Bronx Zoo），而且逢周三免费开放参观。若是对园艺感兴趣，布朗克斯植物园（Bronx Botanical Garden）则是游览纽约时的必访地点。

布鲁克林区（Brooklyn）也有许多相当精采的文化机构。通常简称为BAM的布鲁克林音乐学院（Brooklyn Academy of Music）为一卓越的表演艺术中心，经常主办独特的前卫艺术活动。它设址于一栋新意大利风格的大楼内，共有3个主要表演空间。布鲁克林美术馆（Brooklyn Museum of Art，见210—212页）可谓为纽约市的一项骄傲，馆内拥有丰富而精采的收藏。

棒球迷可至昆斯区（Queens）的希亚体育场（Shea Stadium），或是布朗克斯区（Bronx）的扬基体育场（Yankee Stadium）观赏纽约主要的球队联盟竞赛。

某些人士认为斯塔滕岛（Staten Island）是纽约尚未开发的宝藏；而尽管许多岛上居民明白此点，数十年来却有许多人想要脱离纽约的管辖范围。除了不少独特的博物馆以外，斯塔滕岛还保存有比任何地区为数更多的殖民时代建筑。

忽略纽约外围地区，就会让曼哈顿居民和游客们平白错失城市中最耀眼、最璀璨的精华部分。譬如，昆斯区不仅是全纽约最大的一区，还曾举办过两次世界博览会。以前的下东区（Lower East Side）为移民的历史据点，而今则已转移至昆斯区；只要搭上L线地铁火车，立刻你就会明白为何它有“国际快车”（The International Express）之称。根据一项调查显示，单是恩姆荷斯特（Elmhurst，昆斯区西北边社区）即有来自112个国家的移民。

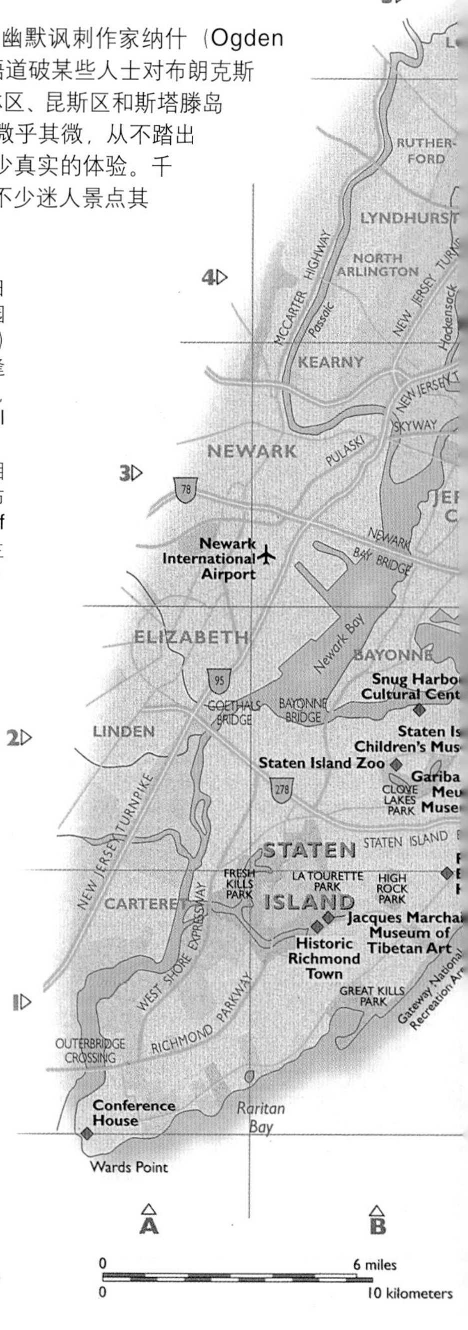

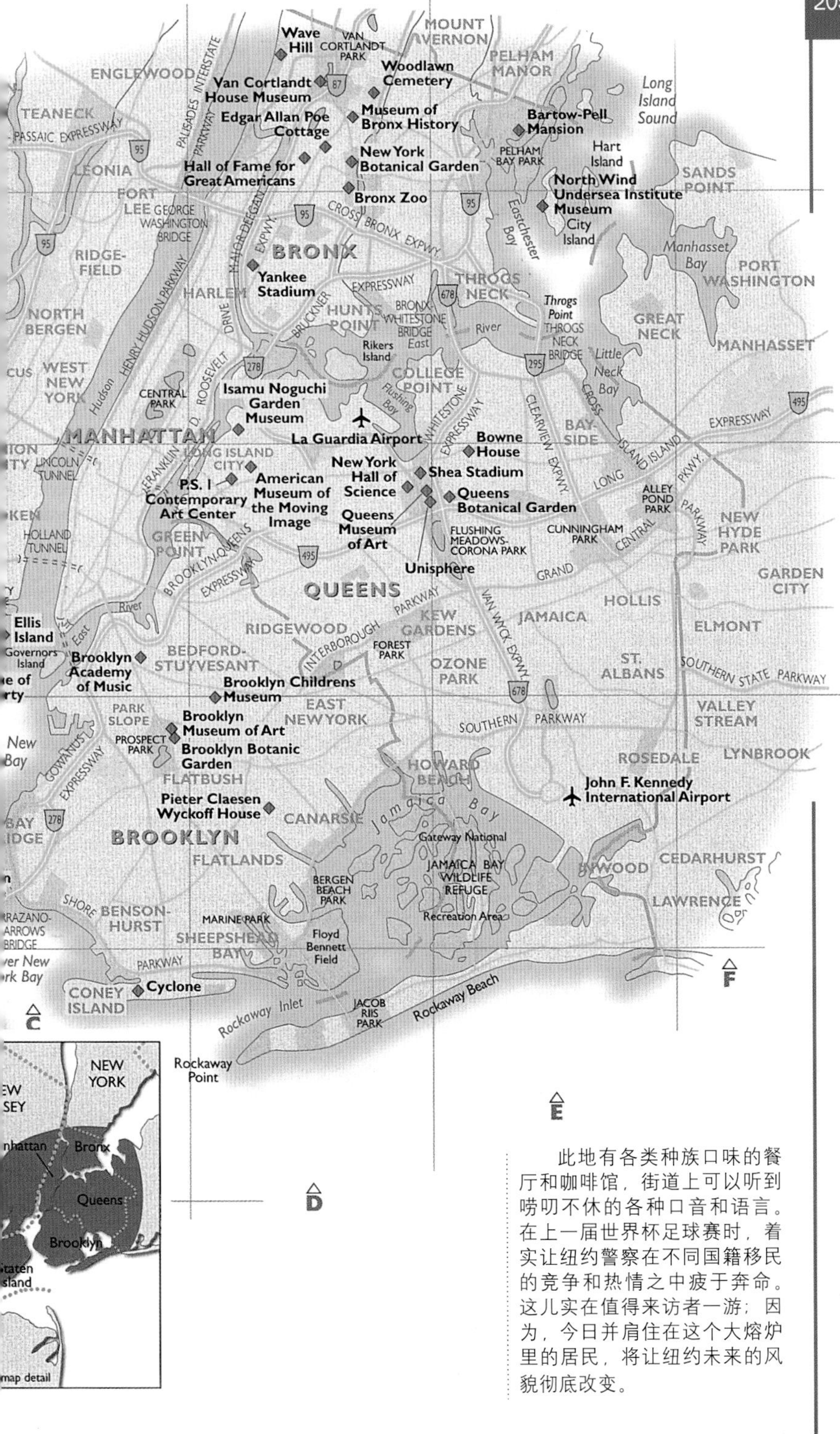

此地有各类种族口味的餐厅和咖啡馆，街道上可以听到唠叨不休的各种口音和语言。在上一届世界杯足球赛时，着实让纽约警察在不同国籍移民的竞争和热情之中疲于奔命。这儿实在值得来访者一游；因为，今日并肩住在这个大熔炉里的居民，将让纽约未来的风貌彻底改变。

布鲁克林高地漫步

布鲁克林高地在19世纪初发展为纽约市最早的郊区，许多街道都以早期的地主命名，例如皮耶朋、希克斯、米达、雷森、乔拉蒙等。如今，这些住宅区的建筑就如同一座鲜活的博物馆，也是纽约所保存的第一批古迹。从华尔街搭一段地铁，或是快步走过布鲁克林桥，即可到达这个规划整齐的社区。许多知名人士如作家惠特曼和凯波特（Truman Capote）等都曾在此定居，而今仍拥有许多杰出的居民。来到布鲁克林徒步区（Brooklyn Promenade）远眺美景，不仅能暂时忘却曼哈顿的繁忙扰攘，更可感受幽静古街的19世纪气氛。

可从位于地铁站的乔拉蒙街（Joralemon St.）209号的**地区大会堂**（Borough Hall）❶开始游览，会堂为一栋宏伟的希腊复兴式大理石楼房，建于1845年到1848年间，原本是布鲁克林市政府（Brooklyn City Hall），1898年与曼哈顿及其他地区整合后更名为地区大会堂。往西走到乔拉蒙街170号，则是纽约最古老的私立学院之一：派克学院（Packer Collegiate Institute, 1853—1856），这是建筑师拉菲佛（Minard Lafever）仿照牛津和剑桥大学的哥特复兴式建筑的设计作品。

右转亨利街（Henry Street），再往北走至雷森街（Remsen St.），即可看到由欧普强（Richard Upjohn）设计的罗马复兴风格的（公理会）朝圣教堂（Church of Pilgrims），它有着典型的圆拱门，以及1869年加建的维多利亚造型建筑。1994年时，该教堂与普里茅斯教堂（Plymouth Church, 见207页）合并，之后并由**黎巴嫩圣母大教堂**（Cathedral of Our Lady of Lebanon）❷加以收购。继续从亨利街走到蒙塔古街（Montague Street），然后右转至与克林顿街（Clinton St.）交会口，即可遇到以往称为神圣三一会教堂（Holy Trinity Church）的圣安和**三一圣公会教堂**（St. Ann and the Holy Trinity Episcopal Church，电话718/875-6960）❸，这栋布鲁克林最大的教堂也是拉菲佛1844年到1847年间的设计作品。教堂的红砂岩外墙，以及由波顿兄弟（William and John Bolton）设计的彩色镶嵌玻璃都曾经重新整修。

左转克林顿街，再左转至皮耶朋街（Pierrepont St.）128号，即是**布鲁克林历史协会**（Brooklyn Historical Society，电话718/624-0890）❹。这里每周二、三、日闭馆，展出许多罕见的布鲁克林工艺品（由于工程整修，研究单位将关闭至2000年春天，展览馆则照常开放）。该馆文艺复兴式的外观造型饰以赤褐陶土，内部则可视为设计上的历史性杰作。位于皮耶朋街和蒙罗路（Monroe Place）交会口的**救主会教堂**（Church of The Saviour，电话718/624—5466）❺建于1824至1844年间，为布鲁克林的第一所惟一真神教会（First Unitarian Church），也是公认的拉菲佛建筑杰作。

继续沿着皮耶朋街，往右转到威娄街（Willow Street），亮丽的街道上有许多极好的住宅建筑。特别留意西侧108、110和112号的凸窗、顶篷和门口设计，都是采用19世纪80年代流行的木瓦造型。街道对面的151号及155—159号早先时是马厩，据说底下还曾与地下铁路的通道相连。

左转克拉克街（Clarke St.），接着右转，便已置身于浪漫的**布鲁克林徒步区**（Brooklyn Promenade）❻，或者称之为游憩广场（Esplanade）。这个悬跨布鲁克林—昆斯区快速道路（Brooklyn Queens Expressway）上方的公园式徒步区完工于1950年。它包括雷森街到欧兰橘街（Orange Street）之间的区域，不仅是远眺港口、布鲁克林桥（Brooklyn Bridge）和曼哈顿下城的最佳地点，也经常成为电影的拍摄场景；也许你还记得它在电影《周末夜狂热》（Saturday Night Fever）中的画面？

沿着河边走去，越过潘艾波街（Pineapple Street），右转欧兰橘街，再左转到威娄街，再右转即是**米达街**（Middagh St.）24号❼。这栋建于1829年、比例完美的联邦式木板房屋，为波斯雷特

（Eugene Boisslet）的旧居，也是布鲁克林高地最珍贵的一栋老屋。建于1824年的米达街30号房屋虽更老一些，保存状况却不尽理想。

继续走到希克斯街（Hicks Street）右转，然后左转欧兰橘街，若是不小心转错了方向，不妨就随意蹓跶吧。位于希克斯街和亨利街之间著名的**普里茅斯朝圣会教堂**（Plymouth Church of Pilgrims，电话718/624-9385）❽，有着类似谷仓的简洁红砖造型，为威尔斯（Joseph 约 Wells）1849年的建筑作品，其中希克斯街75号的教区房舍及连接拱门则是于1914年所加改盖。1847年至1887年间，《汤姆叔叔的小屋》（Uncle Tom's Cabin）作者斯托（Harriet Beecher Stowe）的兄弟北彻（Henry Ward Beecher）在这里任职牧师。北彻的个人魅力十足，倡导黑奴解放运动也不遗余力。他曾为了让人了解贩卖黑奴的惊骇事实，他曾经在传讲台前拍卖一位女孩，再用拍卖所得将她赎回。北彻后来被控与一已婚女子有染而遭到起诉，结果虽宣判无罪，他的神职生涯却因此蒙受重大污点。徒步行程到此告一段落，但你还可以踱步到亨利街转角，往右一路闲逛至**蒙塔古街**，这里正是布鲁克林高地的核心商圈，有着琳琅满目的商店和餐馆。

见封面内页地图
➤ Borough Hall
2 英里
2 小时
➤ Plymouth Church of the Pilgrims

不可错过的景点

- 黎巴嫩圣母大教堂（Cathedral of Our Lady of Lebanon）
- 布鲁克林历史协会（Brooklyn Historical Society）
- 布鲁克林漫步区（Brooklyn Promenade）
- 普里茅斯朝圣会教堂（Plymouth Church of the Pilgrims）

正是这些保存完好的整排房屋，让步鲁克林高地成为纽约人最觊觎的社区之一。

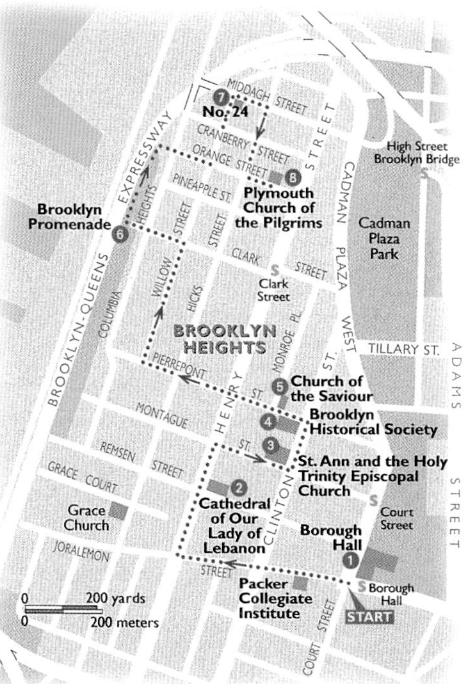

风景公园和周围近郊

风景公园

见205页地图C2

Boathouse Visitor Center, Lincoln Rd. entrance

718/965-8999

游客中心：10月中至5月中的周一至周五不开放

地铁：搭2、3线至Grand Army Plaza站；7线至7th Ave.站

景观建筑师瓦克斯和欧姆斯德认为，风景公园（Prospect Park, 1866 — 1867）可说是他们最精彩的努力结晶。今日，包括曼哈顿居民在内的许多人士也都承认这儿是他们最喜爱的一座公园。与中央公园的长方形格局不同，风景公园这片562英亩的土地呈现出不规则的形状，让这处都市景观似乎显得更自然一些。

距离布鲁克林公立图书馆（Brooklyn Public Library）不远处，正是公园北边入口的**大军广场**（Grand Army Plaza）。广场由欧姆斯德和瓦克斯于1870年共同设计，竖立此地的雕像则让它更显雄伟且具有纪念价值。广场的中心点是1892年设立的士兵与水手纪念拱门（Soldiers' and Sailors' Memorial Arch），这座高80英尺的拱门是为纪念南北战争中殉国的联军士兵而建，顶端的铜像则是雕塑家麦玛尼斯（Federick W. Macmonnies）20世纪初的作品。1981年起，纪念拱门内设有一间小型美术馆，不定期更换展出内容。

公园入口旁边竖立了一面详尽的公园导游地图，可作为游览参考。首先经过的是一片巨大的**长草坪**（Long Meadow），75英亩的草地上经常挤满了烤肉、掷球、日光浴、打鼓和弹吉他的人潮。从这儿开始，公园里各种开放或隐蔽的场所将渐续、交替呈现在你的眼前。

大军广场凯旋门的上方，屹立着四匹骏马拉曳的光荣战车。

欧姆斯德和瓦克斯的另一项设计，即是位于大军广场和拉尔福大道（Ralph Avenue）之间的**东方大道**（Eastern Parkway），如今为纽约的景观地标之一；两位建筑师希望以这条林荫大道连接中央公园和风景公园两地。20世纪末时，麦可金、米德和怀特为公园加建了大门、凉亭等设施，并于公园南端风景公园湖（Prospect Lake）附近的园边大道（Parkside Avenue）上，建造类似科林斯式（Corinthian）神殿般的**槌球亭**（Croquet Shelter）。

公园内最受欢迎的景点之一，就是**风景公园旋转木马**（Prospect Park Carousel）；这点让人想到，布鲁克林在1875至1918年间曾为旋转木马的生产中心。附近一座18世纪的**雷佛兹庄园**（Lefferts Homestead, Flatbush Ave.，电话718/965-6505），可提供临时性住宿、活动营和工艺教学示范等服务。占地14亩的风景公园动物园，如今更名为**风景公园野生动物中心**（Prospect Park Wildlife Center, 450 Flatbush Ave.，电话718/399-7339），也甚受小朋友们的欢迎。公园长年都有慢跑、溜轮鞋和长途步行的人，9街露天舞台（Ninth Street Bandshell, Prospect Park W.，电话718/965-8999，可电洽每周活动）更经常举办各项庆典和音乐会。

公园坡史迹保存区

公园坡史迹保存区（Park Slope Historic District）正好位居风景公园西北角的边界。自从1883年布鲁克林桥通行后，此地与曼哈顿市中心的往返更为便捷，于是逐渐发展成一处住宅区。

本区的整排房屋相当特殊，尤以凯若街（Carroll Street）和蒙哥马利路（Montgomery Place）上的吉尔伯特（约H.P. Gilbert）建筑作品最为耀眼。**蒙陶克俱乐部**（Montauk Club, 25 8th Ave.and Lincoln Pl.，不对外开放）的赤褐陶土细节部分，将威尼斯风格与象征蒙陶克印第安人（Montauk Indians）的雕塑艺术融为一体。在圣约翰路（St. John Place）和第7大道路口，矗立着3座造型特别的教堂：**圣约翰圣公会教堂**（St. John Episcopal Church, 1889）、**恩典卫理公会教堂**（Grace Methodist Church, 1883）和**纪念长老会教堂**（Memorial Presbyterian Church, 1883）。

公园的西南侧是占地478亩、于1840年对外开放的**绿林墓园**（Greenwood Cemetery），1844年在克林顿州长的遗体迁入后而广受欢迎，后来如特威德、库珀、摩尔斯和格雷里（Horace Greeley）等人，都是葬在这片由20英里长小径围绕的林间空地。

威可夫之家博物馆（Pieter Claesen Wyckoff House Museum）是纽约市最老的房舍，也是全国现存最古老的木造建筑之一。它在1652年时由一位仆役出身的荷兰富农委建完成，并分别于1740年和1819年两度扩建，仅一层楼的木瓦房屋采用典型荷兰本土建筑的木板墙和垂檐设计。截至1902年以前，房屋都为威可夫家族所有，1982年时市政府则以原有的建材和技术将木屋重建。参观完此地之后，不妨前往繁华的第7大道（Seventh Ave.）购物及享用美食。

圣约翰圣公会教堂

☎ 718/783-3928

恩典卫理公会教堂

☎ 718/638-1165

纪念长老会教堂

☎ 718/638-5541

威可夫之家博物馆

✉ 5902 Clarendon Rd.at Ralgh Ave.

☎ 718/629-5400

🕒 周一至周五开放（须预约）

公园坡保护区里造型奇特的整排房屋。

布鲁克林美术馆

布鲁克林美术馆

见205页地图C2

200 Eastern Parkway

718/638-5000

周一、周二闭馆

$$

地铁：搭2、3线至Eastern Parkway站

依照原来的计划，布鲁克林美术馆（Brooklyn Museum of Art）应该比现在的面积大上6倍。然而在1898年布鲁克林区的预算与曼哈顿合并后，博物馆的规模也随之缩减；不过，如今它仍是纽约第二、全美第七大的博物馆，也是美国最富盛名的机构之一。美术馆建筑由麦可金、米德和怀特所设计，采用寓言雕塑来呈现的美术风格地标建筑，有如神殿般的宏伟风貌足以搭配馆内的珍藏。

一楼除了展览区以外，还有咖啡馆、商店，以及足以陈列当代大型装饰艺术的展示空间。格龙斯（Red Grooms）的作品"海峡神女"（Dame of The Narrows）于1992至1995年间在美术馆展出时，即为整个**大厅馆**（Lobby Gallery）营造出一股纽约港的愉悦气氛。夏季时节，户外的雕塑庭园成为休闲的好去处，还有现场爵士乐于雕塑古迹中回旋荡漾。

馆藏精华作品

布鲁克林美术馆是美国研究收藏非洲艺术的先驱，1923年时，更首次以艺术角度来展示非洲器物。可到一楼的**非洲艺术馆**（African Art Gallery）欣赏顶部高达6英尺的"卡朗塞(Karanse）舞蹈面具，这是摩希族（Mossi）在追念逝者的仪式中所使用。附近的中南美洲艺术展，其中包括一件2000年前的"帕拉卡丝织品"（Paracase Textile），它的边缘织有90名穿着仪典服饰的男子图案。千万不要错过三楼世界知名的埃及典藏，从庞大的墙面雕塑到精巧的珠宝雕饰，内容应有尽有、包罗万象。四楼有28间展览室分别陈列美国各时期的文物，其中**摩尔人吸烟厅**（Moorish Smoking Room），是根据1880年洛克菲勒位于西54街的住宅陈设所设计。离开四楼前，别忘了从上俯瞰三楼美术造型的中庭。

五楼的主要展览是绘画和雕塑。**坎特馆**（Iris and B. Gerald Cantor Gallery）内收藏有坎特夫妇在1980年捐赠的58件罗丹（Rodin）雕塑作品。坎特馆东侧则是**古代大师与法国印象派绘画馆**（Gallery of Old Masters and French Impressionists），其中包括不少重量级的19世纪法国艺术家，如塞尚（Cezanne）、德加（Degas）、马谛斯（Matisse）、土鲁兹-罗特列克（Toulouse-Lautrec）等人的绘画作品。同时，这个楼层也展出美国绘画。

阿曼哈特一世（Amenhotep Ⅰ，约公元前1546—前1526）头像是布鲁克林美术馆中辉煌的埃及战利品。

美国绘画

五楼中庭的周围，环绕着18和19世纪的顶尖美国艺术。肖像画部分包括皮里（Charles Wilson Peale）和斯图尔特（Gilbert Stuart）绘制的两幅华盛顿像，以及旅行画家菲利普斯（Ammi Phillips, 1788—1865）的《贝克维斯像》（Portrait of Betsey Beckwith）。宗教画包含威斯特（Benjamin West）的《天使在圣墓旁向三位玛丽亚宣告基督复活》（The Angel of the Lord Announcing the Resurrection to the Three Marys at the Sepulchre, 1805）。另一间展览室中则陈列了殷曼（Henry Inman）、宾汉（George Caleb Bingham）、蒙特（Sidney Mount）和杜朗（Asher B. Durand）等人的作品。

宾汉的1850年作品《射击争牛》（Shooting For The Beef）。

哈得孙河画派及美国印象派作品，则有沙金特（Singer Sargent）、荷马（Winslow Homer）和艾肯斯（Thomas Eakins）等画家为代表。这儿的展出中尤以比尔斯达（Albert Bierstadt）的《落基山风暴》（Storm in the Rocky Mountains, 1866）和欧基芙（Georgia O'Keeffe）的《布鲁克林桥》（Brooklyn Bridge）特别受人喜爱。

埃及典藏

新近整修完毕的美术馆西翼6间展览室中，陈列了4000年来的埃及古物，大部分的收藏皆来自威尔伯（Edwin Wilbour, 1833—1896）的遗赠。这位记者出身的埃及研究学者，生前在尼罗河谷进行考古挖掘。他的遗孀将他的图书馆及私人收藏捐给了布鲁克林美术馆，1932年时，他的子女捐款并成立埃及学部门（Department of Egyptology）。埃及展览馆囊括500多件古物，分为两个主题展出。一是按年代分类，包括18王朝晚期（Late Dynasty 18）和阿玛纳时期（Armana Period，前1347—前1334）的文物，其中一面金属饰板上绘有公元前1352年登基的法老阿翰纳坦王（King Akhenaten）和王后妮佛蒂蒂（Nefertiti）肖像，同时此馆所展出者为威尔伯较知名的发现。另一间展览室则以陵墓、神殿为主题，时间上则从18王朝晚期至罗马时代（Roman Period，约前1336—前1330）初期皆包括在内，例如图坦哈蒙王（King Tutankhamun）统治时期（约前1336—前1327）的文物，以及奇特的"朱鹭鸟棺材"（Coffin of An Ibis），传说棺中的鸟木乃伊是萨斯神（Thoth）的化身。其他精彩项目尚有拉梅塞斯二世（Ramesses II，前1279—前1213）的墓碑，以及尼斯比卡沙迪（Nespeqashuty，前664—前610）陵寝里挖掘出的30块精致石灰岩浮雕。

美术馆沿革

布鲁克林实习图书馆（Brooklyn Apprentices Library）设立于1823年，早期时作家惠特曼（Walt Whitman）也曾出任馆长一职。这所图书馆的成立宗旨在于协助年轻人"学习技艺……并成为社会上有用且受人尊敬的一员"。在经历不同的阶段之后，图书馆逐渐发展成布鲁克林艺术与科学中心（Brooklyn Institute of Arts and Sciences），基于需要而成立了展览馆，也因此逐渐发展为目前的布鲁克林美术馆。

1893年麦可金、米德和怀特建筑工作室赢得新大楼的设计竞标，他们原本设计加建4栋翼楼，每栋楼均包含一座玻璃覆盖的中庭，使美术馆成为比罗浮宫还要壮观的世界第一大美术馆。结果，事实上仅完成西翼大楼和一座中庭。

1986年修订后的美术馆现代化发展计划，使西翼展览馆和埃及典藏馆均重新更改设计，并于1993年完成启用。

布鲁克林儿童博物馆

成立于1899年的布鲁克林儿童博物馆（Brooklyn Children Museum），为全世界最早的一座儿童博物馆。它距离布鲁克林美术馆西侧仅数条街，位于布劳尔公园（Brower Park）的地下楼层，1976年迁至如今的地下楼时，还只是两栋赤褐砂岩的楼房而已。由地下通道进入馆内，仿佛置身在层层的迷宫中。展览主题以寓教于乐为主，同时达到互动的功能。其中一个常态展"夜间旅程"（Night Journeys），即是要让孩童感受一下躺在不同文化的床铺上是什么感觉。博物馆并包括一个洋娃娃大型展览，颇受小朋友喜欢。

布鲁克林儿童博物馆

- 145 Brooklyn Ave.
- 718/735-4400
- 周一，周二闭馆
- 自由捐献
- 地铁：搭2线至Kingston Ave.站

布鲁克林植物园

植物园里平静如镜的池塘水面。

布鲁克林植物园（Brooklyn Botanic Garden）可说是庭园艺术的一大荣耀，从气息迷人的芳香庭园到蜿蜒迂回的日本庭园，呈现出无穷的设计变化。园内交错着看似绵延不绝的各种人造和天然景观，以及主题各异的特别规划区，让人无法置信此地仅52英亩而已。

1910年，布鲁克林艺术和科学中心在布鲁克林美术馆旁成立了植物园。由麦可金、米德和怀特建筑工作室设计**维多利亚棕榈温室**（Victorian Palm Conservatory）和园内行政大楼，园区的平面规划则由景观设计师卡庞（Harold Caparn）负责。

1914年时曾实施两次扩建，其一为兴建举世第一座儿童花园，可提供学童学习植物栽培的技术；其二则是位于大门北侧、由客居纽约的日本艺术家设计的**日本丘池庭园**（Japanese Hill And Pond Garden），庭园中央有一个不规则状的池塘，丰收之神Shinto的神龛在一旁俯瞰守护着。庭园附近则是一座长方形的**樱桃园**（Cherry Esplanade），种植了两排日本品种的樱桃树。每年5月初樱花开放时，一片花海美得叫人流连忘返。

植物园最近一次扩建工程是1988年加建的**史丹哈特温室**（Stainhardt Conservatory），温室里设有一座收藏750多种盆栽的盆栽博物馆（Bonsai Museum）。其中一项名为"进化轨迹"（Trails of Evolution）的展览，展示40亿年来植物进化的情景。温室里的"水上小屋"（Aquatic House），则展示如睡莲等水生植物。楼下分别为热带、沙漠和温带植物展示区。

布鲁克林植物园

见205页地图C2

1000 Washington Ave.

718/623-7200

周一闭园

地铁：搭2、3线至Eastern Parkway站

科 尼 岛

布鲁克林区的科尼岛（Coney Island）是由约5万居民组成的多种族社区，同时也因岛上的游乐园史迹而闻名于世。游乐园自本世纪初开始繁荣，二次大战后虽已渐趋没落，它的奇想光彩仍是众人目光的焦点。事实上，有关当局正认真考虑重建科尼岛上仅余的些许史迹。

科尼岛

见205页地图C1

地铁：搭B,F线至Coney Island站

渡轮：从Manhattan搭Staten Island线渡轮

让我们以想象力让时光倒流，重回科尼岛五光十色、尽情欢乐的年代。虽然如今的格局气势已不如往昔，岛上存留的古典风貌仍让这趟环岛之游不虚此行。这里有3处旅游地标景点，其中建于1927年最负盛名的**旋风轮**（Cyclone）是世界少数仅存的重力式木轨摩天轮之一，它以每小时68英里的速度，共经过6个弯道和9个降落点。高150英尺的**奇妙轮**（Wonder Wheel）于1920年的阵亡将士纪念日（Memorial Day）首度开放，它共含24辆载客车厢，每当轮轴转动时，车厢不仅翻滚，还会在轨道上滑动。位于科尼岛大街（Broadwalk）附近的**降落伞跳台**（Parachute Jump），是得自1939年至1940年间的纽约世界展览会（New York World's Fair）。虽然已关闭多年，它那钢制的高塔仍然引人注目。如果这一路的海风已教你有饥辘之感，可到**拿坦名铺**（Famous Nathan's）品尝原味的热狗小吃，这个摊子从1916年开张至今，仍是冲浪大道（Surf Avenue）上的正宗老店。

历经约80年之久，科尼岛的奇妙轮仍是主要游点之一。

科尼岛的三座游乐园

以往的科尼岛游乐园，其实是由3座游乐园合并而成。1897年，提尔犹（George Tilyou）在西17街（West 17th St.）开辟一座越野赛马园（Steeplechase Park），提供游客骑在附着铁轨的机器马上赛跑，或是让人攀附在快转木轮盘上玩人体赌轮盘（Human Roulette Wheel）游戏。月景公园（Luna Park）建于1930年，园内的建筑物缀满了大约100万个灯泡，便仿佛是一座尖塔形成的奇幻世界。第3座梦境（Dreamland）游乐园显得较为安静、雅致，它以仿制的赛维尔高塔（Tower of Seville）和威尼斯（Venetian）运河为主要景点，却是3座游乐园中最不吸引人者。梦境地游乐园和月景公园分别于1911年和1944年遭大火焚毁，越野赛马园则于1964年关闭。

环游斯塔滕岛

从曼哈顿搭乘渡轮抵达斯塔滕岛（Staten Island）的圣乔治渡口（St. George Ferry Terminal）后，可先在这儿四处走走，然后再搭巴士直达附近的观光景点，如史纳格港口文化中心、奥斯汀小屋（Alice Austen House）、华兹华斯堡垒（Fort Wadsworth）和动物园等。若想前往较远的名胜地区，则最好租辆汽车以免转车之苦。

从渡口出发前往里士满台地（Richmond Terrace），可以到地区大会堂（Borough Hall）欣赏多项历史文物展出。警察局的后方，则是建于1881年的斯塔滕岛艺术和科学中心（Staten Island Institute of Arts and Sciences，地址75 Stuyvesant Place，电话718/727-1135），收藏项目多达两百多万项，包括55 000幅摄影作品，以及19世纪绘画、雕塑和装饰艺术等。

从渡口搭公车仅需数分钟，即可到达岛屿最北端的史纳格港口文化中心（Snug Harbor Cultural Center）。它于1831年设立于一栋希腊复兴风格大楼内，原本是为"年老、退休的水手"们准备的退休养老中心。纽豪斯当代艺术中心（Newhouse Center for Contemporary Art，电话718/448-2500）这间社区美术馆，则是位于前行政大楼（Administration Building，亦称C楼）旧址。中心里还包括提供孩子亲身参与、互动式展览的斯塔滕岛儿童博物馆（Staten Island Children's Museum，电话718/273-8200），以及包含各类主题花园和展示的斯塔滕岛植物园（Staten Island Botanical Garden，电话718/273-8200）。

位于较远的内陆地区，则是成立于1936年的斯塔滕岛动物园（Staten Island Zoological Park），总面积达8英亩，以饲有许多北美响尾蛇的响尾蛇园（Serpentarium）而闻名。

从渡轮上望见的斯塔滕岛景致教人难忘，回程时的曼哈顿美景则更胜一畴。

史纳格港口文化中心

见204页地图B2

1000 Richmond Terrace

718/448-2500

公车：从渡口搭S40号

斯塔滕岛动物园

见204页地图B2

614 Broadway

718/442-3100

$（周三免费）

汽车渡轮

718/815-BOAT

奥斯汀小屋

奥斯汀小屋

见205页地图C2

2 Hylan Blvd.

718/816-4506

周一至周三闭馆

自由捐献

公交车：从渡口搭S51号

曾一度为女性摄影家奥斯汀（Alice Austen, 1866—1952）住所的博物馆位于斯塔滕岛的边缘，远眺海峡。如今馆内便以这位美国早期杰出的女摄影家一生作品和史料为展览重点。这栋建于18世纪初的度假小屋，1844年时由奥斯汀的祖父买下，加以扩建整修后，即命名为清福居（Clear Comfort）。游访此地不仅可欣赏奥斯汀的作品，且将途经海滨的高雅房舍，得以一窥20世纪初岛上中产阶级的生活气息。

奥斯汀有许多摄影作品，皆从她周围的愉悦环境和生活取景，包括野餐、朋友家中的装潢、船赛和派对等等。一本为女性编撰的自行车入门指南，曾刊登她拍摄的一系列说明如何着长裙上车、踩踏板和下车的图示照片。同时，她也尝试拍摄一些较大胆、困难的街景主题；例如，她冒险到纽约市巴特里（Battery）和斯塔滕岛的检疫站（Quarantine Station）所拍摄的移民初抵美国景象，以及她以下东区生活为题的摄影作品，其中包含知名的1896年赫斯特街（Hester Street）鸡蛋小贩。正因这一系列作品，使奥斯汀与当时的瑞斯（Jacob Riis）、韩（Lewis Hine）等社会写实报道摄影家齐名。

父亲留下的一笔遗产，原本可以使奥斯汀此生衣食无虑，但由于1929年的股市崩盘，却迫使她抵押房产，并在1945年让出产权。1951年，《生活》（Life）杂志的一位研究员无意间发现奥斯汀的摄影作品，此时穷困潦倒的她正住在斯塔滕岛农场社区（Staten Island Farm Colony）。《生活》杂志为奥斯汀制作一篇专题，并募集一些款项，让她在疗养院中度过生命里的最后6个月。这篇报道文章也引发斯塔滕岛历史协会（Staten Island Historical Society）的注意，将奥斯汀遗留的约4800张底片予以保存收藏。此后，奥斯汀小屋之友会（The Friends of Alice Austen House）陆续进行房屋整修，1971年时房舍并正式成为城市史迹。虽然，奥斯汀在她有生之年不曾享受这迟来的荣耀，今日的奥斯汀小屋不仅保存了她的老家、她在美国摄影界的不朽地位，更重要的是透过她的作品，让我们看到20世纪初一位纽约女性的动人观点。

截至1945年以前，摄影家奥斯汀始终住在斯塔滕岛上的清福居（Clear Comfort）。

里士满古镇

这座建于1611年里士满古镇，正足以证明纽约市的应有尽有，即便是修复后的乡郊村舍也保存了下来。在这个区域里随意浏览，你可以到史帝芬—布莱克之家（Stephens-Black House）欣赏19世纪晚期的小店风貌，或可拜访制篮之家（Basketmaker's House, 1810）观赏手工师傅们的木篮编结手艺，也可以前往建于1740年的荷兰殖民风格的基恩—雷克—泰森之家（Guyon-Lake-Tysen House）的地下室塑制陶瓶。

这个古迹保存区中，拥有纽约市最古老的一些房子。由木、石建造的布雷登小屋（Britton Cottage），推测完工时间在1690年之前（房屋中央部分约完成于1670年），小屋并于1967年时移到里士满古镇。由于古镇位居斯塔滕岛的中央，也因此在1730年时成为政府机构的所在地。

保存区的28栋建筑中，有11栋是原本就建在此地的房舍，其中包括建于1695年左右、也是美国现存最早的小学乌里惹之屋（Voorlezer House），这是由荷兰改革教会（Dutch Reform Church）的教友们为教会的凡俗讲道人和学校教师所建造的房子。1855年，教会又为他们的牧师建造了牧师公馆，但此时教会已逐渐势微。

1837年的希腊复兴风格第三郡法院（Third County Courthouse）目前为古镇保存区的游客服务中心，也是游览的第一站，可欣赏工匠师傅和穿着传统服装的工作人员重现17世纪的生活型态。历史博物馆也同样位于政府大楼的里士满郡代表办事处（Richmond County Clerk's And Surrogate's Office, 1848）内，常态展览包括斯塔滕岛的经济和历史调查纪录。

里士满古镇

见204页地图B1

441 Clarke Ave.

718/351-1611

周一、周二不开放；开放时间因季节而异

$$

公车：从渡口搭S74号

里士满古镇的部分缔造者，长眠于今日游客中心附近的雷索—凡培尔特墓园（Reseau-Van Pelt Cemetery）。

斯塔滕岛其他景点

会议厅

这栋两层半高的楼房是纽约市最古老的房屋之一，于1680年建于斯塔滕岛南端的一座公园中。原来以建造者命名为毕拉普之家（Billop House），后来因独立战争时一个和平会议在此举行（1776年9月11日），故从此改名为会议厅（Conference House）。此和平会议原意在协调富兰克林（Benjamin Franklin）、亚当斯（John Adams）和路特雷吉（Edward Rutledge）等美国爱国志士与英国的豪将军（Richard Howe）谈判，然而结果并不成功。会议厅今日开放团体参观，室外的空地亦颇适合野餐。

见204页地图A1 7455 Hylan Blvd. 718/984-2086 冬季关闭（电话洽谈细节）；周一至周五不开放 公车：搭S78号至Craig Ave.站，往南走一条街至公园

缪奇博物馆

从奥斯汀小屋向内陆走，便是建于1845年左右、曾住过两位名人的缪奇博物馆（Garibaldi-Meucci Museum）。一位是意大利裔移民缪奇（Antonio Meucci, 1808—1889），据称他比贝尔（Alexander Graham Bell）还早几年发明电话；另一位则是意大利英雄加里波第（Giuseppe Garibaldi, 1807—1882）。缪奇于1850年迁居斯塔滕岛，曾因贫困和语言不通而丧失一项发明的专利权。当年由于加里波第参与的共和军失势，他即从意大利逃至纽约投靠缪奇。在农庄住了近一年后，加里波第重新获得船长职位，但最后仍于1853年返回祖国意大利。博物馆内展示两位人士的生活纪录，包括缪奇创造的电话原型和他死后的面模。

见204页地图B2 420 Tompkins Ave. 718/442-1608 周一闭馆 自由捐献 公车：搭S52,S78号至Tompkins Ave.站

马查斯西藏艺术博物馆

距里士满古镇保存区不远处，即是西藏寺院风格的马查斯西藏艺术博物馆（Jacques Marchais Museum）。馆内陈列有麦迪逊大道艺术经纪人柯布兰兹（Edna Coblentz）的私人收藏，他将一生精力皆投注于中国西藏艺术的收藏和研究。

马查斯西藏艺术博物馆内所展示的美丽作品。

地图204页B2 388 Lighthouse Ave. 718/987-3500 冬季周日至周二闭馆；夏季周一至周二闭馆 $

毕利欧农庄

毕利欧农庄（Pierre Billiou House; Billiou-Stillwell-Perine House）是斯塔滕岛上现存最古老的房子，也是最早的博物馆之一。最初的石造农庄建于1660年代，截至1750年代间曾经过几次扩建工程，并于1919年对外开放参观。

见204页地图B1 1476 Richmond Rd., Dongan Hills 718/351-1611 电话洽谈预约

布朗克斯区附近

布朗克斯区和邻近地带拥有许多迷人的景点，远不是某些人士所想象的如破壁残垣一般。

布朗克斯历史博物馆（Museum of Bronx History, 3266 Bainbridge Ave.，电话718/881-8900）收藏了布朗克斯区过去的手工艺品，例如献给首位区长的象牙议事槌，馆内还附设藏书丰富的研究图书馆。博物馆坐落在一栋漂亮的石造建筑范伦亭-瓦利安之家（Valentine-Varian House），由铁匠范伦亭（Isaac Valentine）于1758年所建造。

美国名人厅（Hall of Fame for Great Americans, University Ave. and W. 181st St. 电话718/220-6003）这座由怀特（Stanford White）设计的半圆形拱廊，长630英尺。厅内有97位名人的半身雕像，其中最新的一尊是1992年添置的罗斯福（Franklin Delano Roosevelt）像。名人厅坐落于布朗克斯社区大学内，学校的古德纪念图书馆（Gould Memorial Library, 1897—1899）也是怀特的杰作之一。

宛如田园诗般的**林地墓园**（Woodlawn Cemetery, Jerome Ave.at Bainbridge Ave.，电话718/920-0500）建于1863年，占地400英亩，在此地的30万个陵墓中包括名人伍尔沃思（F.W. Woolworth）的埃及复兴式陵寝，以及镀金时代（Gilded Age）其他百万富豪们的陵墓。自从1870年法拉格（Adm. David Farragut）将军的棺木迁入后，墓园即开始广受各方瞩目。

城市岛（City Island）为一座与布朗克斯区以桥相连的2英里长的小岛，岛上有如画一般的小艇船坞、餐厅和古董店。走进**北风海底中心博物馆**（North Wind Undersea Institute Museum, 610 City Island Ave.，电话718/885-0701），入口处便是鲸鱼张开的大嘴，里面展示有捕鲸的工具和鱼骨等。

纽约扬基队的开打日，扬基体育场内挤满了观赛人潮。

有"路斯的家"（House That Ruth Built）之称的**扬基体育场**（Yankee Stadium, River Ave.at 161st St.，电话718/293-6000），为纽约扬基棒球队的常驻之地，也是一处受人敬仰的历史古迹。这座体育场拥有过辉煌的历史，以及不确定的未来。第一场球赛于1923年4月18日开打，即由路斯（Babe Ruth）挥棒击出全垒打赢得比赛。今日体育场内立有纪念碑表扬路斯、吉力格（Lou Gehrig）和迪马裘（Joe Dimaggio）等球员的光荣战果。1998年，当扬基队赢得世界棒球赛冠军宝座时，体育场的结构也产生严重问题。许多建议纷纷提出，例如：将现有场地重新整修、于曼哈顿建一座新的球场，甚至更不可思议的想法是—把扬基队搬到新泽西！

纽约植物园

纽约植物园

见205页地图D5

200th St. and Southern Blvd.

718/817-8700

周一闭园

$

地铁：搭4,D线至Bedford Park Blvd.站
公车：从曼哈顿搭交通专车（Tel 718/817-8700）
火车：于Grand Central Terminal搭北线Metro（Tel 212/532-4900）

游客坐在园中的长凳上小憩，远处为霍普特温室（Enid Haupt Conservatory）。

从表面上似乎无法想象，纽约竟是庭园爱好者心所向往的国度，外围的4个地区皆拥有骄人的植物园。到纽约想要有趟庭园之旅的人，一定要优先考虑布朗克斯区的纽约植物园（New York Botanical Garden）。

布朗克斯区植物园中最著名的建筑为建于1902年的**霍普特温室**（Enid A. Haupt Conservatory），它是参照1851年的伦敦水晶宫（Crystal Palace）为设计蓝本。直径达100英尺的棕榈庭院上方有一个90英尺高的玻璃圆拱篷，庭院内共包含10个展示馆，其中两座雨林馆内设有架高的天桥，观者可从高处以不同的角度往下俯瞰。1978年温室整修时，总数达1.7万片的玻璃皆以人工重新置换。慈善家霍普特捐赠500万美元供整修之用，温室也因此重新命名。

新建的庭园包括1988年的**华特森长青植物园**（Jane Watson Perennial Garden）和洛克菲勒玫瑰园（Peggy Rockefeller Pose Garden）。玫瑰园的造型是根据著名庭园设计师法朗德（Beatrix Farrand）1916年的设计蓝图为基础。1998年开放的**艾佛瑞特儿童历险花园**（Everett Children's Adventure Garden）占地12英亩，耗资900万美元兴建完成。这座专为小朋友设计的花园经常举办各项有趣的探奇活动，例如寻找池塘中的青蛙、到"儿童专用"的草坪上探索，以及在小木屋的实验室里用显微镜观察园里寻获的东西。

1891年在纽约市购得的土地上，布朗克斯区植物园正式对外开放。植物园的设计灵感来自位于伦敦郊外奎伊（Kew）一地的皇家植物园（Royal Botanical Garden）；园中三层半楼高的餐厅，原为一座建于1840年左右的芳香磨坊（Snuff Mill）。

布 朗 克 斯 动 物 园

无论是俗称的布朗克斯动物园、早期的纽约动物园（New York Zoological Park），或者是如今的国际野生动物保护公园（International Wildlife Conservation Park），采用任何名称都无妨，这儿正是观赏野生动物在自然环境生存、活动的最佳地点。占地265英亩的动物园，拥有超过55类物种的大约4000只动物，为全美最大的市区动物园。

布朗克斯动物园（Bronx Zoo）自1899年开放起，便采用创新概念以壕沟来区隔生活于自然环境的动物，取代以往传统的铁笼栅栏设计。1960年代时，这里开始成为濒临灭绝物种的保护中心，这项理念也落实在新颖的展览主题上，例如1969年聚居大批育种蝙蝠的"黑暗世界"（World of Darkness）、1972年的"鸟世界"（World of Birds）和1985年的"丛林世界"（World of Jungle）等。

大型的"亚洲野生动物"（Wild Asia）共占40英亩面积，须搭乘历时25分钟的孟加拉快车（Bengali Express）才能游完全程。动物园里并备有额外收费的专车沙法利火车（Safari Train）和空中电车（Skyfari）。

布朗克斯动物园是由海恩斯（George Lewis Heins）和拉法吉（约 Grant La Farge）两位建筑师共同设计；位于东佛汉路（East Foedham Road）入口处的洛克菲勒喷水池（Rockefeller Fountain）也是出自他们之手。雕塑家曼希普（Paul Manship）于1930年初在同一入口以青铜塑制雷尼纪念门（Paul J. Rainy Memorial Gates），两座拱门之间并以一棵鸟儿栖息的生命树（Tree of Life）相隔，顶部盘踞着一只坐狮；纪念门更被视为曼希普的公共景观杰作之一。附近一座1937年的美洲虎石雕，则是知名女雕塑家亨汀顿（Anna Hyatt Huntington）参照园中动物所作。

布朗克斯动物园

见205页地图D5

Fordham Road

718/367-1010

$$（周三免费）

地铁：搭2线至Pelham Ave.站
公车：从Madison Ave.搭B11号Express（电话718/652-8400）

布朗克斯动物园的丛林世界展将参观者环绕其中。

布朗克斯区史迹老屋

巴陶—培尔宅邸

培尔（Thomas Pell）于1654年向印第安人购得长岛峡湾（Long Island Sound）附近的土地，却直到1842年才在此地建造宅邸。这栋古典复兴风格的华宅共有10个房间，宅内陈设的古董家具则多半向市立博物馆租借而来。回旋式的楼梯为培尔家族好友拉菲佛（Minard Lafever）的设计作品。1888年纽约市政府将宅邸连同石造马车房一起买下，并于1915年成立博物馆开放参观。

见205页地图E5 895 Shore Rd. N., Pelham Bay Park ☎ 718/885-1461 电话问询开放时间 $ $

爱伦·坡小屋

作家爱伦·坡（Edgar Allan Poe）于1846年迁居布朗克斯区，他形容自己的住处为"静谧的小屋"。他在小屋中完成了《乌拉鲁梅》（Ulalume）和《钟铃》（The Bells）等作品。小屋于1917年开放为博物馆，楼下3间房间整修成爱伦坡居住时的模样，楼上则陈列包含视听资料在内的作家生平纪录。

见205页地图D5 East Kingsbridge Rd. and Grand Concourse ☎ 718/881-8900 周一至周五闭馆 $ $ 地铁：搭D线至Kingsbridge Rd.站

凡寇兰德庄园博物馆

这栋高雅的乔治亚式庄园建于1748年，独立战争期间，华盛顿曾短暂驻扎此地。今日的庄园内，陈列着1889年以前皆居住在此的显赫凡寇兰德家族藏有的丰富古董，其中包括18世纪初哈得孙河谷生产的彩绘橱柜，以及由史都华（Gilbert Stuart）所绘的凡寇兰德家族姻亲艾斯特（John Jacob Astor）肖像。

见205页地图D5 Van Cortlandt Park ☎ 718/543-3344 周一闭馆 $ $ 地铁：搭1、9线至240th St.站

波浪丘

占地28英亩的两栋宅邸分别建于19世纪中和20世纪初。罗斯福、马克·吐温和托斯卡尼尼（Arturo Toscanini）皆曾居住此地。如今的波浪丘（Wave Hill）已成为一处文化中心，但多数游客到此游览，仍只为一睹可远眺哈得孙河及新泽西断崖（New Jersey Palisades）的美丽公园。

见205页地图D5 West 249th St. ☎ 718/549-3200 周一不开放 $ $（冬季免费） 地铁：搭A线至200th Street站，转搭北线7号公交车

秋日阳光将波浪丘衬托得更为姣美。

昆斯区漫游

1939—1940年及1964—1965年的两届世界博览会都在法拉盛草坪—可乐那公园（Flushing Meadow-Corona Park）举行，此地也因而成为昆斯区的主要观光点之一。

公园占地达1255英亩，为纽约第二大公园。某些为博览会而建的设施仍留在原地，著名的**合一之球**（Unisphere）是全世界最大的一只地球仪，为美国钢铁公司（U.S. Steel）制作的1964—1965年世界博览会大会象征。1946年曾为联合国总部临时大楼的纽约大楼（New York City Building），也是两届世界博览会的会务用地，如今则改为**昆斯区美术馆**（Queens Museum of Art，电话718/592-5555，周一闭馆），主要展示纽约地区当代艺术家的作品。馆中一件巨大的纽约全景（Panorama of New York City）模型，采一千两百分之一的比例呈现一座巨细靡遗的迷你纽约，是全世界最大的建筑模型。这座巨型建筑模型也是为1964—1965年的世界博览会而制造，占据馆内9335平方英尺的空间，并且定期更新以囊括纽约市83万栋建筑物。

公园中的**纽约科学厅**（New York Hall of Science，电话718/699-0005，周二、周三不开放），原为1964—1965年世界博览会太空展示中心（World's Fair Space Center）。厅内以物理、生物、科技等互动式展览为主，其中一项"隐藏的王国：细菌的世界"（Hidden Kingdoms-the World of Microbes）主题展，一支14英尺长的缝针上展示着依比例放大的细菌模型。

合一之球是1964—1965年世界博览会遗留的壮观纪念品。

昆斯区年代最老的鲍恩小屋，为殖民地时代争取宗教自由的象征。

富勒（Buckminster Fuller）为博览会的邱吉尔楼阁（Winston Churchill Pavilion）所建的测量圆顶，如今则是公园西边占地11英亩的复合式**昆斯区野生动物中心**（Queens Wildlife Center，电话718/271-7761）的鸟舍。昆斯区纽约麦兹（New York Mets）棒球队常驻的**希亚体育场**（Shea Stadium，电话718/507-8499），则是另一项因1964—1965年博览会而兴建的工程（目前正考虑在现有球场旁兴建一座新的体育场）。

公园东边建于1661年的鲍恩小屋（Bowne House, 37-01 37th Ave.，电话718/359-0528），是昆斯区年代最老的房子。它的屋主鲍恩（John Bowne）由于后来成为教友派（Quakerism）的一员，1662年时在这栋小屋内举行宗教聚会而遭史都维森总督逮捕。事后荷兰西印度公司（Dutch West India Company）命令史都维森释放鲍恩，从此建立了殖民地的宗教自由原则（见20页）。这栋屋宅曾住有鲍尼家族的9代子孙，直到1945年时改设博物馆为止。附近的**教友派聚会所**（Friends Meeting House，电话718/358-9636），则是鲍恩与其他教友派信徒于1694年所建造，长期以来皆是教友派的聚会地点。另一位教友派信徒道提（Charles Doughty）于1785年在附近建造了京士兰农场（Kingsland Homestead），也就是目前的**昆斯区历史协会**（Queens Historical Society, 137-16 Northern Blvd.，电话718/939-0647）所在地，过去几任屋主如道提的女婿金（Joseph King）的纪念遗物皆在协会里展出。二楼陈列一间维多利亚式的会客室，并展出昆斯区的史料纪录。

位于法拉盛（Flushing）的**昆斯区植物园**（Queens Botanical Gardens, 43-50 Main St.，电话718/886-3800，周一不开放）占地38英亩，包含一座由杰克逊与柏金斯公司（Jackson and Perkins）所捐赠的栽有4000株植物的玫瑰园，还有婚纱摄影专用庭园、药草庭园，以及栽种世界各国特有植物以象征纽约多元文化的种族庭园。

当代艺术中心

当代艺术中心（Contemporary Art Center, 22—25 Jackson Ave.，电话718/784-2084）所在地原本为一所废弃的校舍（P.S. 1），在耗资850万、历时3年整建之后，1997年末重新开放为艺术中心。它占地12.5万平方英尺的展览空间，使它成为全世界最大的当代艺术博物馆。

美国电影博物馆

美国电影博物馆（American Museum of the Moving Image，简称AMMI）位于一次大战前的电影制片场内，它提醒人们纽约曾是美国电影工业的摇篮。同时，它也是昆斯区值得一游的景点。

此地以电视、录影和新近的数码影像为主的展览内容，可让参观者亲自体验电影的制作过程。采用尖端的合成技术，可以将你的声音移植到一些电影的经典镜头，也可以将自己录制的音效剪接至电影片段中，或者自行组合数码影像。

博物馆所在地曾是考夫曼-艾斯特利亚制片厂（Kaufman-Astoria Studio）的部分厂址，派拉蒙影业（Paramount Pictures）的前身莱斯基（Famous Players-Lasky）即于1920年在昆斯区此地开幕；那时多数的电影制作都已移至西岸。1942—1971年间，军方接管片场设备，借此拍摄一些战时军教片。1976年，片场添置了许多现代化设备，并重新开幕摄制电影，如《绿野仙踪》（The Wizard of Oz）、《爵士春秋》（All That Jazz）、《毛发》（Hair）和《汉娜姐妹》（Hannah and Her Sisters）等影片都在此地取景或摄制完成。1988年则在此地设立美国电影博物馆。

博物馆的常态展为“银幕背后：制作、宣传、电影和电视展览”，它对电影技术进行了一次全面纵览，从19世纪的旋转画筒（留有细缝的轴筒，旋转时可造成连续动作的幻觉），衍生至今日使用的数码动画技术。馆中还有电影道具及相关产品的展示，如邓波儿（Shirley Temple）、唐·约翰逊（Don Johnson）在电视影集《迈阿密风云》（Miami Vice）所穿的戏服，以及《绿野仙踪》里的黄砖道等等。公开陈列的艺术作品，则有20世纪20年代电影中的埃及复兴式宫殿“Tut's Fever”复制品。

美国电影博物馆

见205页地图D3

35th Ave. at 36th St.

718/784-0077

周一闭馆

$$

地铁：搭R线至Steinway St.站

美国电影博物馆以崭新手法呈现近100年来的电影纪录和科技。

野口勇庭园美术馆

野口勇庭园美术馆

见205页地图D4

323-7 Vernon Blvd. at 33rd Rd. Long Island City

718/204-7088

周一、周二闭馆

自愿捐献

地铁：搭N线至皇后区Broadway站

苏格拉底雕塑公园

Vernon Blvd. at Broadway

718/956-1819

这件野口勇的作品散发出沉静之感。

雕塑品所带有的某种抑制特质，适足以沉淀与调和大都市的无穷精力：至少昆斯区长岛市（Long Island）的庭园美术馆就可达到如此效果。甚至，曾有人语带夸张地称它为纽约市最祥和之处。

位于东河（East River）附近的美术馆，收藏了300多件日裔美籍艺术家野口勇（Isamu Noguchi, 1904—1988）的雕塑作品。野口勇擅长公共景观雕塑，今日的美术馆原为他在60年代于昆斯区成立的工作室。

野口勇于1904年生于洛杉矶，父亲为日本诗人，母亲则是一位美国作家。他于1923年至纽约的哥伦比亚大学医学院就读，继而转往艺术学院。1940年时，他在洛克菲勒中心内一栋联合报业大楼（Associated Press Building）入口处制作一件不锈钢浮雕，同时为福特基金会（Ford Foundation）设计了一座喷泉。惠特尼美术馆并于1968年为他举行一次大型回顾展。

美术馆中展示这位艺术家一生的所有作品，包括由日本纸灯笼灵感衍生出的Akari灯光雕塑。其中一间展览馆专门展出他的剧场设计作品；他曾于1935年至1966年间为女性舞蹈家格雷厄姆（Martha Graham）设计舞台。美术馆团体导游的第一站即为室内/室外展览馆（Indoor/Outdoor Gallery），这儿永久陈列他晚期的一些玄武岩和花岗岩雕塑。美术馆的庭园充满了传统的日式庭园气氛，园里摆放着野口勇的石雕，一件名为《井》（Well）的作品旁有瀑布倾泻而下。另一间展览馆中，收藏有1968年作品《红色立方体》（Red Cube）的草稿习作，这件雕塑作品于1968年起即陈列于曼哈顿下城百老汇大道140号。

庭园不远处，则是面向东河、4英亩大的**苏格拉底雕塑公园**（Socrates Sculpture Park），从此处可欣赏曼哈顿的天空轮廓景观。公园里经常展出新生代与知名艺术家的大型雕塑作品。

想要抛开忙碌的城市生活，其实不用远游，西边附近的长岛极适合当日往返。哈得孙河谷的军事古迹、河畔小屋，以及无可比拟的富丽景致，则提供你另一项旅游选择，此地大约得停留数日来浏览各处。

出城远足导游
Excursions

哈得孙河谷的熊山大桥(Bear Mountain Bridge)。

出城远足导游

即便是随着速度而跃动的纽约人，迟早也会想抛开扰攘出去走走。而若有计划出游，其实附近就有许多海滩、山区、河流、湖泊等好地方可供选择，有些地点甚至可以在一天之内往返。同时，这些风景区也多半是历史的发源地，如今仍保留丰富的史迹遗产。

如何前往目的地是一项重要因素，因此最好预先设想好往返方式。通常有地铁、公车、火车和出租汽车等多种选择，其中尤以租车最为冒险，一来对路线不熟，二来可能不小心就陷入拥塞的车阵中动弹不得。不过，只要做好心理准备，开车出游也不无可能。搭火车很愉快，但最好避开高峰时间，尤其是往长岛的车上经常挤满了通勤旅客。

这个单元将概括纽约附近的哈得孙河谷（Hudson River Valley）和长岛（Long Island）西端一带，这两地拥有截然不同的地形、景致和情趣。哈得孙河谷是欧文（Washington Irving）书中知名角色凡·温可（Rip Van Winkle）的家乡；长岛也因菲茨杰拉德（F. Scott Fitzgerald）的文学名著《了不起的盖茨比》（The Great Gatsby）而长存。富豪时代的显贵们在长岛北岸（North Shore）的私人土地上盖起华丽的宅邸；殖民时期的地主们也纷纷在哈得孙河沿岸建造豪宅。凡德比尔特（Cornelius Vanderbilt）的后裔则在两处都置有房产。

哈得孙河谷

1807年，发明家富尔顿（Robert Fulton）建了一艘名为"克雷蒙特"（Clermont）的蒸汽船（以好友李文斯顿的宅邸地点命名，（见232页），他在哈得孙河上32小时往返纽约和奥尔巴尼（Albany）之间的首航，为商业运输开创了新的纪元。但真正让哈得孙河带动曼哈顿商业繁荣的契机，则是于1825年通航、连接欧伯尼和水牛城（Buffalo）的伊利运河（Erie Canal）。这条运河是纽约和五大湖（Great Lakes）连结的主要通道。相较之下，哈得孙河谷比长岛保有更完整的历史风貌，许多山脚下的河谷地仍如19世纪初期般壮丽美好；那时也是哈得孙河画派（Hudson River School）艺术家们以此地美景作画的草创时期。

长岛

长120英里、宽23英里的长岛地形十分平坦，它的北岸有着美丽如画的港湾和海岸，南区则有大西洋的波涛冲刷着海滩和防波堤。长岛曾一度布满了农场，如今却只剩东部尚有农田。独立战争时期，英军统帅豪将军于1776年8月26日至31日的长岛战役中，把华盛顿及其部队逐出长岛，此后长岛始终受英军管辖，直到战事终了。以往的捕鲸、造船和运输业，如今皆已不见踪影，目前长岛的水域多半用于休闲活动。20世纪初，美国新一代的工业巨子开始在有金色海岸（Gold Coast）之称的长岛北岸建造宅邸。1920年代的繁盛时期，长岛更成为富豪人士的狂欢场所，他们在这里飙车、酗酒、打马球、举行奢华的派对；菲茨杰拉德在《了不起的盖茨比》一书中即对此有详尽描述。二次大战后，土地开发者将大批的农地建成住宅区和购物中心。今日，人口稠密的长岛西岸已和纽约市紧密相融，但仍有一些景点能勾起人们对过去时光的回忆，例如曾是富豪乐园的老威斯伯里庭园（Old Westbury Gardens），以及象征早期纯朴农村生活老贝斯佩吉村（Old Bethpage Village）。

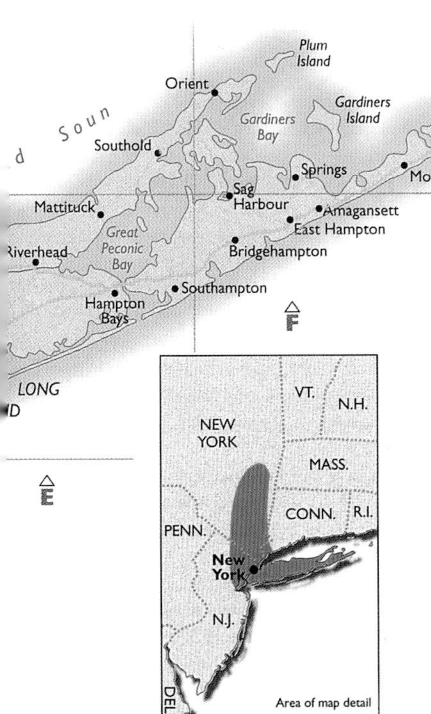

古老大炮设于远眺西点的高地上，守护着哈得孙河。

哈得孙河谷

游览哈得孙河谷可沿着河西岸往北走，于凯兹奇尔（Catskill）过河，再沿东区而下返回原地。虽然只有200英里的路程，却需花费数日才能深入探访所有景点。但无论是各种组合游程都会充满极大乐趣，希望短程游览的人可采重点式走法，然后取道横跨哈得孙河的任何一座桥返回纽约。

首先抵达处于新泽西州华盛顿桥（George Washington Bridge）南边的**李堡史迹公园**（Fort Lee Historic Park，地址Hudson Terrace, Palisades Interstate Park），这里设有独立战争后修复的炮台。1776年11月16日，华盛顿即在此有利位置观察曼哈顿北部的华盛顿堡落入英军之手的情景。往北进入纽约州，绕道至**史东尼点战场史迹**（Stony Point Battlefield S.H.S., U.S. 9W公路外的Park Road），韦恩将军（Gen. Anthony Wayne）曾于1779年7月16日在此地突袭英军获胜。里面设有一座小型博物馆（电话914/786-2521），并提供自行导游的参观行程。

继续沿着U.S. 9W公路抵达**西点**（West Point）一地，这儿正是美国西点军校（United States Military Academy）的所在地，从此地可眺望壮丽无瑕的哈得孙河弯道。最好选在春秋两季造访，还可观赏军校学生阅兵

游行。西点军校自1802年起，即提供为期4年的军官培训课程，训练方式更以严格和纪律著称。校舍原本是建于1778年的战时防御堡垒，由独立战争期间为美国人而战的波兰籍军官科斯奇兹柯（Thaddeus Kosciuszko）所设计建造。大部分知名的美国军官皆毕业于西点军校，但并非每个都名列前茅，格兰特将军当时在班上便名列末座，艾森豪威尔（Dwight Eisenhower）也表现平平。

西点博物馆（West Point Museum）中有收藏丰富的武器、制服、战略，以及介绍历史上著名战役的图片。建于1836年的**老军校生礼拜堂**（Old Cadet Chapel）位于营区墓园内，教堂内墙上挂满了军旗。古德休（Bertram Grosvenor Goodhue）于1910年所建的**军校生礼拜堂**（Cadet Chapel）则是采用新哥特式设计风格。游行广场附近并竖立了一座科斯奇兹柯纪念碑。

离开西点后，继续走U.S. 9W公路，可在纽堡（Newburgh）的**华盛顿总部史迹**（Washington's Headquarters State Historic Site）处稍作停留。华盛顿曾于1782年至1783年间在石造的哈斯布洛克屋（Hasbrouk House）小住一段时日，如今屋内的陈设完全和他居留时一样。史迹点并设有一处展览独立战争工艺品的博物馆。下一站可前往北边的**纽帕兹**（New Paltz）小镇，它是于1677年由法国人休古纳兹（French Huguenots）所创立，休古纳兹街（Huguenot Street）上的6间石屋（1692—1717）如今仍保存着。有关小镇的观光行程可洽此地的历史协会（Historical Society，Deyo Hall，地址 6 Broadhead Ave.，电话914/255-1889）。

从纽帕兹镇再沿着U.S. 9W公路往北走，抵达独立战争时的纽约州首府**金斯顿**（Kingston）。1777年裁定设立的第一座州立机构为参议院史迹（Senate House S.H.S.，地址 312 Fair St.，电话914/338-2786），此地展出早期州政府的资料，以及哈得孙河画派的凡德林（John Vanderlyn）画作。在都市文化公园游客中心（Urban Cultural Park Visitor Center，地址 20 Broadway，电话917/331-7517）内，备有金斯顿史迹围篱区（Stockade Historic District）的徒步游览地图可供游客索取。

离开金斯顿，于凯兹奇尔沿着温可桥（Winkle Bridge）跨越哈得孙河。取道N.Y.9G公路往南行1英里路，即可到达俯瞰哈得孙河的**欧拉纳别墅史迹**（Olana S.H.S.）。别墅主人为1872年起即定居在此的哈得孙河画派画家邱曲（Frederic Church，1826—1900），他自称以"自创的波斯风格"设计房舍造型。

西点

见228页地图B4

游客服务中心

Building 2107, West Point, NY 10996

914/938-2638

华盛顿总部史迹

见228页地图B4

Liberty St.at Washington St., Newburgh

914/562-1195

10月至4月不开放

$

欧拉纳别墅史迹

见228页地图B6

N.Y. 9G, Hudson

518/828-0135

11月至3月不开放

$

克雷蒙特史迹

见228页地图B5

1 Clermont Ave., Germantown

518/537-4240

4月至10月的周一、11月至12月中的周一至周五不开放

$

蒙哥马利宅邸

见228页地图B5

North of Kingston-Rhinecliff Bridge

914/758-5461

4月至10月的周二不开放

$$

沿着N.Y.9G公路继续往南走，来到杰门城（Germantown）的**克雷蒙特宅邸史迹**（Clermont State Historic Site），此地为李文斯顿（Robert R. Livingston）的旧时住所。李文斯顿曾是大陆国会（Continental Congress）的议员，也是负责首任总统华盛顿就职宣示的纽约执行长官。宅邸沿用了伙伴富尔顿的蒸汽船名称"克雷蒙特"，于1777年时遭英军焚毁，在美国独立后予以重建。N.Y.9G公路外不远处，则是位于哈得孙河畔阿那达尔（Annandale-On-Hudson）镇的**蒙哥马利宅邸**（Montgomery Place），房屋由蒙哥马利将军的遗孀于1805年所建，后来曾大规模整修。

若是全家一起出游，适合到**老莱茵贝克机场**（Old Rhinebeck Aerodrome，地址Off N.Y. 9 on Stone Church Road）参观，此地提供有关飞行、空中表演和导游行程（电话咨询914/758-8610）。

菲利普斯堡庄园和重建的磨坊。

帕夫基普西（Poughkeepsie）镇北边的N.Y.9号公路上，则是**凡德比尔特宅邸**（Vanderbilt Mansion），这栋斥资200万美元建造的豪宅是由麦可金、米德和怀特于1899年为凡德比尔特（Frederick W. Vanderbilt）所建。

凡德比尔特宅邸

见228页地图B5

519 Albany Post Rd., Hyde Park

914/229-9115

11月至3月的周一、周二不开放

$

再从N.Y.9号公路往南走，将带你来到海德公园（Hyde Park）里的**罗斯福国家史迹**（Franklin D. Roosevelt National Historic Site，电话914/229-9115）。这栋建于1826年的房子仍保存得很完整，和罗斯福1945年去世时的情况没有两样。罗斯福和妻子伊莲娜皆葬于这里的玫瑰园。旁边还设有罗斯福博物馆和图书馆（Franklin D. Roosevelt Museum and Library）。往东走2英里路，便是**伊莲娜·罗斯福国家史迹**（Eleanor Roosevelt National Historic Site）。罗斯福去世后，伊莲娜便即长住此地，直到她1962年去世为止。**美国烹饪学院**（Culinary Institute of America，电话914/471-6608）也位于海德公园内，其中包含4家由学生经营的美味餐厅（用餐须事先订位）。

位于哈得孙河畔卡罗顿（Croton-On-Hudson）镇的U.S. 9号公路外，坐落着**凡寇兰德庄园**（Van Cortlandt Manor）。1945年前始终居住此地的凡寇兰德家族，也曾是拥有周围8.6万亩土地的大地主。凡寇兰德庄园目前由哈得孙河谷史迹协会（Historic Hudson Valley，电话914/631-8200）负责管理，同样由该会管理的还有建于18世纪初的**菲利普斯堡庄园**（Philipsburg Manor），包括仍在运作的农场和位于宁谧山谷（Sleepy Hollow）的磨坊。

奇奎特庄园（Kykuit，电话914/631-9491）由洛克菲勒所建，共有40个房间。有对外开放的现代艺术品展示（事先预约），从菲利普斯堡庄园搭交通车即可抵达。

泰利城（Tarrytown）的**林赫斯特庄园**（Lyndhurst, US 9，电话914/631-4481）是铁路大王古德（Jay Gould）的夏季度假地点，房屋由戴维斯（Alexander Jackson Davis）所设计，是国内哥特复兴式的最佳建筑之一。城里还有一栋**向阳小屋**（Sunnyside, Historic Hudson Valley，电话914/631-8200）；作家欧文在1836年买下这栋石造村舍，并把它改造成一间温馨却奇特的房子。

在此地你可以继续游览哈得孙河谷，或者前往长岛浏览更多的景致。

长 岛

长岛大部分的史遗和景点都聚集在纽约附近的北岸（North Shore），到这里可回味长岛往日的气息，当年此地仍布满了农田、海港和富豪的土地。

卡耐基（Andrew Carnegie）为了信守他对英籍新婚妻子的承诺，委托事业伙伴的儿子菲普斯（John Jay Phipps）为他们建造一座与卡耐基夫人儿时住所相似的庄园，名为**老威斯伯里庭园**（Old Westbury House And Gardens，71 Old Westbury Rd., Old Westbury，电话516/333-0048）。庄园建于1907年，总面积达105英亩，如今园内陈设了古董家具及雷诺兹（Reynolds）、庚斯博罗（Gainsborough）和沙金特（Sargent）等人的画作。

宅邸周围的景观庭园中，有一座2英亩地、春夏秋三季开花的砖墙花园（Walled Garden），土地范围内还包括展示花园、玫瑰花园、盆景花园、植有欧洲菩提的小径和樱草步道（Primrose Walk）等。5月时2000株郁金香同时绽放；6月份则开满了巨大的粉红和蓝色飞燕草。

409英亩的**植树场史迹公园**（Planting Fields Arboretum Historic Park，地址 Planting Fields Rd., Oyster Bay，电话516/922-9200）曾是保险业商人柯伊（William Coe）的所有地，出生英国的他于1921年建立了这座伊丽莎白风格的庄园。

园中栽种了600多种植物，包括300多株杜鹃，和一座种有山茶的温室。植树场（Planting Fields）的名字是由印第安语翻译过来，指的是一度农业兴盛的长岛北岸。

长岛的灯火岛上，映照着夕阳余晖的灯塔和守望者小屋。

罗斯福自哈佛大学毕业后，即参与**萨加摩尔丘史迹**（Sagamore Hill National Historic Site，20 Sagamore Hill Rd., Oyster Bay，电话516/922-4447，冬季时周一、周二不开放）的设计工作。共有23间房间庄园可视为罗斯福的家园，也是他任职总统时的夏季白宫。内部设计以打猎战利品及旅行纪念品为装饰，显示出罗斯福活力充沛的生活型

美国的不朽诗人惠特曼（Walt Whitman）即是在这间朴素小屋里开始他的生命旅程。

态。1938年，他的儿子在隔壁盖了兰园老屋（Old Orchard House），现在则为展示罗斯福相关史料的博物馆，其中并包括影片简介。

19世纪初的长岛以农业为主，**老贝斯佩吉村**（Old Bethpage Village，Round Swamp Rd., Old Bethpage，电话516/572-8400）现存的50栋建筑重现了农村的纯朴风貌。重建后的鲍威尔农舍（Powell Farmhouse）仍留在原址，但其他建筑如教堂、商店、酒馆、房舍等皆已移至岛上他处。如今村内仍在运作的农场中，并有穿着农夫服饰的解说员于现场示范农事工具和技术。

惠特曼出生地（Walt Whitman Birthplace S.H.S.，246 Old Walt Whitman Road, Huntington Station，电话516/427-5240）为一栋19世纪初的农舍，诗人惠特曼（Walt Whitman，1819—1892）仅在这里住了4年。楼下3个房间还维持当时的摆设，楼上2个房间则成了这位美国伟大诗人生平展示区，包括画像、照片和草图等。

建于1939年的**史东尼布鲁克博物馆区**（Museums At Stony Brook，地址1208 N.Y. 25A, Stony Brook，电话516/751-0066）以其中一间古老的马车博物馆（Carriage Museum）而著名。里面共藏有300多辆马车，包括一辆车身绘满静物、人物和动物的23英尺长大型马车。艺术博物馆（Art Museum）中收藏有风格画家蒙特(William Sydney Mount）的多幅作品，蒙特于1807年出生在附近的塞陶克（Setauket）镇，他擅长描绘长岛的郊区风景。蒙特家族之屋（Hawkins Mount House, 1725）也位于博物馆区内。此地还包括历史博物馆（History Museum），以及如1794年的一座谷仓和只有一间教室的校舍等古老建筑。

往南部走到长岛南岸（South Shore），即可欣赏壮丽的防波堤海滩、**灯火岛国家海岸**（Fire Island National Seashore，电话516/289-4810），以及广达2413英亩的**琼斯海滩州立公园**（Jones Beach State Park）。不妨搭乘火车前往部分的旅游点，尽情享受美好的一日游程。

旅游资讯

Travelwise

奔波不歇的纽约出租车。

旅 游 资 讯

虽然纽约的春季和秋季气候最为宜人，但其实任何时间都适合造访纽约，各种特殊节庆、活动终年都有。在夏日高温潮湿的季节，除了到享有空调设备的美术馆、艺廊欣赏展览之外，户外更经常举办露天的庆典盛会，而且多半可免费参加。遇到传统大型节庆时，通常有旅馆难求的景况，因此最好在出发前事先洽询住宿事宜。

行程规划

有几处机构可提供相当实用的资讯和协助：New York Convention & Visitors Information (Tel 800/746-6610) 免费专线列于本书娱乐单元的剧场和娱乐专线；Big Apple Greeter (Tel 212/669-8159) 由义务人员与专业人士提供社区简介和相关协助，惟需旅客提出书面申请；New York Apple Tours (Tel 212/944-9700) 提供付费观光导游行程，包括哈莱姆区在内。

实用的电子网站

互联网提供最新的旅游资讯，并有市街地图浏览和地址查寻功能。纽约公共图书馆 (New York Public Library，Tel 212/930-0747) 并附有网络接拨服务。

www.nycvisit.com New York Convention & Visitors Bureau.
www.bigapplegreeter.org Big Apple Greeter.(包含数种语言)
www.panix.com/clay/nyc 纽约市参考资料索引。
www.digitalcity.com 曼哈顿网络使用者指南。

著名节庆与活动

1月：冬季古董展 (Winter Antiques Show)，第7军团军火库 (Seventh Regiment Armory)，Tel 212/472-1180.

2月：威斯敏斯特区肯尼尔俱乐部狗展 (Westminster Kennel Club Dog Show)，麦迪逊广场花园 (Madison Square Garden)，Tel 212/465-6741.

格莱美奖 (Grammy Awards)，Madison Square Garden，Tel 212/465-6741.

3月：圣巴特里克日游行 (St. Patrick's Day Parade)，Fifth Avenue.

梅西百货花展 (Macy's Flower Show)，Tel 212/695-4400.

新导演/新电影(New Directors/New Films)，现代艺术美术馆 (Museum of Modern Art)，Tel 212/708-9400.

4月：复活节游行 (Easter Parade)，Fifth Avenue.

Yankee & Shea体育场开幕日，Yankee Stadium，Tel 718/293-6000; Shea Stadium，Tel 718/507-8499.

纽约国际汽车展(New York International Auto Show)，Jacob Javits Center，Tel 212/216-2000.

5月: 纽约自行车之旅(Bike New York)，The Great Five Borough Bike Tour (42 英里休闲自行车路程)，Tel 212/932-0778.

纽约军火库古董展 (New York Armory Antiques Show)，Seventh Regiment Armory，Tel 212/472-0590.

第9大道美食节(Ninth Avenue Food Festival)，从 37th St.到 57th St.

华盛顿广场露天艺术展 (Washington Square Outdoor Art Exhibition)，Tel 212/982-6255.

6月： 同性恋荣耀周游行 (Lesbian and Gay Pride Week & March)，游行通过 Fifth Avenue。

7月： 7月4日美国国庆，纽约港高船航行、东河 (East River) 施放烟火，Tel 212/695-4400.

洛克菲勒中心园艺展 (Rockefeller Center Flower and Garden Show)，Tel 212/632-3975.

仲夏夜活动 (Midsummer Night's Swing)，林肯中心 (Lincoln Center)，露天舞蹈课程和乐团，Tel 212/875-5766.

8月: 美国开放节(U.S. Open)，Flushing Meadows park，Queens，Tel 718/760-6200.

9月： 西印第安劳动节游行 (West Indian Labor Day Parade)，Crown Heights，Brooklyn (具有狂欢节风味的节庆)，Tel 718/625-1515.

纽约电影节 (New York Film Festival)，Lincoln Center，Tel 212/875-5610.

10月： 格林尼治村万圣节游行 (Greenwich Village Halloween Parade)。

后浪节 (Next Wave Festival)，布鲁克林音乐学院 (Brooklyn Academy of Music) Tel 718/636-4100.

11月： 纽约市马拉松赛 (New York City Marathon)，Tel 212/860-4455.

梅西百货感恩节游行 (Macy's Thanksgiving Parade)，沿着中央公园西区 (Central Park West) 和百老汇大道 (Broadway)。Tel 212/695-4400.

大苹果马戏团 (Big Apple Circus)，Damrosch Park, Lincoln Center，Tel 212/268-2500.

12月： 洛克菲勒中心圣诞树灯火，Tel 212/632-3975.

新年除夕 (New Year' Eve)，时报广场 (Times Square)，现场倒数迎接新年。

游览往返

从机场出发

机场巴士 (Air-Ride) 提供各机场往返资讯语音服务，洽询 Tel 800/247-7433

出租车

肯尼迪机场 (JFK)：固定费率30美元，不含过桥费和小费。拉瓜迪亚 (La Guardia) 机场：跳表计价，约20～25美元。纽瓦克机场 (Newark)：依地点而定，约30～35美元，不含过桥费和小费。

租车服务

至少于24小时以前预约；包含各式车种，但以基本型轿车最稳靠、租金最合理。Tel -Aviv，Tel 212/777-7777 或 800/222-9888；全纽约州，Tel 212/741-7440 或 800/453-4099。

公共汽车

纽约机场服务中心（New York Airport Service）提供固定班次的公共汽车往返JFK和La Guardia机场，以及Newark机场和Grand Central Station、Port Authority之间。Tel 212/286-9766或718/707-9658.

灰线机场巴士（Grey Line Shuttle）提供JFK、La Guardia机场与主要饭店之间往返运送服务。Tel 212/315-3006或800/451-0455.

奥林匹亚巴士（Olympia Trails）提供Newark机场和纽约三大定点间的往返运送。Tel 212/964-6233.

纽约运输系统

如果你采取漫步的方式在纽约社区游逛，或是在前往目的地的途中沿路经过路边小贩，建议你能享受一下崭新的饮食体验。而如果你选择开车的方式，建议你把车停在车库（约20～40美元/每日），因为交通始终繁忙，路边停车的机会微乎其微。

大众运输工具

资讯提供服务：Tel 718/330-1234.

公车和地铁（Buses & Subways）

此两种运输系统几乎涵盖所有的地区范围，单程费用为1.5美元（老年人和残疾人士仅收半价，身高3尺8寸以下儿童免费），且包含转乘券。地铁是纽约最快速、便捷且安全的交通工具，尤其是高峰时间、远距离搭乘的最佳选择。搭公车可以轻松浏览纽约街景，但相对地比地铁缓慢得多；除了少数特殊路线（请事先询问），公车每隔两条街即停靠站。绘有详细公车和地铁路线的免费地图，可于地铁站的售票口取得；同时在地铁站的墙上，以及所有公车、地铁车厢上皆有张贴。

失物招领（Lost & Found）

公车和地铁：Tel 212/712-4500。

出租车：Tel 212/692-8294。

储值卡（Metro Cards）

在多数商店、报摊，以及所有地铁售票口皆有出售。可购买任何金额的储值卡，单次购买15美元以上，并可获赠一次免费搭乘；卡票于每次搭乘公车或地铁时，自动扣除所需费用。同时，两小时以内，皆可免费转乘公车或地铁。此外，也可以支付额度刚好的现金，或者使用专用硬币（token）。

出租车

在纽约搭出租车相当方便，价格也合理，几乎可以抵达所有想要前往之处。在任何地方皆可招手拦车，不过在主要街道上拦截率较高。切记仅可搭乘车顶上装有圆形号码牌的黄色出租车，车门上并标示有搭乘费率。车顶号码牌灯亮时（非暂停服务off-duty标示），则代表空车。基本费率为2美元，晚间8时至清晨6时之间，另加50分钱（50 cent）基本费；每英里跳表加收30分，因暂停或交通阻塞每分钟跳表加收20分。4人以内共乘，或携有行李，均无附加费率；惟行李过重或过大时，将额外收费。此外，通常给予15%的小费。

其他事项

在公园或禁行车辆地区，使用滑轮或自行车代步将会是有趣的体验。纽约有许多自行车/旱冰鞋出租店：中央公园的Loeb Boathouse有自行车出租服务，Tel 212/517-3623；同时，全市各地皆有Blades旱冰鞋出租点。

实用信息

虽然近几年来，纽约的犯罪率已有下降趋势，各个地铁站和交通繁忙地区也都有警力巡逻，但游客仍应保持警觉和提防。以下的建议将有助于获得安全且愉快的纽约旅程：

· 除非将托运行李交予检查人员，或交予出租车司机协助搬运，在机场、公车或地铁上绝对不要将自身物品和皮包交由任何人保管。

· 避免出入荒凉或灯光昏暗地区。

· 避免进入曼哈顿96街以北、8街以西、A大道以东，以及夜间的金融区，或者任何偏远地区。

· 避免与任何可疑人士目光交会或者交谈。

· 避免在附近无人处使用提款机领取现金，且勿在大街上点数现金。

· 将皮包置于难以探及之处，同时最好将背包侧背于身上，开口朝内。

· 避免于夜晚11时以后搭乘地铁（公车较为安全），尽可能与群众聚集一处。

· 若不幸遇抢，无论如何不要抵抗，将皮包交予对方，再立即就近打911免费Tel报警。

残疾人士旅游须知

大苹果接待中心（Big Apple Greeters）提供残疾人士相关资讯，并且由义务人员提供邻近社区的旅游咨询，须于3天前预约。Tel 212/669-8159或TTY 669-8273.

医院观众服务中心（Hospital Audiences Inc.，简称HAI）出版有关纽约文化机构的导游手册，并且提供协助盲人欣赏表演的服务。Tel 888/424-4685, 212/575-7676或TDD 575-7673.

李维公园（Asser Levy Park）是特别为残疾儿童设计的游乐公园（E. 23rd St.和Asser Levy Place交会口，位于East River附近）

灯塔公司（Lighthouse Intl.）为弱视患者提供由弱视患者演出的活动（111 E. 59th St.，Tel 800/334-5497或212/821-9200）。

国家脊髓伤害组织（National Spinal Cord Injury，简称SCI）服务专线：Tel 800/526-3456.

紧急事故

协助Tel和地址：

· 任何紧急事故：Tel 911

· 受害者专线（Crime Victims Hotline）：Tel 212/577-7777

· 毒害防治中心（Poison Control Center）：Tel 212/764-7667

· 医药急救：尽速送往附近医院急诊室（请打411Tel，或查阅Tel簿Yellow Pages邻近医院地址），或者打911Tel请求救护车支援。

· 纽约医护急救中心（New York Healthcare Immediate Care, 55 E. 34th St.）：Tel 212/252-6001，或直接就诊。

· 医师转诊服务中心（Doctor Referral Service）：Tel 212/737-2333.

· 牙医转诊服务中心（Dental Referral Service）：Tel 800/917-6453.

旅馆与餐厅

纽约旅馆的类型和价格包罗万象，无疑可以满足各种不同的住宿预算和需求。事实上，和其他城市相比，纽约所能提供的绝不会更少：低价却舒适的B&B，或者位于纽约最有趣地区的老式小旅馆。当然，也可能有人会选择先停留在平价旅馆几天，随即招摇地迁入豪华气派的都会饭店。至于用餐地点，选择更是多不胜数；下东区（Lower East Side）老街上的熟食店、气派的中国喜宴大厅、仅有12人座位的法国小酒馆、由世界级厨师掌厨的华丽饭店，都可满足你的口腹之欲。想要认识真正的纽约，再多的市区观光或采购，也比不上找一个美食节品尝整条街的摊贩小吃，或者随处向街头小贩购买点心的体验来得更为深切。

参考价格

旅馆（HOTEIS）

此处以$号代表不包含早餐的双人房价格。

$$$$$ 超过280美元
$$$$ 200～280美元
$$$ 120～200美元
$$ 80～120美元
$ 低于100美元

餐厅（RESTAURANTS）

此处以$代表包含3道主菜、未附饮料的晚餐价格。

$$$$$ 超过80美元
$$$$ 50～80美元
$$$ 35～50美元
$$ 20～35美元
$ 低于20美元

旅馆

一旦决定好住宿预算和心仪的地区，即可开始深入研究相关资讯。从曼哈顿下城（Lower Manhattan）到上东区（Upper East Side）和下东区（Lower East Side）一带，充满了购物和市街游览地点，以及文化和历史的古迹。如果你向往西区（West Side）的风情，时报广场（Times Square）和林肯中心（Lincoln Center）会是最好的选择。不过，虽然出租车很方便，从西村（West Village）搭到上东区的车资却很可观，而且会耗费不少时间。在决定住宿之前，先把交通费用和时间考虑在内。对于停留时间有限的游客来说，选择一处方便往返的住宿点最为实际。择定地区之后，便可开始进一步加以筛选。

附录在此的旅馆，首先依照地区分类，再以不同价位予以区分。残疾朋友可先询问相关的服务和设施，同时最好先确认停车地点和通道；所有的旅馆都附有空调系统。

餐厅

纽约或可称得上全世界最能把人喂饱的城市。从繁复的法国菜到简便的亚洲餐食，以及所有BET.两者之间的食物种类，一样也不缺。普遍来说，食物的品质都不差，因为每个人都想尝尝“大苹果”的滋味；因此，真正的难题是如何预约到好的餐厅和好的位子。

此处仅列出餐厅的打烊时间，因此在预约时，最好再确认清楚营业时间。残疾辅助设施或通道，也请事先Tel询问，因为这往往视餐厅年代和规模而定。若无法以Tel预约方式联络，许多热门的餐厅恐怕一时难求。一般稍具规模的餐厅，午餐通常较晚餐便宜，而且多数餐厅所提供的特餐都更为价廉实惠。此外，除非特别注明，所有的餐厅皆附有空调系统，并规划有非吸烟区。

曼哈顿下城

旅馆

MILLENIUM HILTON
$$$$$
55 Church St.
Tel 212/693-2001 或 800/835-2220
Fax 212/571-2317
位于世界贸易中心附近的顶级饭店。高科技风格，每间房内皆附有传真机；有些房间内可望见纽约港景致。周末、日仍保留有低价房间。
561 搭1、9线至Cortlandt St.站；C、E线至World Trade Center站 收主要信用卡

SOHO GRAND
$$$$$
310 West Broadway (BET. Grand St. & Canal St.)
Tel 212/965-3000 或 800/965-3000
Fax 212/965-3141
特殊风格的设计，适合崇尚市区时髦景点的人士；附近充满有趣的时髦商店和艺廊。
367＋4间套房 搭A、C、E线至Canal St.站 收主要信用卡

SOHO B&B
$$$
Crosby St. (at Bleecker St.)
Tel 212/925-1034
驿站的造型、高耸的天花板，以及异国风味的摆设；价格依人数多寡而定。
2 搭B、D、F至Broadway-Lafayette Ave.站 拒收信用卡

餐厅

CHANTERELLE

$$$$

2 Harrison St. (at Hudson St.)

Tel 212/966-6960

带有崔比卡（TriBeCa）风味的美丽且正式的餐厅；完美的服务、美酒和奶酪。

17张桌子 搭1、9线至Franklin St.站 周日全天、周一夜晚、7月初休息 收主要信用卡

ALISON ON DOMINICK STREET

$$$$

38 Dominick St. (BET. Hudson St & Varick St.)

Tel 212/727-1188

浪漫、幽静的索霍区（SoHo）餐馆；随季节更换法国乡村烹调口味。

60 搭1、9线至Houston St.站；C、E线至Spring St.站 夜晚休息 收主要信用卡

BOULEY BAKERY

$$$$

120 West Broadway (BET. Duane St. & Reade St.)

Tel 212/964-2525

由David Bouley经营的保守、优雅的法式餐厅；强调时令菜色和面包。

THE GRILL ROOM

$$$$

World Financial Center, 225 Liberty St. (at West St.)

Tel 212/945-9400

店外景致优美 由出色的美国厨师Larry Forgione 掌厨，特色菜为烤龙虾和羊肉排。

150 搭1、9线至Cortlandt站；C、E线至World Trade Center站 周末、周日休息 收主要信用卡

HUDSON RIVER CLUB

$$$$

4 World Financial Center, 250 Vesey St. (at West St.)

Tel 212/786-1500

优雅沉静的气氛，可俯瞰纽约市景；多种时令菜色，以哈得孙河谷出产食物为主。推荐海鲜食品和农家自制奶酪。

150 搭1、9线至Cortlandt St.站；C、E线至World Trade Center站 周末夜晚、周日白天休息 收主要信用卡

MONTRACHET

$$$$

239 West Broadway (BET. Walker St. & White St.)

Tel 212/219-2777

安静的法式小酒馆，拥有绝佳的食物和获奖美酒；好的服务、风味独具的烤蔬菜和鲑鱼。可试试周五的午间特餐。

85 搭1、9线至Franklin St.站 周末至周四夜晚休息 收主要信用卡

NOBU

$$$$

105 Hudson St. (at Franklin St.)

Tel 212/219-0050

由Nobu Matsuhisa–Drew Nieporent带领的美食享受；出色的日本料理、戏剧性的室内装潢。推荐菜包括豆面酱调味的黑鳕鱼和tiradito；甚难预约，但寿司吧台始终留有空位。

100 搭1、9线至Franklin St.站 周日夜晚休息 收主要信用卡

QUILTY'S

$$$$

177 Prince St. (BET. Sullivan St. & Thompson St.)

Tel 212/254-1260

简洁大方的索霍区餐馆，提供当代美式餐点；黄鱼、鲔鱼排甚受欢迎。

60 搭C、E线至Spring St.站；1、9线至Houston St.站 周一夜晚休息 收主要信用卡

WINDOWS ON THE WORLD

$$$$

1 World Trade Center, 107th Floor, (at West St.)

Tel 212/524-7000

设计独特，可俯瞰曼哈顿景致；由Michael Lomonace掌厨当代美式菜肴；自称拥有世界最大的酒窖。

搭1、9线至Cortlandt St.站；C、E线至World Trade Center站 夜晚休息 收主要信用卡

BALTHAZAR

$$$

80 Spring St. (at Crosby)

Tel 212/965-1414

美丽的索霍区餐馆、相称的菜单、活泼热闹的即兴节奏；生蚝和生海鲜口感极佳。

160 搭6线至Spring St.站 收主要信用卡

BLUE RIBBON

$$$

97 Sullivan St. (BET. Prince St. & Spring St.)

Tel 212/274-0404

极限主义的室内风格、简约的吧台；多元创新的菜单，甚至有大盘的乾酪。

45 搭C、E线至Spring St.站 每天夜晚、周一休息 收主要信用卡

HONMURA AN

$$$

170 Mercer St.

Tel 212/334-5253

具有禅意的料理；昂贵，但很精致。

30 搭N、R线至Prince St.站 周日至周二深夜休息 收主要信用卡

ODEON

$$$

145 West Broadway (at Thomas St.)

Tel 212/233-0507

市中心热门的美国和法国食物餐馆；深夜人潮仍多。推荐胡淑牛排（steak au poivre, steak frites）和其他地道的酒馆饮食。

140 搭1、9线至Franklin St.站 收主要信用卡

RAOUL'S

$$$

180 Prince St. (BET. Sullivan & Thompson Sts.)
Tel 212/966-3518
永远都充满生气的法国酒馆/餐厅; 夏季时设有花园座位。推荐胡椒牛排(steak au poivre)、肥鹅肝(foie gras terrine)等特色菜色。
200 搭1、9线至Houston站; C、E线至Spring St.站 深夜休息 收主要信用卡

SAMMY'S ROUMANIAN STEAKHOUSE

$$$
157 Chrystie St. (at Delancey St.)
Tel 212/673-0330
在纽约下东区的老式犹太餐馆; 推荐地道的鸡胸肉、切肝, 搭配伏特加酒。
110 搭F线至Delancey St.-Essex St.站 深夜和某些犹太节日休息。收主要信用卡

SAVOY

$$$
70 prince St. (at Crosby St.)
Tel 212/219-8570
小巧舒适的环境, 创新、口味极佳的食谱; 楼上设有筵席厅、烹饪火炉。推荐烤盐酥鸭。
65 搭N,R线至Prince St.站 周日深夜休息 收主要信用卡

SOHO STEAK

$$$
90 Thompson St. (BET.Prince & Spring Sts.)
Tel 212/226-0602
价格合宜、可靠且气氛活泼的餐厅; 推荐肥鹅肝(foie gras)、牛排。
50 搭C、E线至Spring St.-6th Ave.站 周一至周五深夜休息 拒收信用卡

SPARTINA

$$$
355 Greenwich St. (at Harrison St.)
Tel 212/274-9310
在隐密的房间内享受地中海(Mediterranean)餐食; 可尝试洛皮沃式比萨饼(Robiolatruffle pizza), 以及主厨特制的季节美食。
90 搭1、9线至Franklin St.站 周日休息 收主要信用卡

TRIBECA GRILL

$$$
375 Greenwich St. (at Franklin St.)
Tel 212/942-3900
因它的店主劳勃·狄尼洛(Robert DeNiro), 以及纯正的美式烧烤食物而闻名; 推荐鱼、牛排、烤肉、意大利面。
175 搭1、9线至Franklin St.站 周末深夜休息 收主要信用卡

BRIDGE CAFE

$$
279 Water St. (at Dover St.)
Tel 212/227-3344
位于布鲁克林桥隔壁的迷人地点; 好的美国食物。软贝蟹肉、烤鸡的风味绝佳。
63 搭A,2,3,4线至Fulton St.站 周末休息 收主要信用卡

JOE'S SHANGHAI

$$
9 Pell St. (BET. Bowery & Mott Sts.)
Tel 212/233-8888
通常须等候一会儿, 却很值得。蟹肉或猪肉馄饨和各式上海菜; 鱼香茄子、菠菜豆腐风味绝佳。
85 搭6线至Canal St.站 拒收信用卡

N.Y. NOODLE TOWN

$$
28 Bowery (at Bayard St.)
Tel 212/349-0923
唐人街景致烘托下的中国美食; 推荐盐烤海鲜、鸭、面食。
60 搭6线至Canal St.站 拒收信用卡

RATNER'S

$$
138 Delancey St. (BET.Norfolk & Suffolk Sts.)
Tel 212/677-5588
纽约最好的犹太口味乳制食品餐馆; 室内很宽敞、热闹, 适合享用洋葱卷、薄饼汤。从早晨营业至深夜。
350 搭F线至Essex St.-Delancey St.站 周五白天、周末深夜、11月至3月, 以及犹太节日均休息 收主要信用卡

THAILAND RESTAURANT

$$
106 Bayard St. (at Baxter St.)
Tel 212/349-3132
低调的环境场所, 却拥有在他处难以发现的泰国美食; 烤牛肉沙拉和青椒味道奇佳。
55-60 搭6线至Canal St.站 收主要信用卡

BO-KY

$
80 Bayard St. (BET. Mott & Mulberry Sts.)
Tel 212/406-2292
唐人街的标准形式, 充满多人共享餐桌的景象; 丰盛且便宜的越南汤肴、咖哩鸡, 以及色香味俱全的烤鸭。

特别推荐

COWGIRL HALL OF FAME

风味道地的主题餐馆, 内部装饰充满了西部的气息; 许多的木材、鹿角、有刺的铁线、牛仔的马具和配件, 以及一间复制20世纪50年代汽车旅馆房间风格的候位室。气氛十分轻松、随意, 具备所有美食主义者需要的食谱, 同时也适合全家用餐; 店内另附有儿童菜单。此外, 还有一个礼品部门出售各式的西部饰品和收藏品。
$
519 Hudson St.
Tel 212/633-1133
283 搭1、9线至Franklin St.站 美国运通卡、万事达卡、威士卡

100 搭6线至Canal St.站 拒收信用卡

BUBBY'S

$

120 Hudson St. (at North Moore St.)

Tel 212/219-0666

日常却热门的用餐地点；周末和周日供应早餐、早/午餐，以及自制的烤食。

120 搭1、9线至Franklin St.站 收主要信用卡

COSI SANDWICH SHOP

$

World Financial Center West St.

Tel 212/571-2701

此区最好的简餐地点；提供三明治和木材烘烤的面包。可至附近的冬日庭园（Winter Garden），或走至河岸下方用餐。

50 搭C、E线至World Trade Center站；1、9线至Cortlandt St.站 周末白天、周日全天休息。 收主要信用卡

EL POLLO

$

482 Broome St. (at Wooster St.)

Tel 212/431-5666

绝妙的秘鲁风味（Peruvian）鸡肉、马铃薯食物，以及餐前小菜。

80 搭C、E线至Spring St.-6th Ave.站；6线至Spring St.站 收主要信用卡

JING FONG

$

20 Elizabeth St. (BET. Bayard & Canal Sts.)

Tel 212/964-5256

大约早晨11点至午餐时间，供应种类繁多且令人难忘的各式点心；韭菜饺、芋叶包的糯米团、鸡和香肠等菜色口味极好。空间宽阔，经常挤满人潮。

1000 搭6线至Canal St.站 美国运通卡、威士卡

KATZ'S DELI

$

205 E. Houston St. (at Ludlow St.)

Tel 212/254-2246

下东区（Lower East Side）的传统热狗店；最好的腌和熏牛肉、酱瓜、Dr. Brown的苏打汽水。

340 搭F线至E. Houston St.站 美国运通卡、万事达卡、威士卡

LOMBARDI'S

$

32 Spring St. (BET. Mott & Mulberry Sts.)

Tel 212/941-7994

纽约最好的比萨饼店之一；位于纽约最初的比萨饼餐馆地点。

100 搭6线至Spring St.站 拒收信用卡

NHA TRANG

$

87 Baxter St. (BET. Bayard & Canal Sts.)

Tel 212/233-5948

装潢合宜的越南餐馆；推荐猪肉厚片、酸辣虾、越南甜味咖啡和点心。

80 搭6线至Canal St.站 拒收信用卡

格林尼治村 & 东村（The Villages）

旅馆

WASHINGTON SQUARE HOTEL

$$$

103 Waverly Place (BET. 5th& 6th Aves.)

Tel 212/777-9515 或 800/222-0418

Fax 212/979-8373

位于格林尼治村（Greenwich Village）公园外的好地点；室内房间的装潢既雅致、又不失功能性。

180 搭A,B,C,D,E,F线至W 4th St.站 收主要信用卡

ABINGDON GUEST HOUSE

$$$

13 8th Ave. (at 12th St.)

Tel 212/243-5384

Fax 212/807-7473

装潢良好，提供住宿与早餐；其中有2个房间共用一个浴室。

3个房间 搭A,C、E线至14th St.站 收主要信用卡

LARCHMONT

$$$

27 W. 11th St. (BET. 5th& 6th Aves.)

Tel 212/989-9333

Fax 212/989-9496

地点极佳、房间小巧而怡人，气氛有趣奇妙；共用浴室。

50 搭F线至14th St.站 美国运通卡、万事达卡、威士卡

餐馆

JAMES BEARD HOUSE

$$$$

167 W. 12th St.

Tel 212/627-2308

注重美食的卡耐基厅聘（Carnegie Hall）请世界级的厨师，且每晚轮流更换；可电洽每月的轮值表与订席时间。只接受预约订位。

90 搭1,2,3线至14th St.站 收主要信用卡

CHEZ JACQUELINE

$$$

72 Macdougal St. (BET. Bleecker & Houston Sts.)

Tel 212/505-0727

法式酒馆餐饮；周一的蒸肉丸和可口鱼汤风味极佳，烤鳕鱼、普罗旺斯奶油焙鳕鱼和碎羊肉也值得一试。

60 搭1、9线至Houston St.站 收主要信用卡

CLEMENTINE

$$$

1 5th Ave. (at 8th St.)

Tel 212/253-0003

大方的美式现代餐馆，充满活泼的酒馆气氛，有点歌服务和廉价餐点。

200 搭A,B,C,D,E,F线至W. 4th St.站 周末夜晚、周日全天休息 收主要信用卡

FIRST

$$$

87 1st Ave. (BET.5th St. & 6th St.之间)

Tel 212/674-3823

生气盎然的东村（East Village）高级餐馆，备有繁复的菜肴，尤其推荐鱼和马丁尼酒；周末、日营业至深夜。

90-100 搭6线至Astor Place站 周一至周末夜晚休息 收主要信用卡

LIAM

$$$

170 Thompson St. (BET. Bleecker St. & Houston St.)

Tel 212/387-0666

具有悠闲酒馆风格的新颖美式餐厅;菜肴随季节更换。

56 搭1、9线至Houston St.站 每天夜晚、周一白天休息 美国运通卡

LUCKY CHENG'S

$$$

24 1st Ave. (BET.1st St. & 2nd St.)

Tel 212/473-0516

有名符其实的变装秀演出、泛亚洲食物菜肴;可尽情娱乐,享受夜晚的鸡尾酒会。

200-350 搭F线至2nd Ave.站 深夜休息 收主要信用卡

MI COCINA

特别推荐

GOTHAM BAR & GRILL

这家位于葛雷摩西(Gramercy)地区的餐馆,除了美食之外,它的宽阔空间和建筑结构也极为突出。由原先占据整个街区的大型仓库改装而成,有评论家称这栋获奖的后现代多层建筑物为"完美的饮食殿堂"。厨师Alfred Portale拿手的烤羊肉和鲔鱼让人惊艳,推陈出新的创意糕点更是教人眼花撩乱。此地一直是老饕们心目中首选的最爱餐馆,而餐厅的水准也始终如一。出版界人士经常于此地享用午餐。

$$$$

12 E. 12th St. (BET.5th Ave. &University Place)

Tel 212/620-4020

150 搭4,5,6线至Union Square站 周末、周日夜晚休息 收主要信用卡

$$$

57 Jane St. (at Hudson St.)

Tel 212/627-8273

丰富而多元的纯正墨西哥(Mexican)食物;特别推荐以香蕉叶包覆碎肉的conchinita pibil。

42 搭A, C, E线至14th St.站 周一至周末夜晚休息 收主要信用卡

PÒ

$$$

31 Cornelia St. (BET.Bleecker St. & W. 4th St.)

Tel 212/645-2189

Mario Batali掌厨的平价意大利(Italian)现代餐厅;可品尝大厨的独特佳肴。

12张餐桌 搭A,B,C,D,E,F线至W. 4th St.站 周一全天、周二夜晚休息 美国运通卡

DANAL

$$

90 E. 10th St. (BET.3rd Ave. & 4th Ave.)

Tel 212/982-6930

兼容多元的菜肴、迷人的店前景致,并可于庭园内用餐。下午茶(仅限预约)和早/午餐供应;二楼设有酒吧。

50 搭6线至Astor Place站 周一休息 收主要信用卡

FLORENT

$$

69 Gansevoort St. (BET.Greenwich St. & Washington St.)

Tel 212/989-5779

每日营业至清晨5时,周末则24小时全天营业。食物种类极尽繁多,尤以布丁糕点、牛排、奶油烤菜最受人青睐,物超所值。

70 搭A,C、E线至14th St.站 拒收信用卡

JAPONICA

$$

100 University Place

Tel 212/243-7752

大众口味的寿司(sushi)和日本料理;午餐和晚餐时间供应的特餐最为物美价廉。

特别推荐

ONE IF BY LAND, TWO IF BY SEA

坐落于一栋建于1786年、曾为美国副总统阿伦·伯尔居所的古老石造马车房,这间优雅的两层楼餐厅俯视一座洒满明亮阳光的私人庭园。内部点缀有柔美的烛光、鲜花、现场钢琴弹奏,以及4座壁炉营造出的浪漫气氛,不仅适合隐密约会,也可容纳大型庆祝场合。最受好评的餐点是Wellington牛肉、美式特餐,以及重新烹煮的古老菜肴。运气好的话,说不定还可遇见杀死政敌汉密尔顿后归来的伯尔的灵魂呢。

$$$$

17 Barrow St.

Tel 212/228-0822

150 搭A,B,C,D,E,F线至W. 4th St.站 收主要信用卡

84 搭4,5,6线至Union Square站 美国运通卡

JOHN'S PIZZERIA

$$

278 Bleecker St. (BET.6th Ave. & 7th Ave.s)

Tel 212/243-1680

由砖制烤箱烘焙的比萨饼、50年代的装潢,常年受到纽约市民、知名人士和观光客的喜爱。

100 搭A,B,C,D,E,F线至W. 4th St.站 拒收信用卡

SECOND AVE. DELI

$$

156 2nd Ave. (at 10th St.)

Tel 212/677-0606

纽约提供炒肝片和无酵面包球汤(matzoh ball soup)的最佳餐馆之一;另有各类传统风味的熟食(deli)餐点。

175 搭6线至Astor Place站 犹太节日休息 收主要信用卡

TEA & SYMPATHY

$$

108 Greenwich Ave. (BET.12th St. & 13th St.)

Tel 212/807-8329

极小的店面，提供可口、道地的英国佳肴，例如威尔斯兔肉、洋芋泥和糖蜜布丁糕点；供应精致的下午茶，须耐心等候空位。

22 搭A,C、E线至14th St.站 拒收信用卡

CORNER BISTRO

$

331 W. 4th St. (at 12th St.)

Tel 212/242-9502

柜台供应汉堡包和薯条；可尝试馆内特制的Bistro汉堡，内含奶酪、咸肉、生菜和蕃茄，仅需5美元一份。开店时间较晚。

34 搭A,C、E线至14th St.站 拒收信用卡

POMMES FRITES

$

123 2nd Ave. (BET. 7th St. & St. Marks Place)

Tel 212/674-1234

称不上完整用餐，却是极好的丰盛点心；店内提供纸杯盛装的比利时风味薯条，甚至仅备有长凳座椅。可尝试特制的酱汁和麦芽醋（malt vinegar）。

2 搭6线至Astor Place站 拒收信用卡

特别推荐

CENT'ANNI

位于西村（West Village/Greenwich Village）核心地带的朴实餐馆，充满友善的气氛；虽然店内铺着白色桌巾，而非格子花色。在村区餐厅训练多年的主厨Ramon Abreu提供种类繁多的意大利北方餐点，包括每日的各式特餐、精致的意大利面（pasta）、雉鸟（pheasant）和鹌鹑（quail）料理等。店内的60张座位经常被此地的熟客占满，他们不仅沉浸于餐馆的特殊情调，恐怕更喜欢这家店的名称“祝你长命百岁！”吧。

$$

50 Carmine St. (BET. Bleecker St. &Bedford St.)

Tel 212/989-9494

60 搭A,B,C,D,E,F线至W. 4th St.站 美国运通卡、万事达卡和威士卡

TAQUERIA DI MEXICO

$

93 Greenwich Ave. (BET. Bank St. & 12th St.)

Tel 212/255-5212

道地的墨西哥日常食物；美味的玉米薄脆饼汤（tortilla soup）和taquitos al pastor。

14张餐桌 搭A,C、E线至14th St.站 拒收信用卡

VESELKA

$

144 2nd Ave. (at 9th St.)

Tel 212/228-9682

附近邻人消磨时光的好去处；提供乌克兰传统风味的汤肴，以及美丽的壁画。可尝试荞麦松饼（buckwheat pancake）和法国白面包吐司。

60 搭6线至Astor Place站 收主要信用卡

中城南区（Midtown South）

旅馆

INN AT IRVING PLACE

$$$$$

56 Irving Place (BET.17th St. & 18th St.)

Tel 212/533-4600 或 800/685-1447

Fax 212/533-4611

幽静、浪漫的维多利亚风格饭店，每间房内皆附有4柱型床铺和壁炉。

5＋7间套房 搭4,5,6线至Union Square站 收主要信用卡

DORAL TUSCANY

$$$$

120 E. 39th St.

Tel 212/686-1600 或 800/223-6725

Fax 212/779-7822

宽敞的房间，附设意大利大理石浴室。

110＋12间套房 搭4,5,6线至42nd St.-Grand Central站 收主要信用卡

CHELSEA HOTEL

$$$

222 W. 23rd St. (BET. 7th Ave. & 8th Ave.)

Tel 212/243-3700

知名艺术家和作家经常驻留的古老旅店；简洁、雅致的大厅装饰着艺术作品。即使房间客满，也值得前往一探。

400 搭1,9,C、E线至23rd St.站 位于附近 收主要信用卡

GRAMERCY PARK HOTEL

$$$

2 Lexington Ave. (BET.21st St. & 22nd St.)

Tel 212/475-4320 或 800/221-4038

Fax 212/505-0535

静谧而典雅；位于景致宜人的方形广场，住宿旅客可进入私人的葛雷摩西公园（Gramercy Park）。

155＋20间套房 搭1,2,3,9线至34th St.站 收主要信用卡

餐厅

AN AMERICAN PLACE

$$$$

2 Park Ave. (at 32nd St.)

Tel 212/684-2122

Larry Forgione特殊调制的美国本地菜肴，让这家优雅的餐厅成为常客驻留之地；以杉木烘烤的鲑鱼风味绝佳。

130 搭6线至33rd St.站 周末夜晚、周日全天休息 收主要信用卡

GRAMERCY TAVERN

$$$$

42 E. 20th St. (BET. Broadway Ave. & Park Ave.)

Tel 212/477-0777

烹煮精致的当代餐点，加上香醇美酒、专业服务，以及俱乐部般的风格；酒馆厅（Tavern Room）的气氛较为平易轻松，可随到随坐。海胆酱汁（sea urchin vinaigrette）调配鲔鱼酱（tuna tartare）味美鲜醇，不妨一试。

140＋40酒馆厅 搭6线至23rd St.站 收主要信用卡

I TRULLI (& ENOTECA)

$$$$

122 E. 27th St. (BET. Lexington Ave. & Park Ave. S.)

Tel 212/481-7372

以意大利Apulia一地的食物和醇酒闻名；推荐口味独特的自制意大利面、bavette a funghi、烤鸡和木材烤鱼。隔壁的伊诺提卡酒吧（Enoteca）则提

供简易餐点。

105 搭6线至28th St.站 周末夜晚、周日全天休息

PATRIA

$$$$

250 Park Ave. (at 20th St.)

Tel 212/777-6211

特别推荐

MORGANS

旅馆外面没有标示，整体设计呈现出极限主义风格(Minimalist)，色调简约至灰、黑和白三种颜色。旅馆房间内铺有棉质床单和羊毛被毯，浴室内铺设了黑白相间的磁砖，同时搭配不锈钢材质的沐浴设备。由54号工作室（Studio 54）创始人Ian Schrager和Steve Rubell于1984年开张的旅馆，原先为曼哈顿中城（Midtown）一处宁静、隐居之地，如今一楼却开设了一家充满活力的餐厅Asia de Cuba。它由史达克(Phillipe Starck）于1990年代所设计，整间餐厅仍维持原始的白色，却非常闪烁耀眼。中央陈设一张长型的共用餐桌，顶上则以一幅瀑布影像作为装饰。往前靠近时，便会感觉到瀑布仿佛在移动，形成激光摄影的效果。知名人士经常聚集此地，楼下的摩根斯酒吧（Morgans Bar）则吸引许多时髦的年轻人。

$$$$$

237 Madison Ave.

Tel 212/686-0300 或 800/334-3408

Fax 212/779-8352

113 搭6线至33rd St.站 位于附近 收主要信用卡

店址位于生动活泼的地区，由厨师Doug Rodriguez重新调制的拉丁美食。别错过有名的开胃菜“冰和火”（Fire and Ice），以及其他的特制料理。

105 搭6线至23rd St.站 周末夜晚、周日全天休息 收主要信用卡

UNION SQUARE CAFÉ

$$$$

21 E. 16th St. (BET. 5th Ave. & Union Sq. W.)

Tel 212/243-4020

由Michael Romano掌厨的获奖餐厅，具有永远不变的美味食谱：厨艺精湛，服务极佳，酒质甘醇，特别推荐辣鳀鱼酱（spicy anchovy sauce）搭配烤鱿鱼和鲔鱼上肉。

125 搭4,5,6线至Union Sq.站 周日夜晚休息 收主要信用卡

CHELSEA BISTRO & BAR

$$$$

358 W. 23rd St. (BET. 8th Ave. & 9th Ave.)

Tel 212/727-2026

迷人的设内景致，繁复的当代法国餐点：可尝试烟熏鲑鱼（hot-smoked salmon）和蜗牛（escargot）。

110 搭C、E线至23rd St.站 夜晚休息 收主要信用卡

HANGAWI

$$$$

12 E. 32nd St. (BET. 5th Ave. & Madison Ave.)

Tel 212/213-0077

异国风味的韩国素食，以不寻常的植物根茎和蔬菜烹煮而成。

60 搭6线至33rd St.站 收主要信用卡

L'ACAJOU

$$$$

53 W. 19th St. (BET. 5th Ave. & 6th Ave.)

Tel 212/645-1706

经常主办品酒和美食节的法国小酒馆扎实的酒馆菜肴，纯粹的酒馆用餐风格。可尝试可口的奶油水果馅饼和小牛肝。

12张餐桌 搭1、9线至18th St.站；F线至23rd St.站 周末夜晚、周日全天休息 收主要信用卡

LA LUNCHONETTE

$$$$

130 10th Ave. (at 18th St.)

Tel 212/675-0342

提供传统法式酒馆佳肴的秘密地点：炖兔肉（rabbit stew）和魟鱼为最拿手菜。

18张餐桌 搭1、9线至18th St.站；A,C、E线至14th St.站 周末夜晚休息 收主要信用卡

参考价格

旅馆（HOTELS）

此处以$号代表不包含早餐的双人房价格。

$$$$$ 超过280美元

$$$$ 200～280美元

$$$ 120～200美元

$$ 80～120美元

$ 低于100美元

餐厅（RESTAURANTS）

此处以$代表包含3道主菜、未附饮料的晚餐价格。

$$$$$ 超过80美元

$$$$ 50～80美元

$$$ 35～50美元

$$ 20～35美元

$ 低于20美元

LES HALLES

$$$$

411 Park Ave. S. (BET. 28th St. & 29th St.)

Tel 212/679-4111

法式肉铺兼营小酒馆，提供美味的frisee沙拉、猪血香肠、香料加重小香肠、小牛排等。

80 搭6线至28th St.站 收主要信用卡

MESA GRILL

$$$$

102 5th Ave. (BET. 15th St. & 16th St.)

Tel 212/807-7400

厨师Bobby Flay长期烹调的西南方特殊口味，以及活力饱满的餐馆气氛：不妨尝试烤鲑鱼和辛辣鲔鱼。

140 搭4,5,6线至Union Sq.站 收主要信用卡

PERIYALI

$$$$

35 W. 20th St. (BET. 5th Ave. & 6th Ave.)

Tel 212/463-7890

经营多年的上等希腊餐馆，提供精致的鱼和道地餐点：可尝试pikantikes salates，以及烤章鱼（grilled octopus）

和羊肉。

100 搭F线至23rd St.站 周末夜晚、周日全天休息 收主要信用卡

ZUCCA

$$$$

227 10th Ave. (BET. 23rd St. & 24th St.)

Tel 212/741-1970

位于艺廊区附近的当代地中海风味餐馆。推荐特制南瓜汤、鱼汤、甜菜沙拉（beet salad）和羊肉。

80 搭C、E线至23rd St.站 周一夜晚、周日全天休息 收主要信用卡

BRIGHT FOOD SHOP

$$

216 8th Ave. (BET. 21st St & 22nd St.)

Tel 212/243-4433

古怪的店名，但提供甚好的简易餐点；位于三楼的姊妹店厨房餐厅（Kitchen），则供应外带食物。

42 搭C、E线至23rd St.站 拒收信用卡

EL CID

$$

322 W. 15th St. (BET. 8th Ave. & 9th Ave.)

Tel 212/929-9332

店内充满以太平洋岛树皮布装饰成的欢乐气氛；幼嫩乌贼（baby squid）风味极佳，香蒜虾和柠檬饮料也值得一试。

12张餐桌 搭A,C,E线至14th St.站 每日夜晚、周一全天休息 美国运通卡

MAVALLI PALACE

$$

46 E. 29th St. (BET. Madison Ave. & Park Ave.)

Tel 212/679-5535

朴素的印度南方素食（vegetarian）餐馆，店内特制的rasa vada和dosai松饼务必亲尝美味。

60 搭6线至28th St.站 周一休息 收主要信用卡

PARLOUR CAFÉ AT ABC

$$

38 E. 19th St. (BET. Broadway Ave. & Park Ave.)

Tel 212/677-2233

店内布满各式的古董；提供精致的正统午餐。

110 搭6线至23rd St.站；4,5,6线至Union Sq.站 收主要信用卡

PONGAL

$$

110 Lexington Ave. (BET. 27th St. & 28th St.)

Tel 212/696-9458

风味迷人的纯正印度素菜馆，提供独家烹调的thalis和dosai。

45-50 搭6线至28th St.站 拒收信用卡

EISENBERG'S

$

174 5th Ave. (BET. 22nd St. & 23rd St.)

Tel 212/675-5096

犹太式午餐柜台，充满十足的纽约情趣；可尝试掺杂麦穀的鲔鱼沙拉。

34 搭F线至23rd St.站 下午5时以后休息 拒收信用卡

ESS-A-BAGEL

$

359 1st Ave. (at 21st St.)

Tel 212/260-2252

纽约最好的焙果（bagel）店，采用先煮再烤的方式烹制，并提供绝佳的白鱼沙拉。有人想要特殊气氛？不妨试试这里（另有分店设于中城北区）。

8张餐桌 搭6线至23rd St.站 周日白天休息 收主要信用卡

中城北区（Midtown North）

旅馆

ALGONQUIN

$$$$$

59 W. 44th St. (BET. 5th Ave. & 6th Ave.)

Tel 212/840-6800 或 800/228-3000

Fax 212/944-1419

从20世纪20年代起的纽约文学地标；具有迷人的传统房间，供应鸡尾酒的浪漫大厅；地点极佳。

142 + 23间套房 搭B,D,F线至42nd St.站 收主要信用卡

FOUR SEASONS

$$$$$

57 E. 57th St. (BET. Park Ave. & Madison Ave.)

Tel 212/758-5700

Fax 212/758-5711

开设在1993年由贝聿铭设计完成的52层楼装饰艺术风格大楼内，具有全纽约最大的住宿房间，以及宽阔的窗外景致。饭店内陈设着现代风格的家具，采用大块佛罗伦萨大理石铺制的浴室，并设有床边按钮设计。

370 搭4,5,6线至59th St.站 收主要信用卡

NEW YORK PALACE

$$$$$

455 Madison Ave. (at 50th St.)

Tel 212/888-7000 或 800/697-2522

Fax 212/303-6000

由业主文莱苏丹（Sultan of Brunei）将1882年怀特（Stanford White）设计的别墅恢复旧有的奢华风格，用作饭店对外开放的房间。其余部分则是55层楼高的大厦，可眺望圣巴特里克大教堂（St. Patrick's Cathedral）景致；饭店内并开设一家有名的圆环2000（Le Cirque 2000）法国餐厅。

600 搭E,F线至5th Ave.站；B,D,F线至Rockefeller Center站 收主要信用卡

PENINSULA

$$$$$

700 5th Ave. (at 55th St.)

Tel 212/247-2200 或 800/262-9467

Fax 212/903-3949

20世纪初装饰艺术风格的建筑地标，可俯瞰第5大道（Fifth Ave.）的迷人景致。饭店内以新艺术造型家具装潢，备有超大型床具和浴室，营造出壮观、富丽的旅宿环境。此外，饭店的屋顶温泉更是精雕细琢，屋顶室外的Pen-Top酒吧和阳台则是夏日举办鸡尾酒会的好地方。

250 搭E,F,N,R线至5th Ave.站 收主要信用卡

PLAZA HOTEL

$$$$$

768 5th Ave. (at 59th St.)

Tel 212/759-3000 或 800/228-3000

Fax 212/759-3167

单是由于饭店的名气和国家级地标的身分，就已值得到此饭店一游。大厅本身即是最好的参观景点，附设的橡树酒吧（Oak Bar）为纽约古老的鸡尾酒会场所，饰有蒂芙尼（Tiffany）天花板造型的棕榈厅（Palm Court）则适合享受下午茶时光。饭店房间的规模和景致各有不同，但所有的附属享受皆极尽豪华。

806 搭N,R线至5th Ave.站 收主要信用卡

ROYALTON

$$$$$

44 W. 44th St. (BET. 5th Ave. & 6th Ave.)

Tel 212/869-4400 或 800/635-9013

Fax 212/869-8965

由史达克（Phillipe Starck）设计的高科技现代风格大厅，餐厅，酒吧和精致房间，并附有石板制壁炉和圆形浴缸。

137 + 31间套房 搭1,2,3,9,7线至Times Sq.站 收主要信用卡

ST. REGIS

$$$$$

2 E. 55th St. (BET. 5th Ave. & Madison Ave.)

Tel 212/753-4500

Fax 212/787-3447

精细整修过的装饰艺术风格珍宝，内含优雅的房间，舒适的享受，以及最周到的服务。可光临饭店内纽约最好的餐厅之一拉斯皮那斯（Lespinasse，见248页），并且到金柯尔酒吧（King Cole Bar）欣赏帕里斯（Maxfield Parrish）绘制的精采壁画。

322 搭E,F,N,R线至5th Ave.站 收主要信用卡

WALDORF-ASTORIA & WALDORF TOWERS

$$$$$

301 Park Ave. (at 50th St.)

Tel 212/355-3000 或 800/924-3673

Fax 212/872-7272

Waldorf-Astoria是典型的纽约大饭店，具有堂皇的装饰艺术风格大厅，以及位于其上的特殊Waldorf大厦（28至42楼），成为各地嘉宾和来访元首的最佳住宿地点。饭店内的孔雀小径（Peacock Alley）法国餐厅更是声名远播。

1410 搭6线至51st St.站；E,F线至Lexington Ave.站 收主要信用卡

CARNEGIE

$$$$

229 W. 58th St. (BET.Broadway & 7th Ave.之间)

Tel 212/245-4000

Fax 212/245-6199

装潢大方，地点安静，厨房宽敞，极好的用餐地区。

20间套房 搭1,9,A,B,C,D线至Columbus Circle站 收主要信用卡

CASABLANCA HOTEL

$$$$

147 W. 43rd St. (BET.6th Ave. & Broadway)

Tel 212/869-1212 或 800/922-7225

Fax 212/391-7585

摩洛哥风格的环境气氛。

40 + 8间套房 搭1,2,3,9,7线至Times Sq.-42nd St.站 收主要信用卡

HOTEL ELYSEE

$$$$

60 E. 54th St. (BET. Madison Ave. & Park Ave.)

Tel 212/753-1066 或 800/535-9733

Fax 212/980-9278

30年代的装饰，置满古董的迷人房间；附有小型的屋顶阳台。

88 + 11间套房 搭E,F线至Lexington Ave.站；6线至51st St.站 收主要信用卡

THE MANSFIELD

$$$$

12 W. 44th St. (BET. 5th Ave. & 6th Ave.)

Tel 212/944-6050 或 800/255-5167

Fax 212/764-4477

由先前的单身男子公寓改成的现代风格饭店；浴室采用不锈钢盥洗台设计。饭店图书室内经常有音乐表演和咖啡时间。

103 + 26间套房 搭B,D,F线至42nd St.站；1,2,3,9,7线至Times Sq.站 位于附近 收主要信用卡

THE PARAMOUNT

$$$$

235 W. 46th St. (BET. Broadway & 8th Ave.)

Tel 212/764-5500 或 800/225-7474

Fax 212/354-5237

由史达克（Phillipe Starck）设计的大厅，充满游戏式的有趣装潢。

601 + 12间套房 搭1,2,3,9,7线至42nd St.-Times Sq.站 收主要信用卡

THE SHOREHAM

$$$$

33 W. 55th St. (BET. 5th Ave. & 6th Ave.)

Tel 212/247-6700 或 800/553-3347

Fax 212/765-9741

惹人注目的铝制家饰设计装潢，到处皆是神来之笔。

47 + 37间套房 搭E,F,N,R线至5th Ave.站 位于附近 收主要信用卡

WYNDHAM HOTEL

$$$

42 W. 58th St. (BET. 5th Ave. & 6th Ave.)

Tel 212/753-3500 或 800/257-1111

Fax 212/754-5638

备有宽敞而吸引人的房间；热门的住宿地点。

200 搭N,R线至5th Ave.站 收主要信用卡

BROADWAY BED & BREAKFAST INN

$$

264 W. 46th St. (at 8th Ave.)

Tel 212/921-1824 或 800/826-6300

Fax 212/768-2807

坐落于剧场区的简洁旅店。

41 搭A,C,E线至42nd St.-Times Square站 收主要信用卡

餐厅

FELIDIA

$$$$$

243 E. 58th St. (BET. 2nd Ave. & 3rd Ave.)

Tel 212/758-1479

由Lidia Bastianich掌厨的最上等意大利北方餐点；提供完美的意大利面和炖菜（risotto），以及Trieste一地的特殊佳肴。

90 搭4,5,6线至59th St.站 周末夜晚、周日全天休息 收主要信用卡

FOUR SEASONS

$$$$$

99 E. 52nd St. (BET. Lexington Ave. & Park Ave.)

Tel 212/754-9494

建筑师约翰森（Philip Johnson）的不朽杰作，加上最专业的服务、最传统的欧陆（Continental）菜肴；可尝试螃蟹蛋糕或芥末蛋黄酱汁牛排。

100 搭6线至53rd St.站；E,F线至Lexington Ave.站 周末夜晚、周日全天休息 收主要信用卡

LE BERNARDIN

$$$$$

155 W. 51st St. (BET. 6th Ave. & 7th Ave.)

Tel 212/489-1762

出色的法国海鲜、高雅且几乎无可挑剔的周到服务；提供风味绝佳的黑鲈鱼、芥末蛋黄酱汁鲔鱼，以及每日特餐。

38张餐桌 搭1、9线至50th St.站 周末夜晚、周日全天休息 收主要信用卡

LA CARAVELLE

$$$$$

Shoreham Hotel

33 W. 55th St. (BET. 5th Ave. & 6th Ave.)

Tel 212/586-4252

雅致、高尚的餐厅，加上高级的法国餐点；拿手料理包括梭子鱼肉汤（pike quenelle）和烤鸭。

140 搭E,F线至5th Ave.站 周末夜晚、周日全天休息 收主要信用卡

LE CIRQUE 2000

$$$$$

New York Palace Hotel

455 Madison Ave. (BET. 50th St. & 51st St.)

Tel 212/303-7788

由Sirio Maccioni这位明星主人的前别墅宅邸改装而成，充满教人目眩神迷的蒂芙尼设计风格；时髦、创新的法国和意大利当代餐饮。

110 搭E,F线至5th Ave.站；6线至51st St.站 收主要信用卡

LES CÉLÉBRITÉS

$$$$$

Essex House, 155 W. 58th St. (BET. 6th Ave. & 7th Ave.)

Tel 212/484-5113

具备极尽优雅的房间和美食，以及由Christian Delouvrier掌厨的绝佳当代法式菜肴；推荐烤猪大餐。

特别推荐

REGAL UN PLAZA HOTEL

住宿此地，即宛如置身于全球的剧场中；国际外交使节和官员们穿梭于联合国总部（United Nations）大会会场、或者直奔27楼的办公室。这座曾获建筑奖项的现代大楼在纽约市东区（East Side）冉冉升起；从28楼以上为饭店房间，每一间皆可享受迷人的窗外景致。整栋饭店布满了艺术结晶，同时备有齐全的运动器材和设施；包括一座室内的网球场。为了减少地理位置偏远所造成的不便，饭店提供免费接送车前往市区的各个角落，当然也包含夜间至剧场区的来回接送。

$$$$

1 United Nations Plaza (1st Ave. at 44th St.)

Tel 212/758-1234 或 800/222-8888

Fax 212/702-5051

428 搭4,5,6,7线至42nd St.站 收主要信用卡

65 搭N,R线至57th St.站 每天夜晚、周日和周一全天休息 收主要信用卡

LA COTE BASQUE

$$$$$

60 W. 55th St. (BET. 5th Ave. & 6th Ave.)

Tel 212/688-6525

纽约最好的法国餐馆之一，具有美丽的室内装潢；可尝试特制烤鸭，以及冰冻木梅奶酥（raspberry souffle）。

160 搭E,F线至5th Ave.站 周日夜晚休息 收主要信用卡

LA GRENOUILLE

$$$$$

3 E. 52nd St. (BET. 5th Ave & Madison Ave.)

Tel 212/752-1495

充满花香的高级法式餐饮。

80 搭D,F,6线至5th Ave.站 周日、周一休息 收主要信用卡

LE PÉRIGORD

$$$$$

405 E. 52nd St. (BET. 1st Ave. & F.D.R. Dr.)

Tel 212/755-6244

提供传统法国菜的纽约古老餐馆。

120 搭6线至51st St.站 周末夜晚、周日全天休息 收主要信用卡

LESPINASSE

$$$$$

St. Regis Hotel

2 E. 55th St. (BET. 5th Ave. & Madison Ave.)

Tel 212/339-6719

饰有复杂雕琢的室内陈设，提供纽约最好的餐点；以混合法国烹调技术和远东口味食物为特色，可尝试主厨Gray Kunz的特制食谱。

100 搭E,F线至5th Ave.站 周日休息 收主要信用卡

LUTECE

$$$$$

249 E. 50th St. (BET. 2nd Ave. & 3rd Ave.)

Tel 212/752-2225

由厨师Eberhard Mueller重新烹调的法国古老原味食物；可尝试随季更换的菜单，推荐特制熏鱼、火锅，以及小排骨。
60 搭6线至51st St.站 日、周一休息 收主要信用卡

MARCH
$$$$$
405 E. 58th St. (BET.1st Ave. & Sutton Pl.)
Tel 212/838-9393
厨师Wayne Nish在此烹调出许多可口、正统的丰盛佳肴。
50 搭4,5,6线至59th St.站 夜晚休息 收主要信用卡

PETROSSIAN
$$$$$
182 W. 58th St. (at 7th Ave.)
Tel 212/245-2214
因特制餐点而闻名的时髦餐厅；推荐鱼子酱（caviar）、熏鱼和香槟。
70 搭N,R线至57th St.站 收主要信用卡

RAINBOW ROOM
$$$$$
30 Rockefeller Plaza, 65th Floor (BET.49th St. & 50th St.)
Tel 212/632-5000
具有最华丽的装饰艺术设计风格，以及美不胜收的窗外景致；由Waldy Malouf创新烹调的美国传统餐点，例如龙虾和生蚝等。
250 搭A,B,C,D,E,F线至Rockefeller Center站 条件式开放，须先电洽 收主要信用卡

AQUAVIT
$$$$
13 W. 54th St. (BET. 5th Ave. & 6th Ave.)
Tel 212/307-7311
新潮的北欧（Scandinavian）餐点；拿手好菜为烤鲑鱼和瑞典肉丸（Swedish meatball）。
180 搭E,F线至5th Ave.站 收主要信用卡

FIREBIRD
$$$$
365 W. 46th St. (BET. 8th Ave. & 9th Ave.)
Tel 212/586-0244
古色古香的室内装潢，搭配高级的俄罗斯美食；享受独特的鱼子酱，沉醉在室内慵懒的气息里。
200 搭A,C,E线至42nd St.站 周日夜晚、周一全天休息 收主要信用卡

OCEANA
$$$$
55 E. 54th St. (BET.Madison Ave. & Park Ave.)
Tel 212/759-5941
厨师Rick Moonen擅长烹制美味海鲜，尤以美国东岸独特的鱼羹（bouillabaisse）和秋葵浓汤（gumbo）最为特别。
100 搭6线至51st St.站 周末夜晚、周日全天休息 收主要信用卡

OSTERIA DEL CIRCO
$$$$
120 W. 55th St. (BET.6th Ave. & 7th Ave.)
Tel 212/265-3636
由Le Cirque餐馆Sirio Maccioni的儿子们所经营，并且采用母亲的独创食谱，托斯卡纳（Tuscan）风味菜肴为餐厅的特色之一；别错过新鲜的甜甜圈（bombolini）点心。
120 搭N,R线至57th St.站 周日夜晚休息 收主要信用卡

PALM
$$$$
837 2nd Ave. (BET.44th St. & 45th St.)
Tel 212/687-2953
餐馆地板上布满木屑装饰；提供超大的龙虾和牛排。
120 搭4,5,6线至42nd St.站 周末夜晚、周日全天休息 收主要信用卡

PARK AVE. CAFE
$$$$
100 E. 63rd St. (BET.Lexington Ave. & Park Ave.)
Tel 212/838-2061 或 800/638-6449
厨师David Burke以独创的餐点和现身小丑赢得所有顾客的心；自制的熏鲑鱼（pastrami salmon）远近驰名。
220 搭4,5,6线至59th St.站 收主要信用卡

参考价格

旅馆（HOTELS）
此处以$号代表不包含早餐的双人房价格。
$$$$$ 超过280美元
$$$$ 200～280美元
$$$ 120～200美元
$$ 80～120美元
$ 低于100美元

餐厅（RESTAURANTS）
此处以$代表包含3道主菜、未附饮料的晚餐价格。
$$$$$ 超过80美元
$$$$ 50～80美元
$$$ 35～50美元
$$ 20～35美元
$ 低于20美元

SMITH & WOLLENSKY
$$$$
797 3rd Ave. (at 49th St.)
Tel 212/753-1530
纽约市最好的牛排馆之一。
300 搭6线至51st St.站 周末夜晚、周日全天休息 收主要信用卡

SUSHISAY
$$$$
38 E. 51st St. (BET.Madison Ave. & Park Ave.)
Tel 212/755-1780
提供精致美味的寿司；若预算允许，可尽情享受厨师的手艺。
80 搭6线至51st St.站 周末夜晚、周日全天休息 收主要信用卡

'21'
$$$$
21 W. 52nd St. (BET.5th Ave. & 6th Ave.)
Tel 212/582-7200
纽约人的熟悉地点，提供创新和传统兼具的美式餐点；鸡肉杂菜、汉堡包和红玛丽混合酒（Bloody Mary）极为有名。
150 搭B,D,F线至Rockefeller Center站 周日休息 收主要信用卡

图例 旅馆 餐厅 客量 座位数 地铁 停业

VONG
$$$$
200 E. 54th St. (at 3rd Ave.)
Tel 212/486-9592
美妙的室内装潢，搭配由Jean-Georges Vongerichten特制的泰国/法国风味美食；可尝试店内的各式鸡尾酒。
150 搭6线至51st St.站；E,F线至Lexington Ave.站 周末夜晚、周日全天休息 收主要信用卡

BECCO
$$$
355 W. 46th St. (BET.8th Ave. & 9th Ave.)
Tel 212/397-7597
享受意大利面的活泼餐馆，同时包含种类繁多、价格低廉的意大利美酒。
150 搭A,C、E线至42nd St.站 收主要信用卡

DAWAT
$$$
210 E. 58th St. (BET.2nd Ave. & 3rd Ave.)
Tel 212/355-7555
上等的印度料理 可尝试bhindi masala，以及混合洋葱、芒果和秋葵烹制的菜肴。
130 搭4,5,6线至59th St.站 周日夜晚休息 收主要信用卡

ESTIATORIOS MILOS
$$$
125 W. 55th St. (BET.6th Ave. & 7th Ave.)
Tel 212/245-7400
提供精致的希腊餐点，尤以池塘活鱼和螃蟹具有不凡风味。
35张餐桌 搭E,F,N,R线至5th Ave.站 周末、周日休息 收主要信用卡

HATSUHANA
$$$
17 E. 48th St. (BET.5th Ave. & Madison Ave.)
Tel 212/355-5545
可试试预约寿司吧台的座位。
100 搭B,D,F线至Rockefeller Center站 周末夜晚、周日全天休息 收主要信用卡

JEZEBEL
$$$
630 9th Ave. (at 45th St.)
Tel 212/582-1045
提供如炖猪肉片、秋葵和雏菊豆小菜等十足高水准佳肴；搭配室内由丝缎和蕾丝营造成的气氛。
125 搭A,C、E线至42nd St.站 周末夜晚、周日全天休息 美国运通卡

JUDSON GRILL
$$$
152 W. 52nd St. (BET.6th Ave. & 7th Ave.)
Tel 212/582-5252
位于整洁、优雅地区的当代正统餐馆；推荐烤鱼。
100 搭1、9线至50th St.站；B,D,F线至Rockefeller Center站 周末、周日夜晚休息 收主要信用卡

OYSTER BAR AT GRAND CENTRAL
$$$
Grand Central Station, Lower Level (42nd St. & Vanderbilt Ave.)
Tel 212/490-6650
位于具有悠久历史的车站内，拥有古典风格的装潢；烤肉和生蚝极为出名。请事先确认是否有午餐菜单。
500 搭4,5,6,S线至42nd St.-Grand Central站 周末、周日休息 收主要信用卡

ROSA MEXICANO
$$$
1063 1st Ave. (at 58th St.)
Tel 212/753-7407
顶级的墨西哥餐点，纯正口味；推荐沙拉（guacamole）、壳类海鲜（pomegranate margarita），以及以羊肉和辣椒掺入啤酒清蒸的mixiote。
90 搭4,5,6线至59th St.站 夜晚休息 收主要信用卡

SHUN LEE PALACE
$$$
155 E. 55th St. (BET.Lexington Ave. & 3rd Ave.)
Tel 212/769-3888
提供高级、精致的中国菜。
350 搭4,5,6线至59th St.站 周一至周五夜晚休息 收主要信用卡

SOLERA
$$$
216 E. 53rd St. (BET.2nd Ave. & 3rd Ave.)
Tel 212/644-1166
上等的西班牙餐点，高级的服务；推荐特制Paella鱿鱼、Serrano火腿和西班牙奶酪。
100 搭6线至51st St.站；E,F线至Lexington Ave.站 周日休息 收主要信用卡

U.N. DELEGATES' DINING ROOM
$$
U.N. Plaza
Tel 212/963-7626
难得的机会可以品尝世界各国的餐食，尤以每周更换菜色的中午自助餐最佳。
350 搭4,5,6线至42nd St.站 周末、周日白天休息 收主要信用卡

JOE ALLEN
$$
326 W. 46th St. (BET.8th Ave. & 9th Ave.)
Tel 212/581-6464
提供汉堡包和厨师特制沙拉，使位于剧场区的餐馆成为观众、演员最可靠的消磨时光去处。
30张餐桌 搭A,C、E线至42nd St.站 万事达卡、威士卡

STAGE DELI
$$
834 7th Ave. (BET.53rd St. & 54th St.)
Tel 212/245-7859
老字号的纽约熟食馆。
130 搭1、9线至50th St.站 美国运通卡、万事达卡、威士卡

TRATTORIA DELL'ARTE
$$
900 7th Ave. (at 57th St.)

Tel 212/245-9800

受欢迎的意大利餐馆，提供美味的餐前菜和比萨饼等食物。

座位数 75 地铁 搭N,R线至57th St.站 收主要信用卡

CARNEGIE DELI

$

854 7th Ave. (at 55th St.)

Tel 212/757-2245

纽约纯粹原味的超大熏牛肉三明治，以及其他替代的各式简便食品：这是最合适品尝烟熏食物的地方。

座位数 50-70 地铁 搭N,R线至57th St.站 拒收信用卡

COSI SANDWICH BARS

$

60 E. 56th St. (BET. Madison Ave. & Park Ave.)

Tel 212/588-0888

地铁 搭4,5,6线至59th St.站

165 E. 52nd St. (BET. Lexington Ave. & 3rd Ave.)

Tel 212/758-7800

地铁 搭6线至51st St.站

38 E. 45th St. (BET. Madison Ave. & Vanderbilt Ave.)

Tel 212/949-7400

特别推荐

BEN BENSON'S STEAK HOUSE

对于食欲旺盛、喜爱活泼牛排馆气氛的嗜牛肉者来说，此处正是最好的用餐地点。餐馆成立于1982年，名列美国前100名餐厅榜内。在这儿，名人、政客、运动明星、企业代表，夹杂着观光客和本地居民，一起享受大块鲜美的牛排、超大龙虾、蟹肉糕点、小牛肉、薯条和蔬菜。餐厅共占据两层楼，由于周围尽是种族融合的各色美国人，使得宽阔的餐厅弥漫着熟悉、温馨的气息。若只想畅饮美酒，可至专属酒吧或鸡尾酒大厅，届时你会发现，自己竟置身于许多电视或报章媒体上眼熟的面孔；须留心酒吧区有浓重的雪茄烟味。

$$$

123 W. 52nd St.

Tel 212/581-8888

座位数 175 地铁 搭1、9线至50th St.站 停业 周末、周日夜晚休息 收主要信用卡

特别推荐

CHINA GRILL

这里是典型的纽约，人们的衣着不拘一格，有整齐的西装，也有随意的休闲服。这里的气氛始终热烈，在中城区工作的各种活跃人物在此齐集一堂，每天午餐时间更是热闹非凡。电影、新闻和戏剧界的各路明星都会在这里亮相。午餐时间或观剧前后到这里来最合适。

中心厨房和两个酒吧间供应不同档次的食品，各楼层内陈设别致，美丽的鲜花装饰着马可·波罗的名言。美、欧、亚各式菜肴荟萃于此，每种菜点都用烤盘或中式炒锅烹制，色香味俱佳，花色繁多，如梅汁烤肉、红莓酱等味道极美。服务周到，宾至如归。

$$$$

52 W. 53rd St.

Tel 212/333-7788

座位数 248 地铁 搭B,D,F线至Rockefeller Center站；E,F线至5th Ave.站 停业 周末、周日夜晚休息 收主要信用卡

地铁 搭4,5,6线至42nd St.站

可尝试可口的木烤面包三明治；周一至周五提供早餐。

座位数 40-55 停业 周末白天、周日全天休息 拒收信用卡

ESS-A-BAGEL

$

831 3rd Ave. (BET. 50th St. & 51st St.)

Tel 212/980-1010

纽约最好的焙果餐馆，充满愉悦的用餐气氛；于中城南区（Midtown South）第1大道359号（359 First Ave.）也有分店。

座位数 25张餐桌 地铁 搭6线至51st St.站；E,F线至Lexington Ave.站 停业 周末、周日白天休息 收主要信用卡

MENCHANKO-TEI

$

43-45 W. 55th St. (BET. 5th Ave. & 6th Ave.)

Tel 212/247-1585

供应简易的日本面食；宛如中城区的一小片绿洲。

座位数 15张餐桌 地铁 搭N,R线至57th St.站；E,线至5th Ave.站 收主要信用卡

SOUP KITCHEN INTERNATIONAL

$

259-A W. 55th St. (BET. 8th Ave. & Broadway)

Tel 212/757-7730

以外带汤食闻名；须排队等候，但慕名者仍络绎不绝。

座位数 无座位 地铁 搭1,9,A,B,C,D线至Columbus Circle-59th St.站 停业 夏季白天休息 拒收信用卡

上东区/博物馆区（Upper East Side/Museum Row）

旅馆

GRACIE INN

$$$$$

502 E. 81st St. (BET. York Ave. & E. End Ave.)

Tel 212/628-6420

Fax 212/628-6420

旅馆内陈设着各种大小的手工木制家具；位于高尚、安静的地区。

座位数 12 地铁 搭4,5,6线至86th St.站 美国运通卡、万事达卡、威士卡

LOWELL

$$$$$

28 E. 63rd St. (BET. Park Ave. & Madison Ave.)

Tel 212/838-1400 或 800/221-4444

Fax 212/319-4230

位于20世纪20年代史迹保存区的宁静街道上，提供品味细腻、旧时代的迷人亲切氛围。所有房间皆是套房，许多并附有壁炉、厨房和图书室。

客量 61 地铁 搭4,5,6线至59th St.站 收主要信用卡

THE MARK

$$$$$

25 E. 77th St. (BET. 5th Ave. & Madison Ave.)

Tel 212/744-4300 或 800/843-6275

Fax 212/744-2749

位于高雅的地区，内部呈现当代设计

特别推荐

CARLYLE

从20世纪30年代起，这座欧洲风格的耀眼饭店即开始迎接精英人士的光临。饭店的房间置满了古董器物、Audubon绘制的版画，大理石浴室内设有漩涡式水留装置和最先进的电子设备。在访客名单中，前总统夫人南茜·里根(Nancy Regan)和已故的肯尼迪总统（President Kennedy）都是此处常客。有些非住宿的客人，则选择在饭店内的卡拉里餐厅（Carlyle Restaurant）用餐，或者至卡拉里咖啡馆(Cafe Carlyle)享受酒馆似的娱乐气氛。贝梅尔门斯酒吧（Bemelmans Bar）内装饰有幽默趣味的壁画；此外，模仿土耳其托普卡皮宫（Topkapi Palace）建造的展览室内也提供午茶服务。

$$$$$
35 E. 76th St.
Tel 212/744-1600 或 800/227-5737
Fax 212/717-4682
190 + 65间出租公寓 搭6线至77th St.站 收主要信用卡

风格，大型房间内设有大理石或意大利陶制卫浴设备，精致的艺术品，以及奢华的附属设施。饭店内的马可酒吧和原木装潢的马可餐厅甚受欢迎，在餐厅内更可尽情地沉浸于下午茶时光。
180 搭6线至77th St.站 收主要信用卡

PLAZA ATHENÉE

$$$$$
37 E. 64th St. (BET. Park Ave. & Madison Ave.)
Tel 212/734-9100
Fax 212/772-0958
具有法国路易十六（Louis XVI）时代的古老装饰风格，模仿巴黎典型、规模小巧、位于中央公园附近的宁静住宅区。
156 搭6线至68th St.站 收主要信用卡

REGENCY

$$$$$
540 Park Ave. (at 61st St.)
Tel 212/759-4100 或 800/233-2356
Fax 212/826-5674
以摄政时代风格装潢闻名；饭店同时包括电视、大理石浴室、专用Tel 等。
288 + 74间套房 搭4,5,6线至59th St.站 收主要信用卡

THE WESTBURY

$$$$$
15 E. 69th St. (at Madison Ave.)
Tel 212/535-2000 或 800/321-1569
Fax 212/535-5058
和其他饭店最大的区别即是它的英国式风格；高雅的饭店提供个性化的服务，并可直接通往附近麦迪逊大道（Madison Ave.的服装店购物。
231 搭6线至68th St.站 收主要信用卡

THE FRANKLIN

$$$
164 E. 87th St. (at Lexington Ave. & 3rd Ave.)
Tel 212/369-1800 或 800/600-8787
Fax 212/369-8000
装潢精致的房间内，陈设有顶篷式罩床、传统家具，以及纽约风景摄影作品。
53 搭4,5,6线至86th St.站 美国运通卡、万事达卡、威士卡

THE WALES

$$$
1295 Madison Ave. (at 92nd St.)
Tel 212/876-6000 或 800/428-5252
Fax 212/860-7000
20世纪初高雅的隐居处所；提供宽敞、舒适的套房。
45 + 47间套房 搭6线至96th St.站 美国运通卡、万事达卡、威士卡

餐厅

AUREOLE

$$$$$
34 E. 61st St. (BET. Madison Ave. & Park Ave.)
Tel 212/319-1660
Charles Palmer的著名美式餐点；推荐季节性特餐。
37张餐桌 搭4,5,6线至59th St.站 周末夜晚、周日全天休息 收主要信用卡

JOJO

$$$$
160 E. 64th St. (BET. Lexington Ave. & 3rd Ave.)
Tel 212/223-5656
由Jean-Georges Vongerichten经营的出色酒馆；推荐龙虾和Vahlrona巧克力蛋糕。
150 搭6线至68th St.站 周末夜晚、周日全天休息 收主要信用卡

LOBSTER CLUB

$$$$
24 E. 80th St. (BET. 5th Ave. & Madison Ave.)
Tel 212/249-6500
Anne Rosenweig有名的龙虾总汇三明治，以及其他类型美式餐点。
28张餐桌 搭6线至77th St.站 收主要信用卡

PAOLA'S

$$$
245 E. 84th St. (BET. 2nd Ave.

特别推荐

DANIEL

这座美食的殿堂，于1999年初开设于耗资1000万美元整修的五月花饭店内。餐厅厨师兼店主波鲁得（Daniel Boulud），将原本开于东76街（East 76th St.）20号的丹尼尔餐厅（Restaurant Daniel）结束后，改营波鲁得咖啡馆（Cafe Boulud)，以便重新开张更大型、更华丽、充满威尼斯和拜占庭风味的丹尼尔餐厅(Daniel)。波鲁得长久以来皆是纽约的四星级大厨，在他于圆环餐厅(Le Cirque)工作时即已享有盛名。虽然新开业的餐厅并非以法国风格装潢，但他依据法国古老农庄食谱重新调制的餐点，却充满十足的法国味。餐厅所提供的蘑菇烤羊腰肉、根茎蔬菜等特制菜肴，静候能够预约到席位的幸运者。

$$$$$
610 Park Ave. (Mayflower HoTel)
Tel 212/288-0033
100 搭1,9,A,B,C,D线至59th St.-Columbus Circle站 收主要信用卡

& 3rd Ave.)
Tel 212/794-1890
上东区的意大利式餐厅，提供自制的意大利面和其他佳肴。
70 + 30（室外） 搭4,5,6线至86th St.站 夜晚休息 收主要信用卡

HEIDELBERG
$$
1648 2nd Ave. (BET. 85th St. & 86th St.)
Tel 212/628-2332
古老却充满活力的餐馆，提供香肠和啤酒等。
80-85 搭4,5,6线至86th St.站 收主要信用卡

PAMIR
$$
1437 2nd Ave. (BET. 74th St. & 75th St.)
Tel 212/734-3791
供应阿富汗风味料理，尤以鸡肉、羊肉和辣味南瓜等为主；推荐特制辣味炖鸡 Kormaemurgh。
70 搭6线至77th St.站 每天夜晚、周日全天休息 万事达卡、威士卡

SERENDIPITY 3
$$
225 E. 60th St. (BET. 2nd Ave. & 3rd Ave.)
Tel 212/838-3531
供应上好的冰淇淋圣代和简餐；冷冻热巧克力（frozen hot chocolate）极为出名。
165 搭4,5,6线至59th St.站 收主要信用卡

EL POLLO
$
1746 1st Ave. (BET. 90th St. & 91st St.)
Tel 212/996-7810
提供风味绝佳的秘鲁烤鸡（rotisserie chicken），通常以外带餐食居多（索霍区也有分店）。
40 搭4,5,6线至86th St.站 收主要信用卡

中央公园（Central Park）

旅馆

ESSEX HOUSE, HOTEL NIKKO NEW YORK
$$$$$
160 Central Park S. (BET. 6th Ave. & 7th Ave.)
Tel 212/247-0300 或 800/645-5687
Fax 212/315-1839
具有夸张雕琢的装饰艺术风格，以及极具品味的房间和中央公园的视野。
516 + 81间套房 搭1,9,A,B,C,D线至Columbus Circle-59th St.站 收主要信用卡

特别推荐

THE MAYFLOWER
在预约房间的时候，切记越高的楼层、视野越佳；面对中央公园的前面套房特别昂贵，因为每当日落时分，窗外的景致即开始产生各种颜色的变化。林肯中心（Lincoln Center）、中央公园、剧场区和上西区购物中心皆位于饭店附近，除了宽敞的房间之外，并附设餐厅等设施，因此音乐家和剧场人士皆格外钟爱这个地点。1996年时，充满古老幽远气息的饭店加以整修，并增添了一间健身房。事实上，若是住宿在此，最好的健身方式便是徒步前往附近的迷人景点游览。饭店内的温室餐厅（Conservatory Restaurant）提供各式菜肴，并包含周日的早/午餐。

$$$$$
15 Central Park West (at 61st St.)
Tel 212/265-0060 或 800/223-4164
Fax 212/265-0098
377 搭1,9,A,B,C,D线至59th St.-Columbus Circle站 收主要信用卡

PIERRE
$$$$$795 5th Ave. (at 61st St.)
Tel 212/838-8000 或 800/332-3442
Fax 212/940-8109
饭店弥漫着优雅气息、古董装饰，以及奢华的室内设计风格；饭店之外的合并楼层也同样俯瞰着中央公园景致。公共区域包括华丽的圆厅（Rotunda），可供应下午茶餐点。
206 搭N,R线至5th Ave.站 收主要信用卡

STANHOPE
$$$$$
995 5th Ave. (at 81st St.)
Tel 212/288-5800 或 800/828-1123
Fax 212/517-0088
小巧而精致的饭店，地点极佳，正对着大都会博物馆（Metropolitan Museum of Art）。许多套房内摆置有古董家具，同时具有美丽的中央公园视野。饭店内附设有迷人的步行区咖啡馆和艺术沙龙。
141 搭4,5,6线至86th St.站 收主要信用卡

上西区（Upper West Side）

旅馆

BEACON HOTEL
$$$
2130 Broadway (at 75th St.)
Tel 212/787-1100 或 800/572-4969
Fax 212/724-0839
具备宽敞的房间，略微老式的装潢，但服务友善而亲切。
107 + 100间套房 搭1,2,3,9线至72nd St.站 位于附近 收主要信用卡

COUNTRY INN
$$$
W. 77th St. (BET. Broadway & West End)
Tel 212/874-3981
精细修复的史迹宅邸旅馆，备有典雅的套房；无电梯设备。
4 搭1、9线至79th St.站

EXCELSIOR
$$$
45 W. 81st St. (BET. Columbus Ave. & Central Park W.)
Tel 212/362-9200 或 800/368-4575
Fax 212/721-2994
具有宽敞、舒适的房间和传统装饰风格，某些房间拥有不错的视野。

190 搭1、9线至79th St.站；C、E线至81st St.站 美国运通卡、万事达卡、威士卡

TRUMP INTERNATIONAL HOTEL & TOWER

$$$$$
1 Central Park W.(at Columbus Circle)
Tel 212/299-1000 或 888/448-7767
Fax 212/299-1150
位于中央公园上端，由川普（Donald Trump）所经营的饭店，以落地窗为房间设计重点，并为客人们配备生活顾问。可至饭店楼下的尚乔治（Jean Georges）法国餐厅享受最上等的法式佳肴；如有需要，甚至还可指定厨师烹煮餐点，在个人套房内用餐。
168间套房 搭1,9,A,C,D,B线至Columbus Circle站 收主要信用卡

LUCERNE

$$$
201 W. 79th St.(at Amsterdam Ave.)
Tel 212/875-1000
Fax 212/579-2408
房间简单、干净。
250 搭1、9线至79th St.站 美国运通卡、万事达卡、威士卡

餐厅

JEAN GEORGES

$$$$$
Trump International Hotel，1 Central Park W.(BET. 60th & 61st Sts.)
Tel 212/299-3900
Jean-Georges Vongerichten经营的高级法式美国餐厅，具有现代风格；可尝试厨师的独特菜单。
60 搭1,9,A,B,D线至站Columbus Circle-59th St. 周末夜晚、周日全天休息 收主要信用卡

CAFÉ DES ARTISTES

$$$$
1 W. 67th St.(BET. Columbus Ave. & Central Park W.)
Tel 212/877-3500
美丽的壁画和旧时代的主题；独特的法式美食。
100 搭1、9线至66th St.站 周日夜晚、周一全天休息 收主要信用卡

PICHOLINE

$$$$
35 W. 64th St.(BET. Broadway & Central Park W.)
Tel 212/724-8585
精致的地中海风格餐厅，服务亲切周到；招牌菜为辣根鲑鱼。
200 搭1、9线至66th St.站 周日全天、周一夜晚休息 收主要信用卡

TAVERN ON THE GREEN

$$$$
Central Park W.(at 67th St.)
Tel 212/873-3200
公园里造型独特的餐厅，有高贵的装潢、各类综合食物；周末夜晚有爵士乐表演。
700 搭1、9线至66th St.站 收主要信用卡

CAFÉ LUXEMBOURG

$$$$
200 W. 70th St.(BET. Amsterdam & West End Aves.)
Tel 212/873-7411
小酒馆的消费，古典高级餐厅的享受。
85 搭1,2,3,9线至72nd St.站 收主要信用卡

NOUGATINE

$$$$
Trump International HoTel，1 Central Park W.(BET. 60th St. & 61st St.)
Tel 212/299-3900
Jean-Georges经营的餐厅中较轻松、平价的一家；除周日以外皆供应早餐。
65-80 搭1,9,A,B,C,D线至59th St.站 收主要信用卡

RAIN

$$$$
100 W. 82nd St.(BET. Amsterdam & Columbus Aves.)
Tel 212/501-0776
高级的越南菜和泰国食物。
90 搭1、9线至79th St.站 收主要信用卡

> **参考价格**
>
> **旅馆（HOTELS）**
> 此处以$号代表不包含早餐的双人房价格。
> $$$$$ 超过280美元
> $$$$ 200～280美元
> $$$ 120～200美元
> $$ 80～120美元
> $ 低于100美元
>
> **餐厅（RESTAURANTS）**
> 此处以$代表包含3道主菜、未附饮料的晚餐价格。
> $$$$$ 超过80美元
> $$$$ 50～80美元
> $$$ 35～50美元
> $$ 20～35美元
> $ 低于20美元

SHUN LEE

$$$$
43 W. 65th St. (BET. Columbus & Central Park W.)
纽约最好的中国餐馆之一；隔邻为咖啡馆。
400 搭1、9线至66th St.站 收主要信用卡

BARNEY GREENGRASS

$$
541 Amsterdam Ave.(BET. 86th St. & 87th St.)
Tel 212/724-4707
素有“鲟鱼之王”（Sturgeon King）美名的餐厅，可品尝他们的招牌熏鱼餐点；同时推荐鲑鱼加蛋和奶酪。
55 搭1、9线至86th St.站 拒收信用卡

SARABETH'S KITCHEN

$$
423 Amsterdam Ave. (BET. 80th St & 81st St.)
Tel 212/410-7335

以烤食和早／午餐闻名；并供应早餐。

80 搭1、9线至79th St.站 收主要信用卡

高地和哈莱姆区（Heights & Harlem）

餐厅

LONDEL'S OF STRIVERS' ROW

$$

2620 Frederick Douglass Ave.（BET. 139th St. & 140th St.）

Tel 212/234-6114

以传统炸鸡和蔬菜闻名的南方口味。

150 搭B,C,2,3线至135th St.站 周日白天、周一全天休息 收主要信用卡

SYLVIA'S

$$

328 Lenox Ave.（BET. 126th St. & 127th St.）

Tel 212/996-0660

令人难忘的美食；周日提供早／午餐，推荐BBQ排骨、火腿和蔬菜。

300 搭2,3线至125th St.站 收主要信用卡

纽约外围地区（Outer Boroughs）

餐厅

PETER LUGER'S STEAKHOUSE

$$$$

178 Broadway（at Driggs Ave.），Brooklyn

Tel 718/387-7400

此地最好的牛排馆之一；烹调实在，最好的自制口味和乳酪菠菜（creamed spinach）。

150 搭J线至Marcy Ave.站 拒收信用卡

RIVER CAFÉ

$$$$

1 Water St.(Brooklyn Bridge)，Brooklyn

Tel 718/522-5200

夏季时可坐于室外优雅的环境里欣赏曼哈顿景致；推荐龙虾、羊肉、软贝海鲜。

110 搭A线至High St.-Brooklyn站；2,3线至Clark St.站 收主要信用卡

RAMCAFÉ

$$

Brooklyn Academy of Music, 30 Lafayette Ave.

Tel 718/636-4100

位于文化据点的国际餐馆；于表演前2小时开放用餐。

300 搭2,3,4,5线至Atlantic Ave.站 收主要信用卡

CAFÉ TATIANA

$$

3145 Brighton 3rd St.（on the Boardwalk）

Tel 718/646-7630

位于优美的布鲁克林区的俄罗斯美食餐厅；馄饨汤味道极佳，并供应早餐。

100 搭D线至Brighton Ave.站 拒收信用卡

ELIAS CORNER

$$

24-02 31st St.（at 24th Ave.）

Tel 718/932-1510

道地的希腊海鲜餐馆。

100 搭N线至Astoria Boulevard站 夜晚休息 拒收信用卡

JACKSON DINER

$$

37-47 74th St.（BET. Roosevelt & 37th Ave.），Queens

Tel 718/672-1232

昆斯区内极好的印度餐饮。

65 搭F,7,R线至Roosevelt Ave.站 拒收信用卡

JOE'S SHANGHAI

$$

136-21 37th Ave.（BET. Main & Union Sts.）

Tel 718/539-3838

美味的馄饨汤和其他特制食谱；昆斯区和唐人街皆有店面。

70 搭7线至Main St.站；R线至Elmhurst站 拒收信用卡

PRIMORSKI

$$

282 Brighton Beach Ave.（BET. 2nd & 3rd Sts.）

Tel 718/891-3111

布鲁克林区（Brooklyn）"小奥迪沙"（Little Odessa）的最佳俄罗斯餐馆；提供日常用餐、筵席和表演。别错过特制的lavash、pelmeni、sashlik等菜肴。

150 搭D线至Brighton Ave.站 拒收信用卡

PATSY GRIMALDI'S

$

19 Old Fulton St.

Tel 718/858-4300

传统的纽约口味比萨饼；铺有红色格子桌巾的餐桌。

购 物

在纽约，所有的东西你都可以同时买到高价和低价两种类别。许多本地人一辈子花费不少力气，只为研究出如何以最好的价格选购最好的商品。逛百货公司，最好是避开周六、日或假日期间，而且以上午10点以后至下午3、4点之间最合适，多数的购物场所营业至傍晚左右。很多特殊专卖店早晨开店时间较晚，因此最好在光临之前先以电话洽询营业时间。尤其遇到不同的季节时，往往会有所改变（某些商店在夏季营业得较晚）。

曼哈顿下城（Lower Manhattan）虽属于金融区，却有不少地点值得逛街购物。几乎所有的连锁商场都在南街海港（South Street Seaport），因此不特别列入在此。崔比卡（TriBeCa）相当繁华，尤其是在法兰克林街（Franklin St.）附近和西百老汇大道（West Broadway）下区一带。下东区（Lower East Side）气氛迷人，以前为犹太人聚集之地，今天则充满更多元的文化和种族风味。到这儿逛街，将可同时选购到最时髦与最古老的商品，并可享受到奇妙的探宝心情。同时，此地也是周日的最佳选择，由于犹太人的安息日在周末，因此所有商店在周日都照常营业。

新兴的商业区位于诺丽塔（NoLiTa），意指小意大利的北边（North of Little Italy）；大约是从休士顿街（Houston St.）到史卜林街（Spring St.）、以及拉法叶街（Lafayette）到伊丽沙白街（Elizabeth St.）之间的地区。此地以时髦家具为主要商品。索霍区（SoHo）是购物者的乐园，因此若选在非假日期间前往，逛街人潮势必会减少许多。

在西村（West Village，或称为格林尼治村 Greenwich Village），到处都是东一家、西一家的小店，尤其以克里斯多福街（Christopher St.）和布立克街（Bleecker St.）最密集。东村（East Village）的独特性格则无人能比，多元种族文化混杂，而且永远都在改变之中。BET.第2大道（2nd Ave.）和A大道（Ave. A）之间的9街（9th St.），是一个精采的藏宝库。拉法叶街和包里街（Bowery St.）之间的庞德街（Bond St.）为新兴的古董家具街；整个的古董区，则是位于大学路（University Place）至百老汇大道（Broadway）之间的10街和11街。第5大道（5th Ave.）为纽约知名的购物中心，麦迪逊大道（Madison Ave.）则有许多豪华高级的精品店。上西区（Upper West Side）的哥伦布大道（Columbus Ave.）或可称之为最有趣的购物地点，尽管近来阿姆斯特丹大道（Amsterdam）已有高级化的倾向；百老汇大道永远都布满人潮，不过以食物餐饮为主。

配件和鞋子

Billy Martins, 812 Madison Ave., Tel 212/861-3100.地铁：搭4,5,6线至59th St.站。
牛仔靴鞋。

Do Kham, 51 Prince St., Tel 212/966-2404.地铁：搭N,R线至Prince St.站。
西藏帽子和手工艺品。

Harry's, 2299 Broadway, Tel 212/874-2035.地铁：搭1、9线至86th St.站。周日休息。
耐穿且时髦的鞋子。

Kiehl's, 109 3rd Ave., Tel 212/677-3171.地铁：搭6线至Astor Place站；L线至3rd Ave.站。周日休息。
流行的化妆用品。

Peter Fox, 105 Thompson St., Tel 212/431-6359.地铁：搭C、E线至Spring St.站。
美丽的鞋子。

The Hat Shop, 120 Thompson St., Tel 212/219-1445.地铁：搭C、E线至Spring St.站。上午休息。
时尚风格的帽子。

T.O.Dey, 9 E. 38th St., Tel 212/683-6300.地铁：搭4,5,6,7线至42nd St.站。电洽营业时间。
传统鞋子。

Tootsi Plohound, 413 W. Broadway, Tel 212/925-8931.地铁：搭1、9线至Houston St.站。
最新潮的鞋子。

Shoofly, 465 Amsterdam Ave., Tel 212/580-4390.地铁：搭1、9线至86th St.站。周日上午休息。
儿童鞋。

Worth & Worth, 331 Madison Ave., Tel 212/867-6058.地铁：搭6线至33rd St.站。周日休息。
纽约最大的帽饰店。

古 董

Chelsea Antiques Building, 110 W. 25th St., Tel 212/929-0909.地铁：搭1,9,F线至23rd St.站。电洽营业时间。
各楼层共有75家古董店。

Gill & Logodich, 108 Reade St., Tel 212/619-0631.地铁：搭1,2,3线至Chambers St.站。电洽营业时间。
古董框裱。

Susan Parrish Antiques, 390 Bleecker St., Tel 212/645-5020.地铁：搭C、E线至14th St.站；1、9线至Christopher St.站。周二至周末上午休息；周日、周一偶尔营业，电洽时间。
美国民间美术艺品。

艺术品和手工艺

Ceramica, 59 Thompson St., Tel 212/941-1307.地铁：搭A,C、E线至Canal St.站。
意大利陶艺。

Jerry Ohlinger's, 242 W. 14th St., Tel 212/989-0869.地铁：搭C、E线至14th St.站。每日上午休息。
古典和新电影的剧照、海报。

Lost City Arts, 275 Lafayette St., Tel 212/941-8025.地铁：搭B,D,F线至Lafayette St.-Broadway站。周末、周日上午休息。
纽约建筑物图片和纪念品。

TriBeCa Potters, 443 Greenwich St., Tel 212/431-7631.地铁：搭1、9线至Canal St.站。电洽营业时间。
陶艺工作室。

Urban Archeology, 143 Franklin St., Tel 212/431-4646, 地铁：1、9线至Franklin St.,周日休息。
崭新的装潢；建筑细部装饰迷人。

提袋和皮包

Altman Luggage, 135 Orchard St., Tel 212/254-7275.地铁：搭F线至Houston St.站；周六休息。
价钱公道的皮包和背包。

Big Drop, 174 Spring St., Tel 212/966-4299.地铁：搭C、E线至Spring St.站。
背包和时髦服饰。

Gucci, 685 5th Ave., Tel 212/826-2600.地铁：搭E,F线至5th Ave.站；周日上午休息。
昂贵的设计师产品。

Jutta Newmann, 317 E. 9th st., Tel 212/982-7048.地铁：搭6线至Astor Place站；每日上午及周日休息。
皮饰设计。

Kate Spade, 59 Thompson St., Tel 212/274-1991.地铁：搭C、E线至Spring St.站; A,C、E线至Canal St.站。
别致的手提袋。

Bisonte, 72 Thompson St., Tel 212/966-8773.地铁：搭A,C,E至Canal St.站；上午休息。
皮件和背袋。

书　籍

A Photographer's Place, 133 Mercer St., Tel 212/966-2356.地铁：搭N,R线至Prince St.站；周日上午休息。
摄影师丛书。

Biography Bookshop, 400 Bleecker St., Tel 212/807-8655.地铁：搭C、E线至14th St.站。周一至周六上午休息。
传记文学作品。

Coliseum Books, 1771 Broadway, Tel 212/757-8381.地铁：搭A,C,D,1、9线至Columbus Circle站; 周日休息。
纽约最好的书店之一。

Gotham, 41 W. 47th St., Tel 212/719-4448.地铁：搭B,D,F线至Rockefeller Center站。
周日公休。
绝版书和初版书。

Kitchen Arts & Letters, 1453 Lexington Ave., Tel 212/876-5550.地铁：搭4,5,6线至86thSt.站；6线至96th St.站。周日全天、周一上午休息。
绝佳的食谱书籍。

Pageant Books & Prints, 114 W. Houston St., Tel 212/674-5296.地铁：搭1、9线至Houston St.站。每日上午、周日及周一全天休息。
旧书与艺术复制品。

Strand, 828 Broadway, Tel 212/473-1452.地铁：搭4,5,6线至14th St.-Union Sq.站。周日早晨休息。
绝好的旧书店。

Traveler's Bookstore, 22 W. 52nd St.(位于Time Warner大楼),Tel 212/664-0995.地铁：B,D,F线至Rockefeller Center站。周日休息。
旅游书籍。

Used Book Cafe, 126 Crosby St., Tel 212/334-3324.地铁：搭B,D,F线至Broadway-Lafayette St.站。周日上午公休。
爱书人的理想书店; 爱滋病患者的赞助书商。

Weitz and Coleman Rare Books and Bindings, 1377 Lexington Ave., Tel 212/831-2213.地铁：搭4,5,6线至86th St.站；6线至96th St.站。周末及周日上午休息；或电洽预约。
有趣的书店老板。

服　饰

Agnès B., 116 prince St., 地铁：N、R限制Prince St.站。
设计师品牌服饰。

Anna Sui, 113 Greene St.,Tel 212/941-8406.地铁：搭N,R线至Prince St.站。
设计师品牌女性服饰。

April Cornell, 487 Columbus Ave., Tel 212/799-4342.地铁：搭1、9线至86th St.站。
印第安布料服饰。

Atomic Passion, 430 E. 9th St., Tel 212/533-0718.地铁：搭6线至Astor Place-8th St.站。下午2时以后营业。
精致服饰。

Bebe, 100 5th Ave., Tel 212/675-2323.地铁：搭4,5,6线至14th St.-Union Sq.站。
时髦服饰拍卖品。

Ben Freedman, 137 Orchard St., Tel 212/674-0854.地铁：搭F线至Delancey-Essex Sts.站。
折扣秋冬外套。

Blue Boutique, 310 Columbus Ave., Tel 212/579-2089.地铁：搭1、9线至66th St.站。上午休息。
女性晚装、晚礼服。

Books Brothers, 346 Madison Ave., Tel 212/682-8800.地铁：搭6线至33rd St.站。
男性服饰。

Calvin Klein, 654 Madison Ave., Tel 212/292-9000.地铁: 搭N,R线至5th Ave.站；4,5,6线至59th St.站。周日上午休息。
美国男、女性服饰与家居服。

Camouflage, 139 8th Ave., Tel 212/691-1750.地铁：搭1、9线至18th St.站。周一至周五早上、周日休息。
男性服饰。

Canal Jean Co., 504 Broadway, Tel 212/226-1130.地铁：搭6线至Prince St.站。
全新与二手的外出服。

Century 21, 22 Cortlandt St., Tel 212/227-9092.地铁：搭1,9,N线至Cortlandt St.站。
折扣服饰。

Chanel, 15 E. 57th St., Tel 212/355-5050.地铁: 搭N,R线至5th Ave.站。周日休息。
设计师品牌服饰。

Comme des Garcons, 116 Wooster St., Tel 212/219-0660.地铁：搭N,R线至Prince St.站。
设计师品牌服饰。

Diesel, 770 Lexington Ave., Tel 212/308-0055.地铁：搭4,5,6线至59th St.站。
别致的意大利服饰。

Gianni Versace, 816 Madison Ave., Tel 212/744-5572.地铁：搭4,5,6线至59th St.站。
意大利华丽服饰。

Ina, 101 Thompson St., Tel 212/941-4757.地铁：搭C、E线至Spring St.站。上午休息。
设计师品牌二手服饰。

Infinity, 1116 Madison Ave., Tel 212/517-4232.地铁：搭4,5,6线至86th St.站。周末及周日上午休息。
少女服饰与配饰。

Irvington Institute Thrift Store, 1534 2nd Ave., Tel 212/879-4555.地铁：搭6线至77th St.站。周日早上休息。
精致的二手服饰。

Levi's, 750 Lexington Ave., Tel 212/826-5957.地铁：搭4,5,6线至59th St.站。周日上午休息。
牛仔服饰。

Lilliput, 265 Lafayette St., Tel 212/965-9567.地铁：搭B,D,F线至Broadway-Lafayette St.站；6线至Bleecker St.站。
儿童服装。

Lucien Pellat-Finet, 226 Elizabeth St. Tel 212/343-7033.地铁：搭B,D,F线至Broadway-LafayetteSt.站。周一休息。
精良的开士米织物。

New Republic Clothiers, 3 Spring St., Tel 212/219-3005.地铁：搭6线至Spring St.站。上午休息。
现代男性服饰。

NY Firefighter's Friend, 263 Lafayette St., Tel 212/226-3142.地铁：搭6线至Spring St.站。周日休息。
消防服饰和玩具。

Patricia Field, 10 E. 8th St., Tel 212/254-1699.地铁：搭6线至Astor Place站。上午休息。
大胆、野性服饰和配件。

Paul Smith, 108 5th Ave., Tel 212/627-9770.地铁：搭4,5,6线至Union Sq.-14th St.站。
周日上午休息。

Peanut Butter, & Jane, 617 Hudson St., Tel 212/620-7952.地铁：搭C、E线至14th St.站。周日上午休息。
玩具、新式儿童服饰。

Pierre Garroudi, 530 W. 25th St., Tel 212/243-5166.地铁：搭C、E线至23rd St.站。
设计师品牌女性服饰和男性套装。

Pop Shop, 292 Lafayette St., Tel 212/219-2784.地铁：搭B,D,P线至Bleecker-Lafayette Sts.站。周一休息。
艺术家Keith Haring所设计之服饰。

Resurrection Vintage, 217 Mott St., Tel 212/625-1347.地铁：搭6线至Spring St.站。上午休息。
古典服饰。

Ritz Thrift Store, 107 W. 57th St., Tel 212/265-4559.地铁：搭4,5,6,7线至42nd St.站。周日休息。
二手毛皮。

Todd Oldham, 123 Wooster St., Tel 212/925-8931.地铁：搭N,R线至Prince St.站。
流行服饰。

TG-170, 170 Ludlow St., Tel 212/995-8660.地铁：搭F线至Essex-Delancey Sts.站。上午休息。
女性服饰。

Yohji Yamamoto, 103 Grand ST., Tel 212/966-9066.地铁：搭A,C、E线至Canal St.站。
设计师服饰。

Yu, 151 Ludlow St., Tel 212/979-9370.地铁：搭F线至Delancey-Essex Sts.站。上午休息。
设计师寄售服饰。

百货公司

Barney's, 660 Madison Ave., Tel 212/593-7800.地铁：搭N、R线至5rh Ave.站；4,5,6线至59th St.站。周日上午休息。
高水准百货公司，内有服饰、化妆品、家用器皿等。

Bergdorf Goodman, 754 5th Ave., Tel 212/753-7300.地铁：搭N,R线至5th Ave.站；E,F线至5th Ave.站。周日休息。
高雅时装。

Bergdorf Goodman Men, 745 5th Ave., Tel 212/753-7300.地铁：搭N,R线至5th Ave.站；E,F线至5th Ave.站。周日休息。
高级男性时装。

Bloomingdales, 1000 3rd Ave., Tel 212/705-2098.地铁：搭4,5,6线至59th St.站。
第一流百货公司。

Henri Bendel, 712 5th Ave., Tel 212/247-1100.地铁：搭N,R线至5rh Ave.站；E,F线至5th Ave.站。周日上午休息。
女性百货店。

Lord & Taylor's, 424 5th Ave., Tel 212/391-3344.地铁：搭B,D,F线至42nd St.站；7线至5th Ave.站。
以女性穿戴用品为主的典雅百货公司。

Macy's, 151 W. 34th St., Tel 212/695-4400.地铁：搭1,2,3线至34th St.站。
纽约最大的百货公司。

Saks Fifth Avenue, 611 5th Ave., Tel 212/753-4000.地铁：搭B,D,F线至Rockefeller Center站；E,F线至5th Ave.站。周日休息。
服饰一流店。

Shanghai Tang, 667 Madison Ave., Tel 212/888-0111.地铁：搭N,R线至5th Ave.站；4,5,6线至59th St站。周日上午休息。
中国风格的豪华百货公司。

Takashimaya, 693 5th Ave., Tel 212/350-0100.地铁：搭B,D,F线至Rockefeller Center站；E,F线至5th Ave.站。周日休息。
绝佳的日本百货公司。

食品店

Angelica's, 147 1st Ave., Tel 212/677-1549.地铁：搭C线至1st Ave.站6线至Astor Place站。周日上午休息。
药草成品及药草。

Balducci's, 424 6th Ave., Tel 212/673-2600.地铁：搭A,B,C,D,E,F线至W. 4th St.站。
美食、特制意大利面。

Custard Beach, 33 E. 8th St., Tel 212/420-6039.地铁：搭A,B,C,E,D,F线至W. 4th St.站。上午休息。
真正的冰奶酪制品；可尝试香草口味。

Dean & Deluca, 560 Broadway, Tel 212/431-1691.地铁：搭N,R线至Prince St.站。
时髦餐点。

Economy Candy, 108 Rivington St., Tel 212/254-1531.地铁：Essex St.-Delancey St.。
巧克力、糖果、花生。

Guss Pickles, 35 Essex St., Tel 212/254-4477.地铁：搭F线至Delancey St.站。
记得带一些回家。

International Grocery and International Food, 529 & 543 9th Ave., Tel 212/279-5514.地铁：搭A,C、E线至42nd St.站。周日休息。
神奇的香料和干货; 希腊蘸酱和奶酪(上城店)。

Kalustyan's, 123 Lexington Ave., Tel 212/685-3451.地铁：搭6线至28th St.站。
价廉味美的印度食物。

Li-lac Chocolates, 120 Christopher St., Tel 212/242-7374.地铁：搭1、9线至Christoper St.站。周日上午休息。
手工自制巧克力。

McNulty's, 109 Christopher St., Tel 212/242-5351.地铁：搭1、9线至Christopher St.,站。
茶和咖啡。

Moondog, 378 Bleecker St., Tel 212/675-4540.地铁：搭1、9线至Christopher St.,站。上午休息。
可口的手工冰淇淋。

Murray's Cheese Shop, 257 Bleecker St., Tel 212/243-3289.地铁：搭A,B,C,D,E,F线至W. 4th St.站。
知识丰富的老板专业服务。

Myer's of Keswick, 634 Hudson St., Tel 212/691-4194.地铁：搭C、E线至14th St.站。周日上午休息。
英国食品。

Pickle-Licious, 580 Amsterdam Ave., Tel 212/579-4924.地铁：搭1、9线至86th St站。周一上午休息。
自制酱瓜、涂酱和橄榄。

Russ & Daughters, 179 E. Houston St., Tel 212/475-4880.地铁：搭F线至HoustonSt.站。
纽约最好的熏鱼和鱼子酱。

Sullivan St. Bakery, 73 Sullivan St., Tel 212/334-9435.地铁：搭C、E线至Spring St.站。
极好的面包和饼干。

T Salon & Emporium, 11 E. 20th St., Tel 212/358-0506.地铁：搭6线至23rd St.站。
150种口味的茶和附属品。

Veniero, 342 E. 11th St., Tel 212/674-7264.地铁：搭C线至1st Ave.站；搭6线至Astor Place站。下午休息。
意大利面。

Zabar's, 2245 Broadway, Tel 212/787-2000.地铁：搭1、9线至79th St.站。
美食和餐具。

古董 & 现代家具

115 Crosby Gallery, 115 Crosby St., Tel 212/226-5053.地铁：搭6线至Spring St.站；B,D,F线至Broadway-Lafayette St.站。周日休息。
艺术、工艺品和美感家具。

280 Lafayette, 280 Lafayette St., Tel 212/941-5825.地铁：搭B,D,F线至Broadway-Lafayette St.站。电洽周日营业时间。
时髦现代家具。

Art & Industrial Design Shop, 399 Lafayette St., Tel 212/477-0116.地铁：搭B,D,F线至Broadway-Lafayette St.站。周日休息。
20世纪家具。

Cathers & Dembrosky, 43 E. 10th St., Tel 212/431-3424.地铁：至Astor Place站。
厚重朴拙的家具。

Historical Materialism, 125 Crosby St., Tel 212/431-3424.地铁：搭6线至Spring St.站。上午、周末和周日休息。
古典美国家具复制品。

Pantry and Hearth, 121 E. 35th St., Tel 212/532-0535.地铁：搭6线至33rd St.站。电洽营业时间或预约。
18世纪美国家具和瓷器。

Wyeth's, 151 Franklin St., Tel 212/925-5278.地铁：搭1、9线至Franklin St.站。周日休息。
现代和重新粉饰的家具。

灯饰和陶艺

ABC Carpet & Home, 888 Broadway, Tel 212/473-3000.地铁：搭6线至23rd St.站；4,5,6线至14th St.站。
几乎无所不包的家用品、礼品、古董百货商场。

Bridge Kitchenware, 214 E. 52nd St., Tel 212/688-4220.地铁：搭E线至53rd St.站；6线至53rd St.站。周日休息。
非常纽约风格、奇特的厨房用品。

Felissimo, 10 W. 56th St., Tel 212/247-5656.地铁: 搭N,R线至5th Ave.站。周末、周日休息。
独特的餐桌用品。

JB Prince, 36 E. 31st St., 11 floor, Tel 212/683-3553.地铁：至33rd St.站。周末、周日休息。
刀子及厨房用品。

Kam Man, 200 Canal St., Tel 212/571-0330.地铁：搭6,N,R线至Canal St.站。
中国食物和餐具。

Kitshen, 380 Bleecker St., Tel 212/727-0430.地铁：搭1、9线至Christopher St.站；G、E线至14th St.站。电洽营业时间。
时髦厨房用品。

Le Fanion, 299 W. 4th St., Tel 212/463-8760.地铁：搭1、9线至Christopher St.站。上午及周日休息。
新、旧法国陶器。

Mxyplyzyk, 125 Greenwich St., Tel 212/989-4300.地铁：搭C、E线至14th St.-8th Ave.站。周日上午休息。
最具现代感的家用品。

Porthault, 18 E. 69th St., Tel 212/688-1660.地铁: 搭6线至68th St.站。周日休息。
华丽的法国亚麻制品。

Pratesi, 829 Madison Ave., Tel 212/288-2315.地铁：搭6线至68th St站。周日休息。
意大利亚麻制品。

Thomas K. Woodrow Antiques and Quilts, 506 E., 74th St., Tel 212/988-2906.地铁：搭6线至77th St.站。周末、周日休息，可电洽预约。
美国彩绘乡村古董、百衲被织品。

Wolfman, Gold & Good, 117 Mercer St., Tel 212/431-1888.地铁：搭N,R线至Prince St.站。
餐桌用品

珠 宝

Clear Metal, 72 Thompson St., Tel 212/941-1800.地铁：搭C、E线至Spring St.站；A,C、E线至Canal St.站。上午休息。
银饰。

David Baruch, 36 W. 47th St., Tel 212/719-2884.地铁：搭B,D,F线至Rockefeller Center站。周五至周日休息。
品牌银饰。

Fortunoff, 681 5rh Ave., Tel 212/758-6660.地铁：搭B,D,F线至Rockefeller Center站。周日休息。
新式和古董金、银饰品。极有价值。

Fred Leighton, 773 Madison Ave., Tel 212/288-1872.地铁：搭6线至68th St.站。周日休息。
古董珠宝。

Gold Standard, 21 W. 47th St.,Tel 212/719-5656.地铁：搭B,D,F线至Rockefeller Center站。周末、周日休息。
金饰和艺术饰物。

Jean's Silversmiths, 16 W. 45th St., Tel 212/575-0723.地铁：搭B,D,F线至Rockefeller Center站。周末、周日休息。
古董银器和饰物。

Jewelry Exchange, 15 W. 47th St., 地铁：搭B,D,F线至Rockefeller Center站。
眼花缭乱的珠宝专柜和商店。

Mark Jewelry, 32 W. 47th St., Tel 212/391-4228.地铁：搭B,D,F线至Rockefeller Center站。周末、周日休息。
银饰。

Robert Lee Morris, 400 W. Broadway, Tel 212/431-9405.地铁：搭C、E线至6rh Ave.站；1、9线至Houston St.站；N,R线至Prince St.站。周日上午休息。
原创的金、银饰设计。

Tiffany, 727 5th Ave.,Tel 212/755-8000.地铁：搭N,R线至5th Ave.站。周日休息。
珠宝、桌饰和其他新颖的装饰品。

儿童 & 少年玩具

Big City Kites, 1201 Lexington Ave., Tel 212/420-2623.地铁：搭4,5,6线至86th St.站。电洽营业时间。
飞镖、轻帆。

B. Shackman, 11 E. 26th St., Tel 212/684-9589.地铁：搭6线至23rd or 28th St.站。周末、周日休息。
古典玩具、娃娃屋。

Chess Forum, 219 Thompson St., Tel 212/475-2369.地铁：搭A,B,C,D,E,F线至W. 4th St.站。

Enchanted Forest, 85 Mercer St., Tel 212/925-6677.地铁：搭N,R线至Prince St.站。周日上午休息。
充满奇妙想象的玩具店。

FAO Schwartz, 767 5th Ave., Tel 212/644-9400.地铁：搭N,R线至5th Ave.站。
自19世纪中开业至今；无数的各式各样玩具。

Little Rickie, 49 1/2 1st St., Tel 212/505-6467.地铁：搭F线至Houston St.站。周日上午休息。
玩具、古董。

Unique Science, 410 Columbus Ave., Tel 212/712-1899.地铁：搭1、9线至79th St.站。周日上午休息。
神奇魔术与模型。

市 场

Chelsea Antiques Fair and Market, 6th Ave.地铁：搭F,1、9线至23rd St.站。周一至周五休息。
什么都有的户外跳蚤市场；周日规模最大。欲选购者请及早抵达。

Chelsea Market, 75 9th Ave.地铁：搭A,C、E线至14th St.站。
室内的食品商场；迷人的装潢和气氛。

Flea Market, Corner of Broadway and Grand St.地铁：搭6线至Canal St.-Broadway.站。周一至周五休息。
Flea Market at P.S. 183, 419 E. 67th St.地铁：搭6线至68th St.站。周日至周五休息。

Union Square Greenmarket, Uptown side of Union Sq.地铁：搭4,5,6线至Union Square站。周二、周四和周日休息。
本地农人自制的食品和奶酪、饮料；盛夏和秋天还有特别活动。

唱片 &CD

Academy Records & CD's, 12 W. 18th St., Tel 212/242-3000.地铁：搭1、9线至18th St.站。
二手CD；古典音乐为主。

摄 影

47th St. Photo, 67 W. 47th St.,Tel 212/921-1287.地铁：搭B、D、F线至Rockefeller Center站。电洽营业时间。
低价的摄影器材。

B&H, 420 9th Ave., Tel 212/444-5044.地铁：搭A,C、E线至34th St.站。电洽营业时间。
摄影器材。

杂项商品

E.A.T., 1062 Madison Ave., Tel 212/772-0022.地铁：搭6线至77th St.站。周日上午休息。
适合各种年龄层的礼品。

Fountain Pen Hospital, 10 Warren St., Tel 212/964-0580.地铁：搭A,C线至Chambers St.站。周末、周日休息。
各式各样的笔。

Kate's Paperie, 561 Broadway, Tel 212/941-9816.地铁：搭N,R线至Prince St.站。
美丽的纸张和文具。

Leo Kaplan Ltd., 967 Madison Ave., Tel 212/249-6766.地铁：搭6线至77th St.站。周日休息。
迷人的古代和现代镇纸。

NYC 57, 24 W. 57th St., Tel 212/977-7684.地铁：搭N,R线至57th St.站。周日休息。
有质感的纪念品。

The Art of Shaving, 141 E. 62nd St., Tel 212/317-8436.地铁：搭4,5,6线至59th St.站。周日休息。
刮胡、剃发用品和服务。

娱 乐

在纽约可以尽情享受娱乐吗？这得视你想要什么样的娱乐消遣，以及需要多少而定。正如同用餐和购物情形，这其中实有着极大的弹性和偶发性。也许，在纽约最有趣的娱乐时光，将会是先依照自己的心意排定行程，然后留待最后一分钟再随兴决定究竟如何。纽约真正的奇迹，往往是在街道上偶然发生；而这也是纽约人每晚入睡前最津津乐道的美妙话题。

娱乐资讯

New York Convention & Visitors Bureau, 229 W. 42nd St.(7th -8th Aves.), Tel 800/NYC-VISIT.

各类书面娱乐资讯邮寄服务，并可向专人咨询（Tel 212/484-1222, web site: www.nycvisit.com）。如亲自洽询，偶尔可获得音乐会和电视录影的免费入场券。

NYC/On Stage, Tel 212/768-1818 或 800/STAGE-NY.

Tel 语音提供剧场、表演、舞蹈和音乐资讯；可转接至票口服务专线。

Theater Development Fund, 1501 Broadway (43rd-44th Sts.), Tel 212/221-0885.

游客可凭护照或外州驾照，以28美元购买4张礼券，通用外外百老汇剧场（Off-off Broadway theater）、舞蹈和音乐等活动。仅收现金和旅行支票。

娱乐资讯可参考以下的出版物：“纽约时报”（New York Times），尤以周五周末版(Friday's Weekend)、周日娱乐和休闲版（Sunday's Arts & Leisure）为主；“纽约人”（New Yorker）、“纽约杂志”（New York Magazine）、“纽约观察报”（New York Obserber）、“村声周报”(Village Voice)、“Time Out New York”、“Paper”月报等。

实用的电子网站：

www.nytimes.com The New York Times, 精彩的文化活动报道。

www.newyorkmag.com New York Magazine, 附有资讯提示区。

www.timeout.com/newyork Time Out, 列有活动项目和城市导游。

剧 场

纽约的剧场和纽约其他娱乐型态类似，从主流的百老汇热门剧，到东村的实验剧场，一应俱全。很难说何种戏剧最能引起你的共鸣，因此任何类型都应该包括在内。外外百老汇已较少实验性质，但仍能触动人心；不过，会盘算的观众却宁可以同样的票价去看世界级演出。根据资料显示，纽约应有38家百老汇剧院、大约20家外百老汇剧院（多数低于500个座位），以及300家左右的外外百老汇表演地点（多数低于100个座位）。

资料来源（Sources of Information）事先向售票口确认或询问相关剧场表演动态，绝对有极大的帮助。那儿可提供不同剧场的戏票、单项表演戏票，并可处理退、换票事宜。各个售票口通常都从早晨10点左右开始营业，一直服务到戏剧开演后始结束。

TKTS booths

运气好的话，你可以在这个折扣票口购得5折或7.5折的票券。市中心票口位于2 World Trade Center，周日休息；此票口设于室内，装潢优雅，于前一天出售隔天的日场戏票。主要售票口位于剧场区的中心，47街和百老汇大道交叉口的杜费广场（Duffy Square）。每日从下午3点开放至晚上8点，出售当天晚上的表演戏票；周三和周末上午10点至下午2点，出售当天日场戏票；周日上午11点至傍晚6点半，出售当天所有的表演戏票。此地仅收现金和旅行支票，同时酌收小额服务费。来此购票你最好随身携带一本剧场评论杂志。

Association for a Better New York, Tel 212/370-5800.

提供丰富的小型剧场资讯，可从表演地点查询演出剧目。

Broadway Line, Tel 212/563-2929.

提供当前表演资讯；并可转洽至售票口。

New York Shakespeare Festival, Tel 212/539-8500.

夏季时，于中央公园的Delacorte Theater免费演出，惟须事先索票。

Telecharge, Tel 212/239-6200 或 800/432-7250.

提供百老汇和外百老汇预售服务，接受信用卡，须酌收服务费。

Ticketmaster, Tel 212/307-4100 或 800/755-4000.

资料同上，并设有网路预售服务：www.ticketmaster.com

Prestige Entertainment, Tel 212/697-7788.

独立票务代理商；或许握有难求戏票管道。

百老汇剧场（Broadway Venues）

Roundabout Theater, 1530 Broadway, Tel 212/869-8400.

深获佳评的演出、完美的制作。

外百老汇剧场（Off-Broadway Venues）

Astor Place Theater, 434 Lafayette St., Tel 212/254-4370.

“蓝人团”（Blue Man Group）长期演出《地铁》（Tubes）。

Brooklyn Academy of Music, 30 Lafayette Ave., Brooklyn, Tel 718/636-4100.

演出创新戏剧的知名地点。

Lincoln Center Theater, 150 W. 65th St., Tel 212/239-6200.

顶尖的制作表演；有两个表演厅。

La Mama E.T.C., 74A E. 4th St., Tel 212/475-7710.

外百老汇的创始之母。

Manhattan Theatre Club, 131 W. 55th St., Tel 212/581-1212.
包含两间剧场，一间上演新的或成熟戏剧作品，另一间提供阅读和创作练习。

New York Theater Workshop, 79 E. 4th St., Tel 212/460-5475.
年轻导演的新剧本，例如《房租》(Rent)。

The Public Theater, 425 Lafayette St., Tel 212/239-6200.
纽约最好的剧场之一；由培普(Joseph Papp)所创立。

Sullivan Street Playhouse, 181 Sullivan St., Tel 212/307-4100.
上演全世界剧本演出时间最长的一出戏《奇幻》(The Fantasticks)。

外百老汇剧团 & 剧场

Bouwerie Lane Theater, 330 Bowery at Bond St, Tel 212/677-0060.
考克多剧团（Jean Cocteau Theater Company）的家；重演古典剧本。

Irish Repertory Theater, 132 W. 22nd St., Tel 212/727-2737.
爱尔兰古典、现代剧本。

Ridiculous Theatrical Company, Tel 212/594-7704.
狂野的变装喜剧；在市中心不同地点演出。

舞 蹈

在布莱恩特公园（Bryant Park）内的舞蹈 & 音乐票亭（Music & Dance Booth）可买到当日的半价折扣票；同时可试试TKTS折扣票亭(见261页)。

芭蕾

New York City Ballet, New York State Theater, Broadway at 63rd St., Tel 212/870-5570.
演出编舞家如：创立人布兰钦(George Balanchine)、罗宾斯(Jerome Robbins)、现任团长马丁斯（Peter Martins）等创作舞蹈。共分两个舞季：感恩节至三月中旬，演出一个月的《胡桃夹子》(Nutcracker)；接着是四月/五月末，为期8周。

The American Ballet Theater, Broadway at 64th St., Tel 212/362-6000.
位于大都会歌剧院；演出古典舞蹈，以及由创办人莫德金（Michael Mordkin）所编创的传统舞蹈；同时演出外地的巡访舞团作品。剧场极大，顶楼座位离舞台甚远。

现代舞

Brooklyn Academy of Music,30 Lafayette Ave., Brooklyn, Tel 718/636-4100.
绝佳的现代舞团；美丽的舞台布景。“下一波”(Next Wave)节庆每年秋天皆演出成名艺术家和实验舞蹈作品；其他节庆则公演各种类型的舞蹈。

Joyce, 175 8th Ave. at 19th St., Tel 212/242-0800.
最好的表演场地之一；演出各种类型舞蹈，并且推荐新生艺术家。

City Center, 131 W. 55th St., Tel 212/581-1212.
定期演出成名或较不知名、访问舞团的作品。

其他舞团和地点

Dance Theater Workshop, 219 W. 19th St., Tel 212/924-0077.
具有轻松气氛的另类舞蹈表演。

Dance Theater of Harlem, 466 W. 152nd St., Tel 212/690-2800.
甚少在纽约演出，因此尽可能把握机会。

Julliard Dance Theater, 60 Lincoln Center Plaza, Tel 212/255-5793.

The Kitchen, 512 W. 19th St., Tel 212/691-9751.
实验作品。

Merce Cunningham Studio, 55 Bethune St., Tel 212/691-9751.
各类型作品。

Movement Research, Judson Church, 55 Washington Sq. S., Tel 212/477-6854.
自60年代起，于每周一晚间免费演出舞蹈系列。

P.S. 122, 150 1st Ave., Tel 212/477-5288.
非传统作品。

夏日露天舞蹈活动

Central Park Summerstage, Rumsey Playfield at 72nd St., Tel 212/360-2777.
七八月间每周五有免费舞蹈表演。

Dance for Wave Hill, W. 245th St. at Independence Ave., Riverdale, Bronx, Tel 212/989-6830.
历史性的屋宅、美丽的露天场景供舞蹈表演之用。

Dancing in the Streets, 131 Varick St., Tel 212/989-6830.
夏季时节，在全纽约皆有舞蹈演出。

Lincoln Center Out of Doors Lincoln Center, Broadway at 64th St., Tel 212/362-6000.
广场前有免费舞蹈表演。

音 乐

可直接向演出地点购票，或者支付手续费向总经销点（Ticketmaster）预购。Tel：212/307-4100。否则，亦可至TKTS折扣票亭（见261页）购买当日折扣票。

古典音乐

Bargemusic, Fulton Ferry Landing, Brooklyn, Tel 718/624-4061.
周四和周日在驳船上演奏，将曼哈顿景致尽收眼底。

Brooklyn Academy of Music, 30 Lafayette Ave., Brooklyn, Tel 718/636-4100.
布鲁克林爱乐交响乐团（Brooklyn Philharmonic Orchestra）常驻之地；以当代古典音乐作曲家作品为主。

Carnegie Hall, 881 7th Ave., Tel 212/247-7800.
全世界最好场地之一。

Kaufmann Concert Hall, 92nd St. YMCA, 1395 Lexington Ave., Tel 212/415-5440.
音响效果绝佳；有趣的音乐作品系列。

Lincoln Center, 55 W. 65th St., Tel 212/875-5400.

Alice Tully Hall, Tel 212/721-6500.
室内乐协会（Chamber Music Society）团址。

Avery Fisher Hall, Tel 212/875-5030.
纽约爱乐管弦乐团（New York Philharmonic）团址。

Damrosch Park, Tel 212/875-5400.
夏季时有露天免费演出。

Julliard School of Music, Tel 212/799-5000.
许多好的独奏会。

Metropolitan Museum of Art, 5th Ave. at 82nd St., Tel 212/535-7710.
不同地点的室内乐表演。

古典音乐其他表演场所

Cathedral of St. John the Diving, Amsterdam Ave. at 112th St., Tel 212/662-2133.

Central Park Summerstage, Tel 212/360-3444.
许多免费的夏日音乐会。

Church of St. Ignatius Loyola, 980 Park Ave., Tel 212/288-2520.

Museum of Modern Art, 11 W. 53rd St., Tel 212/708-1818.
雕塑庭园内演出当代音乐。

St. Paul's Chapel, Broadway at Fulton St., Tel 212/603-0747.

Washington Square Music Festival, Tel 212/431-1088.
夏季时有系列演出。

World Financial Center, West St. to the Hudson River, Tel 212/945-0505.

歌剧

Amato Opera Theater Intimate, 319 Bowery at 2nd St., Tel 212/228-8200.

DiCapo Opera Theater, 184 E. 76th St., Tel 212/228-9438.

Julliard Opera Center, Lincoln Center, Tel 212/769-7406.
学生创作作品。

Metropolitan Opera House, Lincoln Center, Tel 212/362-6000.
自编歌剧及访问表演团体; 世界级水准。

New York State Theater, Lincoln Center, Tel 212/870-5570.
各种类型表演。

音乐表演场所

下列多数表演场所不接受信用卡。

Apollo Theater, 253 W. 125th St., Tel 212/749-5838.
各种类型的非裔美人音乐剧; 周三夜晚有非职业团体表演。

Beacon Theater, 2124 Broadway, Tel 212/496-7070.
主流表演团体。

Bitter End, 147 Bleecker St., Tel 212/673-7030.
结合歌者和词曲创作人的小型场地。

Bottom Line, 15 W. 4th St., Tel 212/228-7880.
各类有水准的演出。

CBGB, 315 E. Bowery, Tel 212/982-4052.
低秽、传奇的庞克音乐场所。

Central Park Summerstage, Tel 212/360-2777.
各类型演出。

Fez,（Time Café 的楼下）, 380 Lafayette St., Tel 212/533-2680.
各类型演出。

Irving Plaza, 17 Irving Pl., Tel 212/777-6800.

Jones Beach, Long Island, Tel 516/221-1000.
夏季时有顶级演出。

Knitting Factory, 74 Leonard St., Tel 212/219-3055.
创新的摇滚乐、实验音乐等。

Madison Square Garden, 7th Ave. at 33rd St., Tel 212/465-6741.
最大形的摇滚表演。

Meadowlands, 50 Route 120, East Rutherford, N.J., Tel 201/935-3900.
大型的演出。

Mercury Lounge, 217 E., Houston St., Tel 212/260-4700.
新乐团的最佳据点。

Nassau Coliseum, 1255 Hempstead Turnpike, Uniondale, N. Y., Tel 516/794-9303.
最大形的摇滚表演。

Paddy Reilly's, 519 2nd Ave., Tel 212/688-1210.
爱尔兰摇滚乐。

Radio City Music Hall, 50th St. at 6th Ave., Tel 212/632-4000.
装饰艺术风格的大厅; 大型的表演。

Roseland, 239 W., 52nd St., Tel 212/245-5761, 212/249-8870.
主要类型表演。

Shea Stadium, 126th St., at Roosevelt Ave., Queens, Tel 718/507-8499.
最大的摇滚音乐会。

Sin'e, 122 St. Mark's Pl., Tel 212/982-0370.
现代爱尔兰民谣。

S.O.B's, 200 Varick St., Tel 212/243-4940.
世界音乐首演场地。

Tramps, 51 W. 21st St., Tel 212/544-1666.
各类型的本土音乐。

Webster Hall, 125 E., 11th St., Tel 212/353-1600.
市中心大型的舞蹈酒馆。

爵士乐 & 蓝调

Birdland, 315 W. 44th St., Tel 212/581-3080.
顶级的爵士乐; 具水准的演出场所。

Blue Note, 131 W., 3rd St., Tel 212/475-8592.
著名的爵士乐手表演。

Chicago B.L.U.E.S., 73 8th Ave., Tel 212/924-9755.
坚强阵容的蓝调乐手。

Iridium, 48 W. 63rd St., Tel 212/582-2121.
顶尖的演奏者。

Jazz Standard, 116 E. 27th St., Tel 212/576-2232.
餐馆结合爵士乐俱乐部。

Manny's Carwash, 1558 3rd Ave., Tel 212/369-2583.
当地和国家级的蓝调音乐表演。

Smalls, 183 W. 10th St., Tel 212/929-7565.
萌芽的乐手; 随意的整夜演出。

Sweet Basil, 88 8th Ave., Tel 212/242-1785.
周末、周日有早/午餐爵士乐。

Village Vanguar, 178 7th Ave., Tel 212/255-4037.
最好的俱乐部之一, 位于地下室。

Zinno, 126 W. 13th St., Tel 212/924-5182.
有爵士乐演出的意大利餐馆。

酒 馆

Asti, 13 E. 12th St., Tel 212/741-9105.
意大利餐馆内有演唱歌剧的服务生，有些诡异。

Bemelmans Bar, Carlyle HoTel, 35 E. 76th St., Tel 212/570-7189.
另类的平价选择，有好的钢琴师。

Café Carlyle, 35 E. 76th St., Tel 212/744-1600.
有 Bobby Short、Eartha Kitt 的古典表演。另外有 Woody Allen 演出 Dixieland Mondays。

Don't Tell Mama, 343 W. 46th St., Tel 212/757-0788.
萌芽的各类演出。

Maxim's, 680 Madison Ave., Tel 212/751-5111.
优雅的餐馆，为巴黎店的复制品；绝好的表演者。

The Oak Room Algonquin Hotel, 59 W. 44th St., Tel 212/840-6800.
精彩的演出者。

Supper Club, 240 W. 47th St., Tel 212/921-1940.
修复后的舞厅；可容纳大型乐团和舞蹈。

Swing St., Café, 253 E. 52nd St., Tel 212/754-4862.
剧场式晚餐俱乐部。

Tatou, 151 E. 50th St., Tel 212/753-1144.
有奇装演出的晚餐俱乐部。

喜 剧

Caroline's Comedy Club, 1626 Broadway at 49th St., Tel 212/757-4100.

Comedy Cellar, 117 MacDougal St., Tel 212/254-3480.

Comic Strip, 1568 2nd Ave., Tel 212/861-9386.

Dangerfield's, 1118 1st Ave., Tel 212/593-1950.

Gotham Comedy Club, 34 W. 22nd St., Tel 212/367-9000.
顶尖的表演者。

New York Comedy Club, 241 E. 24th St., Tel 212/696-5233.

The Original Improv, 422 W. 34th St., Tel 212/279-3446.
创新和成熟的演出。

Stand Up NY, 236 W. 78th St., Tel 212/595-0850.
正待兴起或成熟表演的小型场地。

电 影

除了典型的百老汇电影之外，纽约提供其他城市无可比拟的多种类型电影，包括初次首映的独立制片电影、以管风琴现场伴奏的古典电影、夏季在布莱恩特公园放映的露天电影等等。有一些博物馆也主办电影节活动，图书馆并提供丰富的电影资料和影片供研究用。若对电影制作感兴趣，纽约更有全世界最好的电影学校和课程。

MovieFone, Tel 212/7777-FILM, 将近期上映的电影、时间、地点、购票手续等皆录制成Tel 语音服务（须收费1.5美元），对于选择热门上档电影极有帮助。

The New York Film Festival, Tel 212/875-5600，每年9月末由林肯中心电影协会(Film Society of Lincoln Center) 主办，为期两周，引荐美国和世界各国的新电影。

外国 & 独立电影戏院

Angelike Film Center, 8 W. Houston St., Tel 212/995-2000.

Asia Society, 725 Park Ave., Tel 212/517-2742.

Carnegie Hall Cinema, 7th Ave. at 56th St., Tel 212/265-2520.

Film Forum, 209 W. Houston St., Tel 212/727-8110.

French Institute, 55 E. 59th St., Tel 212/355-6160.

Lincoln Plaza Cinema, 30 Lincoln Plaza, Tel 212/757-2280.

Quad Cinema, 34 W. 13th St., Tel 212/255-8800.

68th St. Playhouse, 3rd Ave. at 68th St., Tel 212/734-0302.

Paris Theater, 4 W. 58th St., Tel 212/688-3800.

Walter Reade Theater, 70 Lincoln Center Plaza, Tel 212/875-5600.
林肯中心电影协会的会址。

经典电影院

American Museum of the Moving Image, 35th Ave. at 36th St., Long Island City, Tel 718/784-0077.

Anthology Film Archives, 32nd Ave., Tel 212/505-5110.

Film Forum, 209 W. Houston St., Tel 212/727-8110.

Museum of Modern Art, 11 W. 53rd St., Tel 212/708-9480.

Museum of Television and Radio, 25 W. 52nd St., Tel 212/621-6600.

Public Theater, 425 Lafayette St., Tel 212/539-8500.

Whitney Museum of Art, 945 Madison Ave., Tel 212/570-3600.

特殊电影经验

The Ziegfeld, 141 W. 54th St., Tel 212/765-7600.
拥有 1400 个丝绒座位的豪华宫殿；古典的放映场地。

Sony IMAX Theater, 1992 Broadway, Tel 212/336-5000.
具有3-D效果的巨型电影院；放映简短题材的影片。

儿童电影院

Guild Theater, 33 W. 50th St., Tel 212/757-2406.
美丽的老电影院，通常放映迪士尼影片；靠近洛克菲勒中心。

Imax Theater, at the American Museum of Natural History, Central Park W. at 79the St., Tel 212/769-5100.
巨型银幕放映自然主题的电影。

\Walter Reade Theater/Film Society of Lincoln Center, 70 Lincoln Center Plaza, Tel 212/875-5600.
周末早晨放映儿童电影系列。

索引

黑体为图片所在页码

A

B

C

I

J

K

L

重要地名英汉对照

为便于阅读，中文翻译版中特设一重要地名英汉对照表，将原版地图中重要地名列于此处，并一一翻译。所标页码为地图所在页码。

P49

ROCKEFELLER PARK 洛克菲勒公园
ROOSEVELT PARK 罗斯福公园
BATTERY PARK CITY 白特里公园城
Hudson Riuer 哈得孙河
Manhattan 曼哈顿
World Trade Center 世贸中心
City Hall 市政府
Trinity Church 三一会教堂
Federal Hall 联邦纪念堂
New York Stock Exchange 纽约证券交易所
Wall Street 华尔街
South Street Seaport 南街海港
Ellis Island 埃利斯岛
Statue of Liberty 自由女神像
East river park 东河公园

P61

Police Headquarters 警察总局
City Hall 市政府
Woolworth Building 伍尔沃思大楼
Wall Street Synagogue 华尔街犹太教堂
World Financial Certer 世界金融中心
World Trade Center 世贸中心
St.Paul's Chapel 圣保罗大教堂
Fulton Fish Market 富尔顿鱼市场
Marine Midland Building 马林－米德兰银行大楼
John St United Methodist Church 约翰街循道宗教堂
Federal Reserve Bank 联邦储备银行
Dow Jones 道琼斯
Sowth Street Seaport 南街海港
Trinity Church 三一会教堂
New York Stock Exchange 纽约证券交易所
26Broadway (America Museum of Financial History) 百老汇大街 26 号（美国金融史博物馆）
U.S.Post Office (former Cunard Building) 美国邮政局
Wagner Park 华格公园
U.S.Custom House 美国海关局
Shrine of St.Elizabeth Ann Seton 圣女塞顿圣骨贮存所
Castle Clinton 克林顿城堡
Verrazano Statue 韦拉扎诺雕像
Staten Island Ferry Terminal 斯塔滕岛摆渡站
Hudson 哈得孙河
East River 东河
BATTERY PARK CITY 白特里公园城

P73

Angelika Pilm Center 安姬利卡电影中心
Museum for African Art 非洲艺术馆
New York Earth Room 纽约地底古物馆
New Museum of Contemporary Art 现代艺术新馆
Guggenheim Musewm SoHo 古根海姆博物馆索霍分馆
Nancy Hoffman Gallery 霍夫曼美术馆
Alternative Museum 非传统文化博物馆
"Little" Singer Building 小歌手大楼
Former St Nicholas Hotel 圣尼古拉饭店
King of Green St 葛雷尼王街
Haughwout Building 豪渥特大楼
Performing Garage 表演艺术馆
Queen of Greene Street 葛雷尼后街
SOHO 索霍区

P76-77

Memorial Arch 纪念拱门
Astor Place 艾斯物广场
New York University 纽约大学
Cooper Union 古柏学院
GREENWICH VILLAGE 格林尼治村
EAST VILLAGE 东村
TOMPKINS SQUARE PARK 汤普金广场公园

P80

Jefferson Market 杰斐逊市场
Courthouse Library 法院图书馆
Stonewall Inn 石壁旅店
Northern Dispensary 北方药房
St.Luke in the Fields 圣路加纪念馆
Church of Our Lady of Pompeii 庞培圣母院
Walker Park 沃克尔公园
WEST VILLAGE 西村

P88-89

The Chelsea Hotel 切尔西饭店
New York Public Library 纽约市公共图书馆
Herald Square 赫拉德广场
Pierpont Morgan Library 摩根图书馆
Empire State Buildin 帝国大厦
Gramercy Park 格雷摩西公园
CHELSEA 切尔西
GARMENT DISTRICT 成衣制造中心
MURRAY HILL 莫瑞山
MADISON SQUARE PARK 麦迪逊广场公园
UNION SQUARE 联合广场
STUYVESANT SQUARE 史都维森广场
STUYVESANT TOWN 史都维森城

P95

New York Life Insurance Company Building ② 纽约人寿保险公司大楼
Appellate Division of the Supreme Court 最高法院上诉分部
Metropolitan Life Insurance Company Building ③ 大都会人寿保险公司大楼
Nos.889-91(former Gorham Manufacturing Company) 高汉制造公司
No.884(former W. & J.Sloane Store) 斯龙商店
No.881-87(former Arnold Constable Dry Goods Store) 康斯塔伯干货店
No.901(former Lord & Taylor Store) 泰勒商店
Flatiron Building ④ 熨斗大楼
Madison Square ① 麦迪逊广场
Gramercy Park 格雷摩西公园
Century Building 世纪大厦
Green Market 格林市场
Union Square ⑤ 联合广场
Washington 华盛顿

P103

Museum of Modern Art 现代艺术博物馆
Rockefeller Center 洛克斯勒中心
Times Square 时报广场
St.Patrick's Cathedral 圣巴特里克大教堂
Grand Central Terminal 大中央车站
Chrysler Building 克莱斯勒大楼
United Nations Plaza 联合国总部广场
TURTLE BAY 海龟湾

P117

Helmsley Building ① 赫尔姆斯里大楼
St.Bartholomew's Church② 圣巴多罗马教堂
General Electric Building ③ 通用电器公司大楼
Seagram Building ④ 西葛兰大楼
Citicorp Center ⑤ 西提科普中心
Central Synagogue ⑥ 中心犹太教堂
Song Building & Song Wonder Technology Lab ⑦ 索尼大楼
IBM Building ⑧ IBM 大楼
Fuller Building ⑨ 富勒大楼
Racquet and Tennis Club 网球俱乐部
Villard Houses & Helmsley Palace Hotel 赫尔姆斯里赫皇宫饭店
Waldorf-Astoria Hotel 沃尔多夫－阿斯托利亚饭店
Met Life Building(Pan Am) 大都会人寿保险公司大楼

P133
El Museo del Barrio 拉丁文化博物馆
Museum of the City of New York 纽约市博物馆
International Center of Photography 国际摄影中心
Jewish Museum 犹太文化博物馆
Cooper-Hewitt Museum 古柏－维特博物馆
National Academy of Design 全国设计学院
The Guggenheim 古根海姆博物馆
Metropolitan Museum of Art 大都会美术馆
Whitney Museum of American Art 惠特尼美国艺术馆
The Frick Collection 弗里克典藏馆
CARNEGIE HILL 卡耐基音乐厅
YORKVILLE 约克维尔
CARL SCHURZ PARK 舒尔茨公园
UPPER EAST SIDE 上东区
LENOX HILL 勒诺克斯山
JOHN JAY PARK 约翰杰伊公园
East River 东河
Manhattan 曼哈顿

P175
Manhattan 曼哈顿
Hudson River 哈得孙河
American Muserm of Natural History 美国自然史博物馆
New-York Historical Society 纽约历史协会
Lincoln Center 林肯中心
Museum of Ameican Folk Art 美国民间艺术馆
RIVERSIDE PARK 河滨公园
UPPER WEST SIDE 上西区
VERDI SQUARE 威尔第广场
SHERMAN SQUARE 谢尔曼广场

P181
Shearith Israel Synagogue ①雪儿里斯犹太教堂
Church of the Blessed Sacrament②圣餐会教堂
West End Collegiate Church ④西区大圣堂
Soldiers' and Sailors' Monument⑤士兵与水手纪念碑
Riverside Park ⑥河滨公园
Isaac L.Rice House 赖斯之屋
Nermandy Apartments 诺曼第公寓
Central Park 中央公园
Collegiate School 联合教会学校
American Maseum of Natural History 美国自然历史博物馆
New York Historical Society 纽约历史协会
Ansonia Hotel 安索尼亚饭店
No.2100 (Former Central Savings Bark) 原中央储蓄银行
Subway kiosk 地铁广告亭
Dakota Apartments 达科他公寓
Majestic Apartments 辉煌公寓

P191
INWOOD HILL PARK 茵伍德山公园
The Cloisters Museum 修道院博物馆
Audubon Terrace 奥都朋台地
General Grant National Memorial 格兰特将军国家纪念馆
Columbia University 哥伦比亚大学
Abyssinian Baptist Church 阿比西尼亚浸礼会教堂
Apollo Theater 阿波罗剧院
Cathedral Church of St. John the Divine 圣约翰大教堂
WASHINGTON HEIGHTS 华盛顿高地
FORT WASHINGTON PARK 华盛顿堡公园
JACKIE ROBINSON PARK 罗宾逊公园
ST NICHOLAS PARK 圣尼古拉公园
HARLEM 哈莱姆
MORNINGSIDE PARK 晨边公园
MARCUS GARVEY PARK 加威公园
Hudson River 哈得逊河
Manhattan 曼哈顿

P204
Conference House 会议厅
Jacques Marchais Museum of Tibetan Art 西藏艺术博物馆
Historic Richmond Town 里士满古镇
Snug Harbor Cultural Center 安适港文化中心
Staten Island Zoo 斯塔滕岛动物园
Staten Island Children's Museum 斯塔滕岛儿童博物馆
Garibaldi-Meacci-Museum 加里波第—缪奇博物馆
Pierre Biliou House 比尔·毕里欧纪念馆
Newark International Airport 纽阿克国际机场
STATEN ISLAND 斯塔滕岛

P205
Wave Hill 波浪山
Van Cortlandt House Museum 柯特兰德博物馆
Woodlawn Cemetery 林草地公墓
Museum of Bronx History 布朗克斯历史博物馆
Edgar Allan Poe Cottage 爱伦·坡故居
Hall of Fame for Great Americans 美国名人馆
New York Botanical Garden 纽约植物园
Bronx Zoo 布朗克斯动物园
Yankee Stadium 杨基体育场
Bertow-Pell Mansion 巴托—贝尔故居
North Wind Undersea Institute Museum 北风海底研究博物馆
Isamu Noguchi Garden Museum 野口勇庭园博物馆
American Museum of the Moving Image 美国电影博物馆
P.S.I Contemporary Art Center 现代艺术中心
Bowne House 鲍尼小屋
Shea Stadium 希亚体育场
New York Hall of Science 纽约科学馆
Queens Museum of Art 昆斯区艺术博物馆

P205
Unisphere 合一之球
Queens Botanical Garden 昆斯区植物园
Ellis Island 埃利斯岛
Statue of Liberty 自由女神像
Brooklyn Academy of Music 布鲁克林音乐学院
Brooklyn Children's Museum布鲁克林儿童博物馆
Brooklyn Museum of Art 布鲁克林艺术馆
Brooklyn Botanic Garden 布鲁克林植物园
Pieter Claesen Wyckeff House 威可夫之家博物馆
Cyclone 旋风轮
Alice Austen House 奥斯汀小屋
BRONX 布朗克斯
La Guardia Airport 拉瓜迪亚机场
MANHATTAN 曼哈顿
QUEEN 昆斯区
BROOKLYN 布鲁克林
John F. Kennedy International Airport 肯尼迪国际机场

P207
Borough Hall ① 区政府
Cathedral of Our Lady of Lebanon ② 黎巴嫩圣母大教堂
St. Ann and the Holy Trinity Episcopal Church ③ 三一新教圣公会教堂
Brooklyn Historical Socielty ④ 布鲁克林历史协会
Church of the Saviour ⑤ 救世主会教堂
Brooklyn Promenade ⑥ 布鲁克林漫布区
Plymouth Church of the Pilgrims ⑧ 普里茅朝圣会教堂
Hight Street Brooklyn Bridge 布鲁克林大桥
Cadman Plaza Park 卡德曼广场公园
Grace Church 恩典会教堂
Court Street 法院街
BROOKLYN HEIGHTS 布鲁克林高地
Packer Collegiate Institue 帕克特别中学

ILLUSTRATIONS
CREDITS

Abbreviations for terms appearing below: (t) top; (b) bottom; (1) left; (r) right.

Cover, (ti, tr), Image Bank; (bi) Tony Stone Images; (br), Kelly Mooney Photog.

1, Pictor. 2/3, Pictor. 4, Pix. 9, Tel egraph Colour Library. 11, Kelly Mooney Photog. 12/13, Photo Researchers Inc. 14/15, Pix. 16/17, Steve McCurry. 18/19, AKG.
21, The Bridgeman Art Library. 22, Fraunces Tavern Museum. 23, Art Resource. 24/25, Metropolitan Museum of Art. 26, NASA. 27, Kelly Mooney Photog. 28/9, Karen Kasmauski. 30, Joe McNally. 33, Kelly Mooney. 34/5, Jodi Cobb. 36,
FPG. 39, Nathan Benn. 40, Peter Arnold Inc. 41, Esto Photographics. 42/3, The Stock Market Photo Agency Inc. 45(t), Kelly Mooney Photog, 45(b), Bob Sacha. 47, AA Photo Library/Clive Sawyer. 50, Photo Researchers Inc.
51 (t), Pix.; artwork Matlings. 52, Kelly Mooney Photog. 53, AA Photo Library/Douglas Corrance. 54/55, Kelly Mooney Photog. 56(0, Corbis; 56(b), The Bridgeman Art Library. 57, Photo Researchers Inc. 58, K Mooney Photog. 59, Kelly Mooney Photog. 61, AA Photo Library/R. Elliott. 62, Kelly Mooney Photog. 63, Pix. 64, Kelly Mooney Photog. 65, FPG 67, Photo Researchers Inc. 68/69 Kelly Mooney Photog. 71, Steve McCurry. 72, Mary Ann Lynch. 73, Mary Ann Lynch. 74, Gamma. 75, Pix. 78/79, FPG. 80, Mary Ann Lynch. 81, AA Photo Library/Ellen Rooney. 83(t), Tamiment Institute Library, New York University; 83 (bl), Tamiment Institute Library, New York University; 83(br) Archives of American Art, Smithsonian Institution. 84, Pix. 85, Esto Photographics. 86, Steve McCurry. 87, FPG. 90, Pix. 91(t) Steve McCurry. 91 (b) Pix. 92, Pix. 93, FPG. 95, Kelly Mooney Photog. 96, Kelly Mooney Photog. 97, Bob Sacha. 98, Joe McNally. 100, Kelly Mooney Photog. 101, FPG. 104, The St Regis. 104/5, FPG. 106, The Stock Market Photo Agency Inc. 107, Photo Researchers Inc. 109, Pix. 110, Photo Researchers Inc. 111, The Royalton HoTel . 112/3, FPG. 114, Pix. 115, Photo Researchers Inc. 116, Pix. 117, Esto Photographics. 119, Tel egraph Colour Library. 120, FPG. 121(t), SuperStock; 121 (b), AA Photo Library/Doug Corrance. 122/3, Joe McNally. 124,
Joe McNally. 125, Esto Photographics. 126/7, Kelly Mooney Photog. 126, The Stock Market Photo Agency Inc. 129, FPG. 130, Photo Researchers Inc. 131, Colorific. 134, The Frick Collection. 135, The Frick Collection. 136, AA Photo Library/Richard Elliott. 138, art-work Makings. 139, AA Photo Library/Doug Corrance. 140/1, Joe McNally. 142, The Bridgeman Art Library. 142/3, Gamma. 144, Photo Researchers. 145, Joe McNally. 146/7, Joe McNally. 148/9, Joe McNally. 149, Colorific. 150, Joe McNally. 151, Pix. 152, Colorific. 154, Art Resource. 154/5, Esto Photographics. 155, Jewish Museum. 156, ICP/David Spear. 157, Sofika (L Zielyk). 158, AA Photo Library/Richard Elliott. 159, The Bridgeman Art Library. 160(t),Karl Peterson; 160(b), Karl Peterson. 161, Abigail Adams Smith Museum. 162, Pix. 163, AA Photo Library/Richard Elliott. 164, Whitney Museum of American Art. 165, Steve McCurry. 166, J Allan Cash Ltd. 167, Jos~ Azel. 170/1, Photo Researchers Inc. 172, Tel egraph Colour Library. 173, FPG. 176/7, Photo Researchers Inc. 177, Kelly Mooney Photog. 178, Kelly Mooney Photog. 179(t), FPG; 179(b), St Tammaus. 182, Historical Society. 183, The Bridgeman Art Library. 184, Pix. 185, Pix. 186, FPG. 187, AA Photo Library/Doug Corrance. 188(t), Childrens Museum of Manhattan; 188(b), Nicholas Roerich Museum. 189, Colorific. 192, Photo Researchers Inc. 193, Photo Researchers Inc. 194, Photo Researchers Inc. 195, Pix. 196, Photo Researchers Inc. 197, Kelly Mooney Photog. 198, The Stock Market Photo Agency Inc. 199, Photo Researchers Inc. 200, Corbis/Library of Congress. 201 (tr), Culver Pictures; 201 (bi), Corbis/Bettmann; 201 (br), Culver Pictures. 202, The Bridgeman Art Library. 203, National Geographic Society. 207, SuperStock. 208, Pix. 209, Pix. 210/11, The Bridgeman Art Library. 211, The Bridgeman Art Library. 213, John Calabrese. 214, AA Photo Library/ Richard Elliott. 215, FPG. 216, Pix. 217, Pix. 218, Jacques Marchais Museum of Tibetan Art. 219, Steve Candall & Associates. 220, Pix. 221, Michael Nichols. 222, Wave Hill. 223, FPG. 224, AA Photo Library/Paul Kenward. 225, AA Photo Library/Richard Elliott. 226(t), Pix; 226(b), Pix. 227, AA Photo Library/Richard Elliott. 230/1, SuperStock. 232, SuperStock. 233, SuperStock. 234,
SuperStock. 235, Tel egraph Colour Library.

版权合同登记号：图字 06-2001-106 号
图书在版编目（CIP）数据

纽约／（美）迈克尔·达勒姆（Michael S. Durham）著；陈正菁，王尚胜，白秀英译．—沈阳：辽宁教育出版社，2001.9
（国家地理学会旅行家系列）
ISBN 7-5382-6136-2

Ⅰ．纽…　Ⅱ．①迈…　②陈…　③王…　④白…　Ⅲ．旅游指南—纽约　Ⅳ．K971．29

中国版本图书馆 CIP 数据核字（2001）第 059814 号

Published by the National Geographic Society
John M. Fahey, Jr., President and Chief Exeutive Officer
Gilbert M. Grosvenor, Chairman of the Board
Nina D. Hoffman, Senior Vice President
William R. Gray, Vice President and Director, Book Division
David Griffin, Design Director
Elizabeth L. Newhouse, Director of Travel Publishing
Barbara A. Noe, Assistant Editor
Caroline Hickey, Senior Researcher
Carl Mehler, Director of Maps
Margaret Bowen, Lise S. Sajewski, Editorial Consultants
R. Gary Colbert, Production Director
Richard S. Wain, Production Project Manager
DeShelle Downey, Staff Assistant

Edited and designed by AA Publishing (a trading name of Automobile Association Developments Limited, whose registered office is Norfolk House, priestley Road, Basingstoke, Hampshire, England RG24 9NY. Registered number: 1878835).
Betty Sheldrick, Project Manager
David Austin, Senior Art Editor
Marilynne Lanng, Editor
Phil Barfoot, Nick Otway, Designers
Simon Mumford, Senior Cartographic Editor
Nicky Barker-Dix, Helen Beever, Cartographers
Richard Firth, Production Director
Picture Research by Poppy Owen, Image Select International Limited
Area maps drawn by Chris Orr Associates, Southampton, England
Cutaway illustrations drawn by Maltings Partnership, Derby, England

出版　辽宁教育出版社
（中国辽宁省沈阳市和平区十一纬路 25 号）
贝塔斯曼亚洲出版公司
发行　辽宁教育出版社
印刷　广州大一印刷有限公司
版次　2001 年 9 月第 1 版
印次　2001 年 9 月第 1 次印刷
开本　889mm × 1194mm　1/32
字数　240 千字　　图片　190 幅
印张　8.625
印数　1 — 5 000 册
定价　50.00 元

译　　者　陈正菁　王尚胜　白秀英
总 策 划
总发行人　俞晓群
责任编辑　许苏葵　杨军梅
美术编辑　吴光前
技术编辑　袁启江
责任校对　王　玲